EGOÍSTAS, INMORTALES Y VIAJERAS

Últimos títulos publicados en esta colección:

N. Mandela, *El camino a la montaña*
C. López-Otín, *La vida en cuatro letras*
J. Baggini, *Cómo piensa el mundo*
T. Phillips, *Humanos*
M. Eliade, *Historia de las creencias y las ideas religiosas I*
M. Eliade, *Historia de las creencias y las ideas religiosas II*
M. Eliade, *Historia de las creencias y las ideas religiosas III*
M. S. Gazzaniga, *El instinto de la conciencia*
M. Mittelmeier, *Adorno en Nápoles*
T. Morton, *Ecología oscura*
D. Robson, *La trampa de la inteligencia*
D. Darling y A. Banerjee, *El sorprendente libro de las rarezas matemáticas*
L. Castellanos, *El lenguaje de la felicidad*
B. Lewis, *El último Leonardo*
K. Armstrong, *El arte perdido de las escrituras*
Ch. Ryan y C. Jethá, *En el principio era el sexo*
C. Rackete, *Es hora de actuar*
K. Kirkpatrick, *Convertirse en Beauvoir*
E. Young-Bruehl, *Hannah Arendt*
M. Rovere, *¿Qué hacemos con los idiotas?*
S. Žižek, *El sexo y el fracaso del absoluto*
Dr. S. Novella, *Guía del Universo para escépticos*
A. García Ortega, *Abecedario de lector*
I. Crespo, *Una selva de sinapsis*
E. Safran Foer, *Todavía seguimos aquí*
H. Jahren, *El afán sin límite*
C. López-Otín y G. Kroemer, *El sueño del tiempo*
M. Onfray, *Sabiduría*
E. R. Kandel, *La era del inconsciente*
b. hooks, *Todo sobre el amor*
V. Hansen, *El año 1000*
L. Feldman Barrett, *Siete lecciones y media sobre el cerebro*
A. Rutherford, *Cómo rebatir a un racista*
A. Poirier, *La Rive Gauche*
Z. D. Carter, *El precio de la paz*
A. David, *El cerebro es más profundo que el mar*
AA. VV., *Las preguntas siguen*
J. LeDoux, *Una historia natural de la humanidad*
S. Seager, *Las luces más diminutas del universo*
I. Wilkerson, *Casta*
S. Simard, *En busca del Árbol Madre*
J. Lovelock, *Novaceno*
E. Weiner, *El expreso de Sócrates*
S. Pinker, *Racionalidad*
C. López-Otín, *Egoístas, inmortales y viajeras*

CARLOS LÓPEZ-OTÍN

EGOÍSTAS, INMORTALES Y VIAJERAS

Las claves del cáncer y de sus nuevos tratamientos: conocer para curar

PAIDÓS Contextos

1.ª edición, noviembre de 2021

Paidós es un sello editorial de Editorial Planeta, S. A.
Avda. Diagonal, 662-664
08034 Barcelona, España
www.paidos.com
www.planetadelibros.com

ISBN 978-84-493-3870-0
Fotocomposición: Realización Planeta
Depósito legal: B. 16.373-2021
Impresión y encuadernación en CPI Black Print

El papel utilizado para la impresión de este libro está calificado como papel ecológico y procede de bosques gestionados de manera sostenible

Impreso en España – *Printed in Spain*

SUMARIO

Introducción 11

1. En el principio, la vida 21
2. Una historia interminable 33
3. Cortar, quemar, envenenar 53
4. Creced y multiplicaos 71
5. No matarás, no morirás 85
6. Viajar hasta llegar al final 95
7. El hijo del samurái 109
8. La esencia del mal 119
9. La herencia del mal 135
10. Regalos de vida 151
11. Orden en el caos 165
12. La fuerza interior 181
13. Prevenir para vivir 209
14. Ante mí, el infinito 241

Epílogo 253
Galería de arte 257
Banda sonora 259
Cartelera de cine 261

Notas. 263
Bibliografía 291
Glosario 293
Agradecimientos. 299

A las perlas de Baily, por lo que anuncian.
A los sembradores de fresas azules, por lo que sueñan.

INTRODUCCIÓN

Nunca conocí a Adán. Nunca me olvidé de él. Una palabra, dos sílabas y seis letras nos unieron para siempre.

Todo comenzó una mañana de verano de hace más de veinte años. Ese día recibí una caja de zapatos con unos extraños libros en los que estaba escrita la vida de Adán y la de su familia entera. Abrí la caja; aparentemente solo contenía unos tubos de vidrio con tapones de color morado y llenos de un líquido viscoso que no podía ser otra cosa que una muestra de sangre. El color rojo de la hemoglobina contrastaba vivamente con el blanco de los algodones que trataban de proteger los tubos para evitar que se rompieran en mil trozos. En aquel tiempo, las almas de los padres y de la hermana de Adán ya se habían roto en muchos pedazos más; no había en el mundo algodones suficientes para impedirlo. De forma inesperada, sin merecerlo, sin entenderlo y sin tiempo siquiera para asumirlo, a Adán, todavía un adolescente, le habían diagnosticado un cáncer de hígado en una fase muy avanzada y la medicina había pronunciado un veredicto tan duro como inapelable: nada que hacer.

La ciencia trató de ir un poco más allá y buscó esa brecha que hay en todo y por la que dicen que al final entra la luz. En nuestro laboratorio habíamos descubierto y puesto nombre a muchos genes humanos cuyas alteraciones causan cáncer. Además, habíamos desarrollado nuevas técnicas de biología molecular que nos permitían aproximarnos al estudio del genoma,* ese grandioso libro escrito con las cuatro letras de la vida (A, C, G y T) que contiene los secretos de nuestro aspecto, de nuestros talentos y de nuestra predisposición a las enfermedades, incluido el cáncer. En aquel verano del 98, la tecnología disponible no nos permitía descifrar el genoma completo de un enfermo de cáncer, pero sí podíamos analizar algunos genes concretos para buscar las posibles mutaciones que habían transformado las células de Adán en unas entidades **egoístas**, **inmortales y viajeras** que amenazaban su vida.

No hubo tiempo para completar nuestro análisis; Adán se despidió del mundo real el 23 de diciembre de ese mismo año, con toda la vida por delante y con todos sus sueños por cumplir y hasta por soñar. Mientras las manos de Hélène Grimaud —la pianista evanescente que pinta el sonido— me acercan la música de Mozart, recuerdo el funeral de Adán en una pequeña iglesia situada junto al mar; un lugar de gran belleza natural que aquella tarde de invierno no invitaba a la contemplación, sino a la más profunda introspección. Era el día de Nochebuena, pero el tradicional ritual de celebraciones se tiñó de melancolía. La desolación y la confusión penetraban en nuestros cuerpos a la par que la niebla, que fue subiendo desde el mar hasta instalarse en el cementerio, colgado de la montaña y ajeno al paso del tiempo, pues sus habitantes ya solo contemplaban la soledad atemporal de la eternidad.

Desde entonces no ha habido ni una sola Nochebuena en la que no haya recordado con intensidad y con profunda emoción la breve vida de Adán, ese chico al que nunca vi, con el que nunca hablé, al que nunca oí reír y del que nunca supe cuáles eran sus anhelos. Había tenido muy cerca otros casos de cáncer y sabía bien lo que representaba la sensación de infinita vulnerabilidad

* Nota del editor: A partir de ahora se indicarán con un asterisco todos los términos definidos en el glosario (p. 293) que aparecen por primera vez en el texto.

que genera esta mal llamada «larga enfermedad», que en Adán fue muy corta, y de la que todavía muchos hablan con eufemismos y en voz muy baja. Sin embargo, por alguna extraña razón, tal vez por su mítico nombre, o por sus especiales circunstancias, o porque llegó en el momento preciso a mi mente, Adán quedó anclado en ella para siempre. Nunca conocí a Adán. Nunca me he olvidado de él. Una palabra, dos sílabas y seis letras nos unieron para siempre.

Abrazado al recuerdo de Adán, miro un cuadro de Joan Miró que refleja la sensación de vulnerabilidad que experimenta una libélula cuando vuela ante el sol y comienzo a escribir con la tinta de la imaginación unas cuantas reflexiones acerca del cáncer y la fragilidad humana. Nuestro mundo personal es pequeño, por lo que una sola pérdida en ese íntimo entorno es siempre devastadora, sobre todo cuando acontece a destiempo y sin ni siquiera anunciar su llegada. Adán murió de cáncer hace ya más de veinte años, pero no fue un caso singular porque ese mismo año otros cien mil españoles tuvieron el mismo final. Además, si ampliásemos el foco de nuestro examen, constataríamos que, en el tiempo que tarda la Tierra en dar una vuelta alrededor del Sol, hay más de ocho millones de personas en el mundo que no consiguen superar esa enfermedad. ¿Cómo es posible que cada año sigan muriendo de cáncer tantos seres humanos? Es como si cada primero de enero supiéramos que la práctica totalidad de los habitantes de un país como Suiza o de una ciudad como Londres iban a desaparecer para siempre del planeta tras las campanadas de Fin de Año por obra de una enfermedad tan democrática que no distingue ni país, ni ciudad, ni edad, ni género, ni profesión, ni condición. ¿Nos hemos acostumbrado y lo aceptamos como un elemento más de nuestras vidas? ¿Qué podemos hacer para evitarlo o, al menos, para aliviar esta dramática contabilidad? ¿Habría sobrevivido hoy Adán a su enfermedad? ¿Cuándo se erradicará, por fin, el cáncer?

El libro *Egoístas, inmortales y viajeras* explora el pasado, la realidad actual y el futuro de una enfermedad que, en términos estrictos, no es una única entidad sino más de doscientas distintas, tantas como tipos celulares constituyen los diferentes órganos y tejidos de nuestro cuerpo. Discutiremos, en primer lugar, el origen del cáncer; una cuestión que hasta fechas relativamente cercanas no ha tenido una respuesta concreta y que hoy podemos resumir diciendo que es una enfermedad de los genes, por lo que solo acontece en nuestro planeta genómico. Después, reconstruiremos la larga y complicada biografía del cáncer, desde su aparición tras la formación de los organismos pluricelulares hasta su triunfo actual como entidad biológica fuerte y ambiciosa capaz de afectar a un amplio espectro de seres vivos, especialmente a los humanos. Nuestra indeseada e indeseable posición preferente entre las víctimas de los tumores malignos deriva en buena parte de nuestra absurda perseverancia en la práctica de actividades que multiplican nuestro riesgo natural de padecer cáncer.

Toda una serie de cambios recientes en nuestra forma de vivir, incluidas la exposición voluntaria a agentes cancerígenos, la alimentación inadecuada o la contaminación creciente de nuestro entorno, interfieren con una armonía molecular natural, que necesitó más de tres mil quinientos millones de años para asentarse y llegar a construir seres tan complejos como los humanos. Estos cambios —evitables en gran medida— son el resultado del lado oculto de la evolución cultural exclusiva de nuestra especie, que nos ha impulsado a realizar actividades disruptivas del equilibrio existente entre nuestra antigua biología, modelada por millones de años de evolución darwiniana, y las pautas en las que ahora se desenvuelve nuestra vida. La consecuencia es clara: una enfermedad que ha existido siempre pero que se había mantenido bajo un cierto control natural gracias a la limitada longevidad de nuestros antepasados comenzó a avanzar sin descanso hasta adquirir un protagonismo excesivo y brutal en nuestra sociedad.

Afortunadamente, en términos globales, la evolución cultural muestra más luces que sombras. El progreso en el conocimiento del origen y la historia del cáncer proporcionó la mínima base conceptual necesaria para que el talento humano pudiera ofrecer algunas respuestas frente a los tumores malignos. Cortar, quemar y envenenar son palabras duras y oscuras que nos transportan a un pasado lejano y azaroso en el que los pioneros de la cirugía, la radioterapia y la quimioterapia —pese a sus escasos medios técnicos— evitaron por primera vez que cáncer y muerte fueran términos sinónimos en la ecuación de la vida. Pero, aunque el cáncer siguió aumentando, presentándose en cualquier entorno y extendiéndose hasta convertirse en una epidemia moderna, el *Homo sapiens* no se rindió; al contrario: empezó a reaccionar y demostró que podía enfrentarse a la malignidad con la fuerza de su talento y de su imaginación. Fue entonces cuando pidió ayuda a la ciencia y esta compareció.[1]

Convencidos de que esta enfermedad podía llegar a curarse, investigadores de distintos ámbitos comenzaron a mostrar un profundo interés por el problema del cáncer. Rápidamente, la biología molecular —esa joven disciplina surgida en 1953 tras el descubrimiento de la estructura en doble hélice del ADN*— proporcionó nuevas hipótesis sobre un mal tan antiguo. Se inició así una etapa de continuos avances en las causas y mecanismos del cáncer, que cristalizaron en la idea de que esta enfermedad se produce por una acumulación de daños en el genoma y en otros lenguajes de la vida, como el epigenoma* y el metagenoma.* Estos cambios son el resultado de un proceso tan singular como es el de la transformación celular, en virtud del cual una célula normal se convierte en una entidad **egoísta** cuyo objetivo es crecer sin freno, **inmortal** porque desoye las señales de muerte recibidas por las células dañadas y **viajera**, por cuanto es capaz de abandonar su tejido de origen y colonizar otros territorios, distintos y distantes, para formar las metástasis que caracterizan a los tumores malignos.

Tras presentar las propiedades más notables de estos tres procesos generales y distintivos —crecimiento, inmortalización y formación de metástasis—, relataremos la historia del hijo del samurái, un científico japonés escritor de haikus,* esos bellos poemas de estructura triangular, como la molécula de agua sobre la que descansa la vida. Este curioso personaje se convirtió en protagonista estelar de un avance esencial para el conocimiento del cáncer: la creación de modelos animales para el estudio *in vivo* de los tumores malignos humanos. Una vez que hayamos discutido la necesidad de usar distintos tipos de modelos tumorales para entender un proceso patológico tan complejo y dinámico como este, analizaremos las claves del cáncer, esto es, las propiedades celulares y moleculares que son comunes a la práctica totalidad de los tumores y que constituyen la verdadera identidad de la malignidad celular. Desde la esencia del mal avanzaremos hacia la herencia de la propia enfermedad con la presentación del cáncer familiar, ese reducido grupo de tumores que se heredan de los progenitores y de cuyo estudio hemos aprendido lecciones decisivas para comprender la lógica molecular de la transformación celular.

Concluirá así un primer bloque de capítulos que nos permitirán conocer los principales secretos de una enfermedad que tanto miedo genera en la humanidad. Miedo a lo desconocido, miedo a lo que nos destruye por dentro, miedo a su existencia y miedo a su persistencia, miedo al dolor que provoca y miedo a los tratamientos que se aplican, miedo a ignorar lo que hicimos mal para caer presa de ella y, por último, miedo a que el cáncer nos robe la vida hasta llevarnos a los territorios oscuros de la nada y el olvido. Partiendo de este miedo, que es tan real que nos hace temblar y, a la vez, tan natural, puesto que forma parte de nuestra propia aventura evolutiva, el libro comenzará a crecer hacia la esperanza. «Conocer para curar» es la premisa fundamental desde la que se han escrito las páginas que vienen a continuación. Ese fue el mantra que comenzó a repetirse en mi mente cuando, hace ya más de tres décadas, y después de una amplia formación científica en diversos campos guiado por maestros y mentores maravillosos, tuve la oportunidad de poner en marcha mi primer laboratorio.

Allí, en la Universidad de Oviedo y en el Instituto Universitario de Oncología del Principado de Asturias (IUOPA), he tenido la fortuna de ser testigo directo del progreso de la oncología molecular en todos los ámbitos. Además, en nuestro laboratorio hemos tenido el privilegio de contribuir al desarrollo de esta disciplina en distintas áreas. Así, como resultado de la exploración de nuestras primeras hipótesis en torno a los mecanismos de formación de las metástasis tumorales, pudimos descubrir más de sesenta nuevos genes* humanos alterados en el cáncer y potencialmente implicados en su progresión.[2] El estudio de las funciones de estos genes nos llevó a escribir largas historias «de ratones y hombres» como las de John Steinbeck,[3] aunque en nuestro caso estuvieron basadas en la creación de ratones modificados genéticamente que nos ayudaron a identificar algunas estrategias utilizadas por las células tumorales durante el desarrollo del cáncer.

Así, estudiando gen a gen y ratón a ratón, fue transcurriendo el tiempo hasta que, tras más de dos décadas examinando la complejidad del cáncer bajo un prisma génico minimalista, intuimos que había llegado el momento de extender nuestra mirada más allá de la ciencia tradicional, dirigida por hipótesis, y comenzamos a explorar genomas completos. Para ello usamos nuevas técnicas moleculares y aproximaciones agnósticas* en las que no formulamos hipótesis previas, tan solo dejamos que nos hablasen los datos experimentales generados masivamente sobre un problema concreto, en este caso el cáncer. Sin duda, hay que saber mirar esos datos y aprender a interpretarlos, la parte más compleja del desciframiento de un genoma compuesto en cada una de nuestras células por más de tres mil millones de piezas nucleotídicas.*

La experiencia adquirida por nuestro laboratorio en los estudios sobre el genoma humano y el desarrollo de herramientas informáticas para facilitar los análisis genómicos, como el algoritmo Sidrón, fueron determinantes para que en 2009 se produjera un cambio trascendental en mi vida profesional. Ese año asumí la corresponsabilidad de dirigir la contribución española al Consorcio Internacional de los Genomas del Cáncer, la iniciativa más ambiciosa en toda la historia de la oncología molecular. Este trabajo nos ha permitido descifrar el genoma tumoral de centenares de pacientes con leucemia u otros tumores malignos y detectar mutaciones recurrentes en varios genes que han pasado a convertirse en dianas preferentes de intervención terapéutica antitumoral. Además, estos estudios han propiciado la identificación de nuevos genes y mecanismos mutagénicos implicados en la génesis de los tumores malignos, así como la introducción de innovadoras estrategias de medicina de precisión para su diagnóstico, seguimiento y tratamiento. En paralelo, y utilizando las mismas tecnologías desarrolladas para el estudio mutacional del cáncer, organizamos un programa denominado «Genómica social» que nos ha llevado a desvelar las claves genómicas de diversas enfermedades hereditarias (incluidos algunos tipos de cáncer) que afectaban a varias de las familias que acudieron a nuestro laboratorio en busca de ayuda. Por último, mi trabajo en el Dana-Farber Cancer Institute de la Universidad de Harvard y en el Centre de Recherche Les Cordeliers, de la Universidad de la Sorbona, me permitió pasar de la investigación básica a la clínica y conocer la realidad traslacional de la quimioterapia dirigida y de la inmunoterapia, la gran esperanza de la oncología actual.

Con todo este bagaje de experiencia personal acumulada durante más de treinta años de trabajo en los que antes llamábamos templos sagrados del conocimiento —y que ahora ya suelen ser otra cosa—, pensé que tal vez tenía la madurez profesional suficiente para escribir la segunda parte de este libro sobre el cáncer, la que nos llevará del miedo a la esperanza. Así, a partir del noveno capítulo hablaremos de los regalos de vida que han supuesto las nuevas terapias contra el cáncer, dirigidas contra alteraciones moleculares o celulares presentes específicamente en algunos tumores. Desde allí pasaremos a la descripción detallada de los distintos proyectos internacionales de los genomas del cáncer, a los que nuestro laboratorio y sus habitantes han contribuido de una manera continua y trascendente. La discusión de las conclusiones extraídas de estos proyectos, que acaban de completarse en su primera fase, abrirán el paso a la presentación de la inmunoterapia, el nuevo elixir contra el cáncer. Abordaremos los logros y las fronteras actuales de esta estrategia, pero también las exageraciones lanzadas a los cuatro vientos en torno a estos tratamientos y la necesidad de colocar este excelente enfoque en su verdadera posición para evitar prometer lo que no se puede cumplir.

Por lo tanto, conocer para curar, pero también para no crear expectativas falsas e interesadas, tan frecuentes en la historia del cáncer y que tanto daño colateral han traído consigo. Este bloque del libro terminará con un capítulo sobre la prevención del cáncer. En primer lugar, analizaremos cómo influye la alimentación en el riesgo de padecer un tumor maligno y, después, comentaremos cómo una nutrición adecuada puede contribuir a mejorar la evolución clínica del tumor o favorecer la respuesta al tratamiento correspondiente. Por último, presentaremos otras estrategias para prevenir el cáncer y discutiremos la importancia de alejar nuestras vidas de cualquier fuente de toxicidad, incluida la humana, para mejorar el bienestar emocional y levantar barreras preventivas contra la transformación maligna.

Finalmente, *Egoístas, inmortales y viajeras* afrontará la pregunta de cuál es el futuro del cáncer. Asumiendo el avance continuo de las nuevas terapias antitumorales, algunos piensan —y hasta prometen— que esta enfermedad se erradicará definitivamente de nuestras vidas muy pronto. Mi punto de vista es diferente. Creo que el cáncer tiene un largo futuro como enfermedad, pues surge de defectos y riesgos moleculares que nos han acompañado desde el nacimiento de la especie humana y que, por tanto, forman parte de la propia esencia de la vida. Trataré de mostrar a los lectores que tal vez la pregunta que debamos responder no es si el cáncer tiene futuro —que a mi juicio lo tiene—, sino cómo será el cáncer del futuro y cómo nos enfrentaremos a su llamada cuando, a su debido tiempo, comparezca en cada uno de nosotros o de nuestros descendientes.

Nunca conocí a Adán, nunca hablé con él, pero viajando a través del sueño del tiempo hoy podría decirle que ya es más probable sobrevivir al cáncer que sucumbir a esta enfermedad, a la suya y a la de casi todos. Aprendamos y enseñemos la manera de hacerlo, pese a que el ruido del mundo y de la vida se empeñen en invitarnos al silencio.

CAPÍTULO 1

En el principio, la vida

El origen del cáncer

Estoy vivo. Salgo a la calle, comienzo a caminar, miro a la derecha y a la izquierda, me doy cuenta de que por azar dos personas han acompasado sus pasos con los míos. Los observo, me observan. No los conozco de nada, pero sé que al menos uno de los dos desarrollará un cáncer a lo largo de su vida. Estos son los números de la malignidad. Números que abruman, números que estimulan. Sigo caminando. Dejo de mirar a mi alrededor para no repetir con otros protagonistas los cálculos de la densidad del miedo. Sé que obtendré los mismos resultados. No dejo de pensar. Hace años que aprendí que hubo un tiempo en que el cáncer no existía en el tercer planeta del sistema solar. No tengo nostalgia de aquella época tan lejana porque entonces yo no había nacido todavía. Tampoco habitaba la Tierra ningún otro ser humano. Nuestro planeta acogía ya otras formas de vida, pero la poesía y el alma no habían aparecido aún y la única música que existía era la que interpretaban los astros al desplazarse por la bóveda celeste.[1]

Rebobino la película de la Gran Historia. Comienza a sonar el *Albero della vita* de Roberto Cacciapaglia. Contemplo la belleza de *El árbol de la vida* de Gustav Klimt. Recorro hacia atrás más de tres mil quinientos millones de años sin pestañear. Las condiciones ambientales son turbulentas: oscuridad, explosiones, volcanes, ríos de lava, olores infernales y calores insoportables. En medio de este caos, tengo el privilegio de observar cómo surge una esperanza de vida. Por puro azar o por pura necesidad, y con la simple ayuda del tiempo del mundo, unas pequeñas moléculas empiezan a unirse entre sí y aprenden a copiarse dentro de una densa sopa primitiva. Desarrollan un sencillo código para poder repetir el proceso sin tener que crearlo una y otra vez desde el principio. Encierran todo este sistema autorreplicativo dentro de una membrana para protegerlo de la toxicidad ambiental. En ese momento nace la primera célula, que mucho tiempo después recibirá el nombre de bacteria. Poco a poco, en su interior empiezan a organizarse múltiples reacciones bioquímicas. Se suceden unas a otras, se acompañan, se enfrentan, se ayudan, se hablan y se escuchan. De pronto, en la cálida intimidad de esa célula primigenia se pone de manifiesto la armonía molecular. La vida ya no tiene vuelta atrás.

Maravillado, observo cómo de una célula surgen dos, y de dos cuatro, y de cuatro ocho, y así hasta llegar a tantos miles de millones de entidades celulares que no somos capaces de concebirlos. Se instaura el reino bacteriano en la Tierra. Sigo contemplando el espectáculo del amanecer de la vida. Continúa mi fascinación. Transcurren los milenios y todo sigue igual. Solo veo bacterias que se limitan a dividirse una y otra vez. Son egoístas. Su único objetivo es crecer para crear otras bacterias iguales. Se instala la monotonía. La vida es clónica y unicelular. La muerte no se ha inventado todavía. La enfermedad no existe. El cáncer es inimaginable. No tiene ni nombre y lo que no se nombra no existe.

Durante más de dos mil millones de años, nada parece cambiar. Sin embargo, me doy cuenta de que poco a poco la Tierra se está intoxicando. Asombrado, percibo que un gas venenoso —cuyo futuro nombre será oxígeno— se está acumulando por todo el planeta. Las grandes y egoístas bacterias no pueden seguir creciendo. Se están asfixiando. Buscan soluciones. Unas bacterias sencillas y diminutas aprenden a convertir el gas tóxico en una fuente inagotable de energía química. Las bacterias grandes acogen en su interior a las pequeñas. Aliviadas, las incitan a trabajar sin cesar. A cambio, les ofrecen protección y alimento. La simbiosis triunfa.[2] La energía sobra. Se utiliza para explorar nuevas ideas. Se inventa la solidaridad celular. Algunas bacterias dejan de ser egoístas y pasan a compartir su vida con otras. El diccionario de la vida incorpora nuevas palabras como altruismo y apoptosis.* Comienza la aventura de la pluricelularidad. Se siembran las semillas del cáncer.

Regreso al tiempo real, dejo de observar y vuelvo a pensar. La adquisición de la multicelularidad fue un indudable logro evolutivo al que debemos nuestra propia vida, pues engendró valiosas y curiosas estrategias de reproducción, diversificación, organización, diferenciación, comunicación y regulación que acabaron con los cerca de tres mil millones de años de existencia exclusiva y aburrida de los seres unicelulares. Sin embargo, el proceso de generación de organismos pluricelulares tuvo que asumir algunos riesgos moleculares que nos regalaron ventajas evolutivas, pero que simultáneamente nos abocaron a la posibilidad de desarrollar procesos tumorales. ¿Cuáles fueron los riesgos que nos vimos obligados a aceptar? ¿Cómo nos llevaron hasta el cáncer?

Las respuestas a estas preguntas surgen de una historia de humores, rumores y tumores que comenzó a escribirse primero con la imaginación y después con la ayuda de microscopios y herramientas moleculares que nos transportaron al mundo minúsculo que late en el interior de cada célula de cada ser vivo. Los griegos carecían de estos instrumentos y tampoco disponían de los conocimientos moleculares precisos, pero poseían una capacidad de pensamiento, introspección e intuición que apenas ha tenido parangón en la historia de la humanidad. Ellos fueron los primeros que reflexionaron sobre la malignidad.

Hace unos dos mil quinientos años, Hipócrates de Cos, pionero de la medicina y de la observación de los tumores malignos, planteó las primeras hipótesis acerca del origen del cáncer. Según su original propuesta, esta enfermedad se debía a un desequilibrio entre los cuatro humores que componen el cuerpo humano: la bilis negra, la bilis amarilla, la flema y la sangre. Este desajuste humoral provocaba un exceso de bilis negra o atrabilis, que de esta manera se convertía en la fuente principal de la malignidad. Sorprendentemente, Hipócrates consideraba que esta misma bilis negra causaba otra enfermedad además del cáncer, la melancolía, ese estado anímico que pintaron magistralmente Lucas Cranach y Paul Gauguin. El pensamiento hipocrático sobre esta bilis atrabiliaria y viscosa perduró durante muchos años e incluso se expandió todavía más cuando, cinco siglos después, el gran Galeno de Pérgamo —médico de origen griego que pasaba consulta en Roma— impulsó la teoría humoral del cáncer y postuló que la bilis negra se concentraba precisamente en los lugares de invasión tumoral. Además, justificó la idea de Hipócrates de que era mejor no intervenir a los pacientes con cáncer, ya que la bilis negra se hallaba diseminada por todo el cuerpo y, al extirpar el cáncer, la atrabilis volvía a fluir hacia el lugar de donde había emergido.[3]

Las ideas de Hipócrates y Galeno sobre el origen del cáncer tuvieron una influencia extraordinaria y, de hecho, la mala imagen de aquella supuesta bilis negra se mantuvo durante más de mil años. A principios del siglo XVI, con la llegada de un nuevo pensamiento crítico y científico sobre los dogmas clásicos de la medicina, los rumores sobre los humores de los tumores comenzaron a circular por las salas de disección. Nadie había visto nunca esa bilis negra causante del cáncer y de la melancolía. Si tan importante y abundante era, debería detectarse a simple vista en el cuerpo humano. Andreas Vesalio, un joven belga nacido el último día del año 1514 y experto anatomista formado en las universidades de Padua y París, decidió explorar en profundidad esta cuestión. Tras realizar numerosas autopsias (del griego *autós* y *ópsis*, «ver por uno mismo»), confirmó sin ningún atisbo de duda la presencia de tres de los cuatro humores descritos por Hipócrates y Galeno. Según él, unas estructuras huecas y de forma tubular conducían el fluido rojo correspondiente a la sangre, que circulaba por el cuerpo impulsado por la palpitación del corazón. El sistema linfático transportaba desde los tejidos al torrente sanguíneo el líquido de color pálido que se llamaba flema. La bilis amarilla se detectaba con facilidad en el hígado de los cadáveres examinados en sus disecciones. En cambio, la búsqueda de la bilis negra fue completamente infructuosa. Vesalio no pudo detectar ni tan siquiera las negras sombras de la bilis negra, «esas negras sombras que me asombran», profundas palabras de Rosalía de Castro que resuenan con más profundidad si cabe en la luminosa voz de Luz Casal.

En 1543, el genial Andreas Vesalio —que sufrió toda su vida un acoso crónico por parte de varios colegas cuyos nombres no puedo citar porque no pasaron a la historia— publicó sus observaciones sobre los humores del cuerpo y describió buena parte del resto de sus hallazgos en un bellísimo libro titulado *De humani corporis fabrica* («Sobre la estructura del cuerpo humano»). Este tratado no solo supuso un cambio radical en la concepción de nuestra anatomía, sino que además constituyó un gran legado médico y artístico cuyo interés aún subsiste. Pese a la decepción que sufrió el propio Vesalio tras su fracaso en la búsqueda de la bilis negra, todavía cabía la posibilidad de que esa misma atrabilis solo fuera observable en pacientes con cáncer o atacados por las fiebres de la melancolía, pues nadie poseería semejante bilis para siempre y, además, únicamente se manifestaría en circunstancias especiales. Algo parecido sucedería con la difícilmente detectable alma humana, porque, tal como aprendí de Wisława Szymborska (Premio Nobel de Literatura de 1996), «alma se tiene a veces, nadie la posee sin pausa y para siempre».

El enigma de los humores de los tumores planteado por Vesalio tardó todavía doscientos cincuenta años en resolverse y, durante todo este tiempo, la teoría del desequilibrio humoral mantuvo su validez en el pensamiento médico. En 1793, el patólogo británico Matthew Baillie estudió a fondo la llamada anatomía mórbida humana, a fin de completar los estudios vesalianos sobre la arquitectura corporal de la salud. Tras diseccionar numerosos cadáveres de pacientes oncológicos y melancólicos, Baillie siguió sin detectar las fuentes de la bilis negra, ni sus vías de distribución, ni sus depósitos de acumulación. Los humores de los tumores se habían desvanecido para siempre. Llamaba a la puerta el siglo XIX y estábamos como al principio: el origen del cáncer continuaba siendo desconocido. La mera intuición seguida por la observación cuidadosa y atenta de la anatomía humana y de los tumores que en ella surgían no habían sido suficientes para desvelar su origen. Todavía hubo que esperar casi doscientos años más, hasta que, por fin, el desarrollo de nuevos instrumentos y nuevas tecnologías moleculares permitieron romper las barreras impuestas por nuestros sentidos y dar respuestas claras a los enigmas del cáncer. Esta profunda e innovadora mirada dio pie a la definición del concepto de *transformación celular* y a la identificación de las imperfecciones evolutivas que nos vimos obligados a asumir para progresar en la vida pluricelular, pero que inevitablemente nos llevaron a la posibilidad de contraer cáncer.

La historia oncológica de humores, rumores y tumores se convirtió así en una historia de genes, mutaciones y transformaciones. Hoy sabemos, gracias a una amplia recopilación de ideas y experimentos cuyos detalles se irán narrando a lo largo de este libro, que el cáncer surge cuando una sola célula de los muchos billones que componen nuestro cuerpo se transforma, pierde su sentido altruista y se multiplica sin control hasta llegar a destruir el organismo que hasta entonces había contribuido a modelar. El cáncer representa, por tanto, el retorno al caos biológico del cual surgimos, la recuperación del egoísmo unicelular bacteriano que nos precedió en la aventura evolutiva y la pérdida de la armonía molecular que hace posible cada instante que nos regala la vida. En definitiva, el cáncer es uno de los elevados precios que debemos pagar por nuestra privilegiada condición de organismos pluricelulares complejos.

Entre las deficiencias intrínsecas de nuestra naturaleza multicelular —sin duda imperfecta pero genuinamente solidaria— podemos mencionar, en primer lugar, la falta de fidelidad en los mecanismos de copia y reparación del ADN. Esta capacidad de cometer errores durante la copia de nuestro gigantesco material genético, aun siendo prácticamente irrelevante en términos cuantitativos, ha sido un motor decisivo en la evolución de las especies, incluyendo la del *Homo sapiens*. Asimismo, estas imperfecciones replicativas o reparativas han determinado las diferencias existentes entre individuos de una misma especie o incluso de una misma familia. La simple comparación del genoma de dos seres humanos puede mostrar hasta cinco millones de divergencias. Sin embargo, la pequeña tasa de error inherente a nuestra esencia biológica también implica que alguna de nuestras células puede llegar a adquirir las mutaciones que dirigen el proceso de transformación maligna. Así, una situación de imperfección evolutivamente ventajosa nos coloca también en una ruta universal de predisposición al cáncer.

Otro de los grandes riesgos derivados de la transición a un escenario en el que prima la solidaridad entre los billones de células de un organismo pluricelular tiene su origen en la temprana necesidad de construir una red de mecanismos de comunicación entre las distintas células. Cada una de nuestras células está en contacto con otras, semejantes o distintas, con las que debe comunicarse mediante una enorme y diversa colección de señales químicas y físicas cuya complejidad es todavía difícil de aprehender. Este abanico de complejidades hace que podamos sufrir daños en cualquiera de las rutas de señales que participan en nuestro dialogante multiverso celular. No en vano, la práctica totalidad de los procesos tumorales van acompañados de alteraciones moleculares en alguna de las vías que regulan los sistemas de señalización y comunicación celulares. De nuevo, la natural e inevitable imperfección en un mecanismo celular como el de la señalización nos aboca a situaciones en las que no se reciben las señales adecuadas, ni en el sitio apropiado ni con la intensidad requerida. Las células tumorales aprovechan estos resquicios y acaban por instalarnos en un ámbito atestado de ruido molecular que a largo plazo es incompatible con la supervivencia.

Una imperfección adicional de la pluricelularidad está relacionada con los mecanismos de muerte celular programada, un curioso invento de la evolución que fue decisivo para impulsar la vida. Diversas estrategias moleculares invitan a las células dañadas o caducadas a morir para evitar que sus defectos comprometan la viabilidad de la sociedad celular de la cual forman parte. Estos mecanismos de muerte son muy eficientes y, en un conmovedor ejemplo de solidaridad y altruismo, cada segundo, se suicidan en nuestro cuerpo varios millones de células. Sin embargo, la evolución ha mantenido diversas maneras de evitar la muerte celular con el objetivo de lograr alguna ventaja en ciertas circunstancias. Por ejemplo, todos tenemos una proteína llamada telomerasa,* que solo actúa en las células germinales* (las precursoras de los óvulos y los espermatozoides) para asegurar la integridad del material genético que albergan estas células esenciales para la reproducción. De este modo garantizamos la transmisión a nuestros descendientes de toda la información precisa para construir un ser humano. Curiosamente, las células tumorales, pese a tener una buena colección de alteraciones y mutaciones que las obligaría a abandonar de inmediato el teatro en el que se representa la vida, ponen en escena su afán insolidario y egoísta, reactivan la telomerasa y pervierten los mecanismos de muerte celular para conquistar su anhelada inmortalidad.

Un último riesgo que tuvimos que asumir en nuestra evolución hacia la complejidad fue el mantenimiento en nuestros órganos y tejidos de un pequeño número de células de especial singularidad —las llamadas células *stem** o progenitoras— que poseen un gran potencial de proliferación e invasión. Estas células son necesarias para afrontar procesos fisiológicos tan trascendentales como el desarrollo embrionario. Además, participan en procesos esenciales para el mantenimiento y la defensa del organismo como son la renovación de los tejidos, la respuesta inflamatoria o la cicatrización de las heridas. La pérdida de los exigentes controles que mantienen la función de las células *stem* en unos límites apropiados para evitar que muestren su lado oscuro conlleva la adquisición de las propiedades mitogénicas e invasivas que son consustanciales a las células malignas. Así, las células progenitoras —extraordinarias e imprescindibles, pero también delicadas y vulnerables— que primero nos regalaron la vida y después nos conceden longevidad y salud, se convierten en semillas del cáncer.

En suma, las células tumorales aprovechan cualquier debilidad de nuestro organismo para medrar. Son infieles en sus mecanismos de división; explotan la imperfección de las estrategias de reparación; crecen sin parar, desoyendo las llamadas a la moderación; hacen caso omiso de las señales de extinción y, al final, consiguen transformarse. Practican así una forma extraña de parasitismo en el mundo celular, en el que —al igual que sucede en la gran película coreana *Parásitos*— se establecen relaciones complejas y de consecuencias imprevisibles para todos sus protagonistas. Afortunadamente, nuestro lento proceso evolutivo llegó a apreciar sus propias debilidades y acabó por proporcionarnos una valiosa colección de mecanismos biológicos que minimizan el potencial tumoral derivado de estas deficiencias. Entre tales regalos evolutivos se encuentra el llamado límite de Hayflick,* concepto que establece la capacidad replicativa finita de las células. Nuestras células tienen estrategias para autocontrolar su potencial de dividirse y solo pueden duplicarse un número limitado de veces antes de que dicha capacidad decaiga. Además, la evolución realizó una cuantiosa inversión en sistemas de corrección de errores replicativos y de reparación de daños genéticos; también poseemos numerosos programas de inducción y ejecución de muerte celular y disfrutamos de un eficaz sistema inmune antitumoral. La conjunción de todas estas actividades hace que la balanza que oscila entre la salud y el cáncer se incline —en la mayoría de los humanos y al menos durante cierto tiempo— hacia el lado de la vida.

Pese a ello, es una verdad incuestionable que los organismos pluricelulares desarrollan tumores malignos y, en nuestro caso, con una frecuencia que ha venido aumentando en las últimas décadas. ¿Por qué sucede esto? Tres son los motivos fundamentales que pueden ayudarnos a entender la aparente epidemia actual del cáncer. En primer lugar, el espectacular incremento de la longevidad en las sociedades modernas ha multiplicado las oportunidades de que nuestras células puedan dañarse y transformarse en entidades malignas. No en vano, la edad es el principal factor de riesgo para el desarrollo del cáncer, mientras que la juventud es el mejor antídoto contra esta enfermedad. Además, la introducción de nuevas técnicas de diagnóstico precoz hace que el número de casos detectados y apuntados en los censos de la malignidad se haya incrementado de manera notable en los últimos tiempos. Finalmente, y como ya hemos comentado, la evolución cultural nos ha proporcionado nuevas y variadas posibilidades —por ejemplo, el consumo de tabaco o la exposición a tóxicos ambientales y nutricionales— de interferir en nuestra propia biología, la cual fue optimizada durante milenios con infinita paciencia y brillante eficacia.

Recapitulando, la elevada frecuencia con que se rompen en las sociedades celulares los equilibrios armonía-caos, altruismo-egoísmo y salud-cáncer —por exposición a agentes externos, pero también mediante la acumulación de mutaciones causadas por errores inherentes a nuestro diseño biológico— ha propiciado la idea de que el cáncer es una enfermedad obscena y maldita inventada por el progreso. Sin embargo, nada más lejos de la realidad. El cáncer no es una epidemia reciente de las sociedades modernas, sino que tiene una historia muy antigua que hunde sus raíces en épocas remotas de la biografía del mundo. La mejor forma de sostener esta afirmación es retrasar de nuevo el reloj del tiempo y recrear la propia historia del cáncer, una historia interminable.

CAPÍTULO 2

Una historia interminable

La biografía del cáncer

Un día cualquiera que ya se pierde en mi memoria, el azar y la imaginación me regalaron la oportunidad de encontrar un libro muy singular en la biblioteca más bella de las muchas que he conocido en toda mi vida. La obra se titulaba *Diario del último dinosaurio* y entre sus páginas descubrí algunas claves que me han ayudado a escribir esta breve biografía del cáncer.

«Aquella mañana, el dolor era ya insoportable. La enfermedad progresaba sin descanso. Mi rutina diaria de salir a la vida y caminar unos cuantos kilómetros se había vuelto imposible. Mis sólidos huesos, que durante décadas habían sustentado un cuerpo fuerte y resistente, se habían vuelto tan frágiles que más parecía que me apoyaba en unos pilares blandos y evanescentes que en una arquitectura rígida y rotunda. Tras muchos años llevando una vida sana, sin exponerme a ningún agente tóxico, siguiendo una dieta exclusivamente vegetariana y practicando una actividad física continua, ahora me veía a mí mismo como un organismo en completa demolición. No dejaba de pensar que mi final estaba cerca. Sufriendo en silencio, sin nadie con quien compartir esta aflicción y, lo que es peor, sabiendo que tampoco había nadie que pudiera ayudarme porque mi enfermedad no tenía cura, estaba agotando las horas finales de la esperanza. Con mi último aliento grité al viento, invocando a las fuerzas sobrenaturales y pidiendo un improbable milagro. Nada sucedió. El único eco que encontraron mis gritos fue el del silencio.

»De pronto, el cielo comenzó a incendiarse. A lo lejos, se dibujaba la espectacular imagen de una masa de fuego que parecía aproximarse a la Tierra. A medida que pasaban los segundos y aquel bólido celeste se acercaba al suelo, crecía y crecía de tamaño hasta que se convirtió en una gigantesca esfera que logró oscurecer el Sol y llenar el mundo de una luz tan negra como abrasadora. Por un momento pensé que mis súplicas habían sido atendidas y que esta abrumadora fuente de energía —que venía del espacio transportada por la fuerza de la gravedad— era la respuesta divina para curar mi enfermedad. Sin embargo, de repente tuve una chispa de intuición y, aterrado, me di cuenta de lo que en realidad estaba sucediendo. Había asumido que mi despedida de la vida iba a deberse a una temible enfermedad como el cáncer de huesos, pero nunca imaginé que mi adiós al mundo iba a provenir de la caída en la Tierra de un meteorito que, mientras concluyo estas últimas líneas de mi autobiografía, amenaza con acabar con todos los miembros de nuestra estirpe: los dinosaurios.»

Hoy escucho la música de Dingo Bells sobre estos extravagantes gigantes y recuerdo el triste ocaso de unos formidables seres vivos que dominaron el planeta durante millones de años, para finalmente sucumbir a las fuerzas de una naturaleza que no pudieron entender. Y sí, los dinosaurios también tuvieron cáncer, una enfermedad que tampoco supieron comprender. Sesenta y seis millones de años después de su extinción, otra especie dominante, el *Homo sapiens*, sigue empeñada en comprender y curar esa misma enfermedad.

Nadie sabe cuándo apareció exactamente; solo podemos aventurarnos a sugerir que ciertas perversiones moleculares condujeron a la generación de los primeros tumores, aunque hoy parece incuestionable que el cáncer es un proceso mucho más antiguo que nosotros mismos. La enfermedad dejó su rastro en el registro fósil y en otros restos que resistieron el paso del tiempo y han llegado hasta nosotros. Los paleopatólogos han encontrado pruebas de la presencia de tumores óseos malignos en vértebras de dinosaurios de la era mesozoica, iniciada hace 251 millones de años y que terminó hace 66 millones de años. Los estudios paleopatológicos también han confirmado que diversos restos humanos de la Edad del Bronce —tal vez procedentes de algún pariente de los creadores del maravilloso disco celeste de Nebra hace 3.600 años— mostraban las huellas de tumores malignos como el osteosarcoma o el angiosarcoma. Aunque en la investigación científica siempre es muy arriesgado ser categórico, estos hallazgos y otros semejantes en seres que en un pasado muy lejano habitaron distintas regiones del planeta demuestran la antigüedad del cáncer en el curso de la Gran Historia del mundo.

Los primeros registros escritos sobre el cáncer datan de una época posterior a la de estos antepasados nuestros que ya lo conocieron y sufrieron sus estragos. En un manuscrito del antiguo Egipto del año 2500 a. C. en el cual se recoge información detallada sobre la actividad clínica del prestigioso médico Imhotep, se describe el caso de una mujer cuyo pecho mostraba una masa endurecida para la que no había tratamiento. Se abrió entonces un largo y frustrante paréntesis durante el cual el cáncer, que seguía siendo una enfermedad sin nombre, no dejó huella alguna en la incipiente literatura médica de la Antigüedad.

Finalmente, en torno al año 400 a. C., los brillantes pensadores y nombradores griegos escogieron la palabra *karkinos* (cangrejo o úlcera) para definir este mal. En la mitología griega, *karkinos* era el nombre de un cangrejo gigante que vivía en la laguna de Lerna y ayudó a la hidra de nueve cabezas en su lucha contra Hércules, durante el segundo de los doce trabajos que tuvo que afrontar el hijo de Zeus y de la mortal Alcmena. El *Corpus Hippocraticum* —conjunto de textos médicos atribuidos a Hipócrates de Cos— describe lesiones ulcerosas agresivas que se agarran y extienden por los tejidos como si fueran las patas de un cangrejo;

de ahí el evocador y a la vez amenazante nombre de *karkinos*. Después, el término pasó al latín como *cancer*, manteniendo el doble significado de cangrejo y úlcera maligna. Por último, el castellano separó las dos acepciones, y añadió un sufijo diminutivo para definir el crustáceo y la normativa tilde para referirse a la enfermedad tumoral. Los nombradores griegos también nos regalaron la palabra *ónkos* (hinchazón o edema), que con el tiempo acabaría siendo la raíz de *oncología*, término que designa la disciplina médica dedicada al estudio de los tumores.

Durante el Imperio romano, el cáncer siguió considerándose una enfermedad rara e intratable y las escasas referencias existentes proceden de textos de autores de origen griego, que justificaron el nombre escogido por sus antepasados tras comparar las características de los cangrejos y el comportamiento de los tumores malignos. El propio Galeno, anticipándose al concepto de angiogénesis tumoral (formación de nuevos vasos sanguíneos en el cáncer), puso de manifiesto el gran parecido existente entre las venas que alimentan a los tumores y las patas de los cangrejos. Arquígenes de Apamea y Leónidas de Alejandría asociaron la dureza de los tumores malignos con la consistencia del caparazón de estos crustáceos y asimilaron el comportamiento agresivo y obstinado de la enfermedad con la fuerza y perseverancia de los cangrejos cuando agarran con sus pinzas a sus presas.

Tras las civilizaciones griega y romana, el pensamiento médico y científico se sumió en una larga etapa de oscuridad. La humanidad entró en la era medieval a la vez que múltiples supersticiones penetraban en la mente de las personas. La pérdida de la curiosidad científica estuvo poderosamente influida por el avance imparable del pensamiento mágico o sobrenatural, que abominaba de los estudios relativos a la materialidad del cuerpo. Las autopsias y disecciones, proscritas desde la Antigüedad, seguían prohibidas y su práctica era severamente castigada. El cuerpo humano llegó a ser considerado como un mero soporte físico del alma y una gran fuente de debilidades. En suma, un pesado lastre para alcanzar la espiritualidad. El estudio del cáncer quedó abandonado y la búsqueda de su posible tratamiento se vio desplazada a causa de las urgencias planteadas por enfermedades más frecuentes, especialmente las infecciosas, que diezmaban sin tregua las poblaciones medievales y que han vuelto a aparecer en forma de pandemia coronavírica para recordarnos nuestra inevitable vulnerabilidad.

Entre los escasos pueblos que mantuvieron encendida la llama de la curiosidad en un periodo tan oscuro de la historia de la humanidad podemos citar a los árabes, que vivían en la orilla sur del Mediterráneo. Los médicos árabes cultivaron y extendieron las ideas hipocráticas y galénicas sobre el origen y el tratamiento del cáncer. Su aproximación terapéutica se basaba en una combinación de intervenciones quirúrgicas, cauterizaciones y sangrías para eliminar los humores alterados del organismo y establecer un equilibrio adecuado. Además, popularizaron el término *saratán* (cangrejo en árabe) para referirse al cáncer, vocablo del que derivó el castellano *zaratán*, muy usado en el pasado para hablar de los tumores malignos y, especialmente, de los carcinomas de mama. Lamentablemente, los árabes tampoco tuvieron mucho éxito con sus terapias antitumorales y durante siglos el cáncer siguió siendo un ocupante distinguido de la caja negra de la ignorancia.

Y por fin llegó el siglo XVIII, el siglo de la Ilustración, el movimiento político, social, filosófico, científico y literario iniciado en Inglaterra y que se asentó en Francia, para después extenderse por Alemania y otros países europeos. El impresionante cuadro de Charles Gabriel Lemonnier sobre la lectura de una obra de Voltaire en el salón literario parisino de madame Geoffrin refleja fielmente el espíritu integrador que presidió esta etapa de modernización cultural y difusión de nuevos conocimientos. El Siglo de las Luces fue también un tiempo de convergencia e integración de los avances producidos en varios campos de la medicina durante la centuria anterior. La aceptación de la nueva visión de la anatomía humana gracias a los trabajos iniciados por Vesalio, el progreso en el conocimiento de la fisiología humana impulsado por los hallazgos de estudiosos como William Harvey (descubridor de la circulación sanguínea) y la progresiva utilización médica y científica de los microscopios desarrollados por Anton van Leeuwenhoek fueron los pilares sobre los que se asentó una mirada más profunda de las enfermedades. El cáncer no fue una excepción. Los tumores malignos comenzaron a definirse con más precisión y a clasificarse en función de su morfología y comportamiento clínico. Paralelamente, empezó a tambalearse la idea de que el cáncer era una enfermedad intratable en la que solo cabía seguir el principio latino del *noli me tangere* («no me toques»), propugnado desde los lejanos tiempos de Galeno. El cirujano inglés John Hunter se atrevió a operar diversos tumores, aunque solo si estaban en un estadio temprano, pues pronto entendió que los más avanzados iban a necesitar alguna forma adicional de intervención. Además, se empezaron a pautar productos naturales para intentar controlar el crecimiento de los tumores malignos. La mayoría de estos remedios eran extractos de plantas medicinales, algunas tan tóxicas como la cicuta o la belladona. Su utilidad fue muy limitada, pero el avance conceptual que representó su introducción tuvo una importancia capital en la biografía del cáncer y de la oncología.

El escenario ya estaba preparado para que en ese mismo siglo se produjera un hecho decisivo en la historia del cáncer. El amanecer del siglo XVIII había coincidido con la publicación del libro *De morbis artificum diatriba* («Tratado de las enfermedades de los artesanos»), escrito por el médico italiano Bernardino Ramazzini. Esta obra, considerada como la primera publicación importante en el ámbito de lo que hoy conocemos como medicina del trabajo, contiene conceptos pioneros en lo relativo a la prevención de riesgos laborales. De hecho, Ramazzini fue el primero en proponer que durante la anamnesis con los pacientes se agregara la pregunta *quam artem exerceat* («¿cuál es su trabajo?») a las recomendadas por Hipócrates varios siglos atrás. El libro recoge, además, un análisis detallado de los posibles factores que provocaban algunas de las enfermedades más características de los oficios existentes en la época.

Uno de ellos era el de deshollinador, consistente en limpiar los restos de hollín y cenizas de las chimeneas. Durante el siglo XVIII, la edificación de casas con chimenea aumentó considerablemente en las grandes ciudades europeas debido al crecimiento de la población urbana. Como el tiro de las chimeneas era muy estrecho, los maestros deshollinadores utilizaban como ayudantes a niños mendigos o huérfanos, pues su menudo cuerpo podía descolgarse con facilidad por el conducto. Estos niños llevaban una vida insoportable, cuajada de desgracias, mucho más cercana a la retratada por Charles Dickens en sus obras literarias que a la imagen amable recogida en la película sobre la mítica Mary Poppins. Los niños deshollinadores comenzaban a trabajar antes de los cuatro años, solo libraban un día al año (el Primero de Mayo), estaban desnutridos para facilitar su paso por las chimeneas, dormían sobre los sacos del hollín recogido durante la jornada y vivían sin la menor higiene. Si lograban sobrevivir a la asfixia, a las caídas o al calor abrasador, el catálogo de enfermedades que desarrollaban era abrumador: pérdida de visión, quemaduras, deformaciones de la columna, heridas crónicas en brazos y piernas, y atrofia general del crecimiento. Además, los pocos que llegaban a la adolescencia recibían la visita temprana y fatal de una rara enfermedad: el cáncer escrotal.

Percivall Pott era un cirujano inglés que cada mañana, cuando se dirigía a su trabajo en el Saint Bartholomew Hospital de Londres, observaba como una gran nube de pequeños deshollinadores se distribuía por toda la ciudad. Curiosamente, en su consulta tuvo la oportunidad de atender a muchos pacientes que presentaban en la parte inferior del escroto una dolorosa llaga. En poco tiempo, la lesión crecía, invadía los testículos y desde allí se extendía por el abdomen, afectaba a órganos vitales y acababa provocando la muerte del afectado. El inquieto y perspicaz Pott cayó finalmente en la cuenta de que la mayoría de estos enfermos eran deshollinadores. En un artículo publicado en 1775, atribuyó el cáncer de escroto al hollín que se incrustaba en la piel de estos trabajadores, expuestos desde niños a un agente tóxico que —en ausencia de cualquier medida higiénica— se acumulaba en su cuerpo hasta dañarlo irremediablemente. Así fue como Percivall Pott relató el primer ejemplo de un cáncer provocado por una labor profesional, amén de convertirlo en un referente de las *morbis artificum* que tanto habían preocupado a Bernardino Ramazzini desde principios del mismo siglo. Además, el trabajo de Pott describía por primera vez la acción de un agente carcinógeno presente en la atmósfera: el hollín provocaba cáncer.

Después de tantos siglos de humores, rumores y tumores, de ignorancia y supersticiones, de esperanzas y desilusiones, una brillante luz sobre el origen del cáncer emergió de la oscuridad de las chimeneas y del negro hollín que contenían. Desgraciadamente, este avance científico (cuya importancia tardó en reconocerse) no vino acompañado de medidas drásticas en el ámbito social. Una vez más, el progreso científico y tecnológico iba muy por delante del progreso social y humano. Pasaron exactamente cien años desde la publicación del artículo de Pott sobre el cáncer de los deshollinadores hasta la muerte del pequeño George Brewster, quien falleció con doce años en febrero de 1875 cuando estaba limpiando la chimenea del Hospital Fulbourn de Cambridge, otra cruel ironía de esta historia. George fue el último niño deshollinador. Las circunstancias de su muerte —el chiquillo quedó atrapado en el interior de la chimenea y, para poder extraer su cuerpo, tuvieron que demolerla— y las protestas e indignación que generó el suceso provocaron la eliminación definitiva de esta repulsiva y aberrante práctica laboral.

El drama de los niños deshollinadores sirvió para abrir una nueva vía de pensamiento en torno al origen del cáncer. El hecho de que agentes tóxicos externos como los contenidos en el hollín pudieran causar la enfermedad traía consigo una idea muy provocativa: el cáncer se podía prevenir. De esta forma, los tumores malignos perderían su misterioso halo de inaccesibilidad y pasarían a ser objetivo directo de una incipiente y necesaria medicina preventiva. Alentados por esta perspectiva, los médicos y los investigadores del cáncer afrontaron el siglo XIX con una visión más optimista respecto al conocimiento y control de la enfermedad. Sin embargo, la mayoría de los casos de cáncer —y, especialmente, los más frecuentes— no se pudieron asociar con facilidad a agentes carcinogénicos concretos. En este sentido, es muy ilustrativa —y a la vez muy decepcionante— la situación creada en torno a la conexión entre el tabaco y el cáncer. Un farmacéutico londinense llamado John Hill ya había señalado en 1761 que el consumo de tabaco podía causar cáncer. Su propuesta pasó entonces completamente desapercibida y dos siglos después la posición del saber oficial sobre esta cuestión seguía siendo inamovible. Pese a los contundentes estudios epidemiológicos llevados a cabo durante décadas por investigadores como Ernst Wynder, la presión de las tabacaleras y la sumisión de influyentes científicos a las mismas lograron desacreditar la idea de que fumar era uno de los factores de máximo riesgo en el desarrollo del cáncer de pulmón y de otros tejidos. Hoy resulta asombroso y hasta doloroso recordar que incluso la prestigiosa revista científica *Nature* publicó en una fecha tan cercana como el 14 de septiembre de 1973 un editorial en el que se aconsejaba fumar a las mujeres embarazadas para calmar el estrés y aliviar algunos de los problemas médicos propios de su estado.

El posible origen químico del cáncer quedó una vez más disuelto entre la bruma de la ignorancia y se volvió a considerar la hipótesis de que la enfermedad podía tener una naturaleza infecciosa, una idea recurrente en la biografía del cáncer. De hecho, los primeros hospitales dedicados al tratamiento de pacientes con cáncer estaban situados por regla general en lugares alejados del centro de las ciudades para minimizar el hipotético contagio de los tumores al resto de la población. Sin embargo, en el siglo de Louis

Pasteur y Robert Koch —quienes con sus hallazgos cambiaron para siempre nuestra visión de las enfermedades infecciosas— no se consiguió descubrir ningún agente infeccioso que fuera el causante del cáncer.

El siglo XIX fue avanzando sin traer noticias significativas que hicieran posible un mejor entendimiento de las causas del cáncer. En 1829, Joseph-Claude Récamier acuñó el término *metástasis* (del griego *meta* = más allá y *stasis* = acción de estar) para describir la diseminación del cáncer en sitios alejados del tumor primario y, en 1855, Rudolph Virchow sostuvo la idea de que las células tumorales debían de tener su origen en otras células, pero no fue posible detectar los mecanismos responsables de ambos procesos. Afortunadamente, dos hallazgos de esos años aunque de campos distintos sirvieron de ayuda en el tratamiento del cáncer y de muchas otras enfermedades. El 16 de octubre de 1846, un dentista de Boston llamado William Morton realizó la primera intervención quirúrgica utilizando éter como anestésico, práctica que inauguró una nueva era en la que los términos *dolor* y *cirugía* dejaron de ser inseparables. Unos años más tarde, concretamente en 1867, Joseph Lister utilizó fenol (ácido carbólico) como antiséptico para operar la grave herida que un joven británico había sufrido en uno de sus brazos. La espectacular reducción en el número de muertes a causa de infecciones contraídas durante el proceso quirúrgico generalizó el uso de los antisépticos, y el propio Lister comenzó a operar con éxito tumores de mama empleando fenol como desinfectante. Así nacieron la anestesia y la asepsia, dos palabras que quedaron incorporadas para siempre en el diccionario de la cirugía y que serían responsables del extraordinario impulso de la cirugía tumoral durante el último tercio del siglo XIX. Aquello hizo renacer la idea de que el cáncer se podría vencer mediante los avances quirúrgicos y se desarrollaron nuevas técnicas y procedimientos como los introducidos por William Halsted. El dolor desaparecía, las infecciones disminuían, pero, frecuentemente, el cáncer reaparecía. La cirugía respondía con intervenciones cada vez más radicales y agresivas, pero la realidad era tan terca como la enfermedad, y el tiempo acabó por demostrar que si se querían curar los tumores malignos había que hacer algo más.

Se inauguró así el siglo XX, en el que se iban a producir varios acontecimientos esenciales en la historia del cáncer. El descubrimiento en 1895 de los rayos X por parte del físico alemán Wilhelm Röntgen, reconocido en 1901 con el Premio Nobel de Física, sirvió para el desarrollo de una nueva terapia antitumoral: la radioterapia. Apoyándose en los hallazgos de sus colegas Marie Skłodowska y Pierre Curie sobre la radiactividad, Emil Grubbé en Chicago y Antoine Henri Becquerel en París diseñaron y pusieron en marcha los primeros instrumentos para tratar el cáncer mediante el empleo de altas dosis de radiación en el propio tumor. Becquerel, Skłodowska y Curie compartieron el Premio Nobel de Física de 1903.

A esta nueva aproximación terapéutica se sumó otro hallazgo trascendental en los albores del siglo XX. En octubre de 1909, Peyton Rous, un virólogo del Instituto Rockefeller de Nueva York, recibió en su centro de trabajo una visita sorprendente, pero en realidad no muy diferente de algunas que he recibido en nuestro laboratorio de la Universidad de Oviedo. Allí, han acudido con frecuencia personas que aseguraban haber descubierto pócimas milagrosas contra el cáncer, o hipocondriacos extremos que creían ser portadores de atributos o enfermedades especiales y querían que descifráramos su genoma para poner nombre a esos supuestos dones o anomalías. Por ese motivo, puedo imaginar perfectamente la cara de sorpresa de Peyton Rous cuando una granjera depositó en sus manos una gallina muy valiosa para ella y le pidió que la curara de su enfermedad. Lo que no imaginó es que, junto con la gallina, la granjera estaba poniendo en sus manos las claves de una aventura que, muchos años más tarde, lo llevaría hasta Estocolmo para recibir el Premio Nobel de Medicina de 1966. Sin embargo, en aquel momento, Rous no tuvo muchos miramientos ni con la gallina ni con los sentimientos de la granjera. Examinó al animal, comprobó que tenía un sarcoma muscular y lo sacrificó de inmediato. A continuación, preparó un extracto del tejido tumoral, lo filtró para eliminar las células y se lo inyectó a varios pollos. A las pocas semanas, algunos de ellos habían desarrollado el mismo tipo de tumor maligno que el que portaba la infortunada gallina de la granjera. En suma, el cáncer se podía transmitir por un agente infeccioso; en este caso, un virus que recibió el nombre de virus del sarcoma de Rous. Acababa de comenzar la teoría viral del origen del cáncer, pero, como tantas otras veces, la euforia duró muy poco.

Un médico danés llamado Johannes Fibiger que se había dedicado a investigar posibles agentes infecciosos causantes del cáncer, encontró unos parásitos de las ratas que, aparentemente, producían cáncer de estómago en los roedores. Fibiger fue galardonado con el Premio Nobel de Medicina en 1927, pero, al reevaluar sus experimentos, se observó que los tumores de las ratas eran fruto de una deficiencia en vitamina A, por lo que se llegó a la conclusión de que aquel parásito gastrointestinal no podía causar cáncer. Esta conclusión fue un auténtico varapalo para la hipótesis del origen infeccioso de los tumores malignos, idea que una vez más tuvo que mantenerse en la sombra a la espera de tiempos mejores.

La biografía del cáncer dio entonces un nuevo giro y las teorías del origen químico de la enfermedad tuvieron una nueva oportunidad sobre la Tierra. Comenzaba el siglo XX cuando un gran imaginador e intuicionista alemán llamado Theodor Boveri, que estaba estudiando los cromosomas* de los erizos de mar, propuso por primera vez que el origen de los tumores malignos se encontraba en las alteraciones experimentadas por la arquitectura cromosómica de las células. En ese momento, muchos investigadores estaban ensayando el potencial oncogénico de un sinfín de compuestos químicos y encontraron que alrededor de doscientos eran capaces de generar tumores en modelos animales. Paul Ehrlich —al que siempre recuerdo en su mítico retrato, rodeado de montañas de artículos— pensó que si había agentes químicos capaces de causar el cáncer, tal vez hubiera otros que pudieran curarlo. Ehrlich había recibido el Premio Nobel de Química en 1908 por el desarrollo de unos fármacos llamados balas mágicas, con los cuales se trataban afecciones importantes como la sífilis o la enfermedad del sueño, causada por el parásito *Trypanosoma brucei*. Impulsado por sus éxitos previos, Paul Ehrlich intentó aplicar al tratamiento del cáncer su idea de unas nuevas balas mágicas que tuvieran una gran especificidad y una elevada actividad frente a las células tumorales. Por desgracia, no lo consiguió. Los compuestos que usaba no eran capaces de distinguir entre las células normales y las cancerosas, pero sentaron las bases de la quimioterapia antitumoral.

El primer gran avance en este sentido se produjo a raíz de una circunstancia dramática e inesperada. En 1917, el mismo en que Sam Mendes sitúa su evocadora y emocionante película sobre la Primera Guerra Mundial, las tropas alemanas arrojaron bombas de gas mostaza contra los soldados británicos desplegados en territorio belga. El análisis patológico de los que resultaron afectados por el bombardeo reveló la aparición de una anemia grave o incluso letal, provocada por la destrucción de la médula ósea. Lo primero que se plantearon algunos investigadores era que el gas mostaza debía de contener alguna sustancia con una afinidad específica hacia las células de la médula ósea. Dado que los distintos tipos de leucemias y linfomas se producen por un crecimiento incontrolado de esas mismas células, se podría utilizar el gas mostaza o producir fármacos con acciones semejantes para tratar estas neoplasias hematológicas. Una nueva desgracia impulsó esta línea de investigación. El 2 de diciembre de 1943, uno de los muchos días horrendos que trajo consigo la Segunda Guerra Mundial, una escuadrilla de la Luftwaffe destruyó varios barcos estadounidenses que permanecían atracados en el puerto italiano de Bari. Uno de ellos llevaba un enorme cargamento de gas mostaza, que, al explotar, se diseminó por toda la zona y causó cerca de mil muertos. El Gobierno americano encargó una investigación urgente sobre aquella catástrofe y, a partir de los estudios realizados por Louis Goodman, Alfred Gilman, George Hitchings y Gertrude Elion, entre otros expertos, se pudieron introducir los primeros tratamientos con fármacos antitumorales derivados del gas mostaza. Mientras tanto, la quimioterapia continuaba progresando en términos clínicos gracias al esfuerzo y perseverancia de pioneros de la oncología y la hematología como Sidney Farber, James Holland, Emil Frei, Emil Freireich y Vincent de Vita, que primero introdujeron los llamados antimetabolitos y después comenzaron a combinar varios agentes quimioterápicos. De esta manera pusieron en marcha una estrategia de terapias combinadas que supuso un cambio radical en el tratamiento de los tumores malignos. Sin embargo, su meritorio y comprometido trabajo seguía teniendo unas bases eminentemente empíricas y estas no permitían dar cuenta de las raíces moleculares del cáncer por una sencilla razón: a finales de la década de 1960 todavía ignorábamos cuáles eran las claves de la transformación maligna que experimentan las células tumorales.

Fue entonces cuando, de forma repentina y completamente inopinada, empezaron a encajar las piezas de un complejo rompecabezas que estaban resolviendo un selecto grupo de científicos con muy diversos intereses y formación igualmente dispar. En 1970, Howard Temin y David Baltimore descubrieron que algunos virus con ARN* como material genético poseían una enzima —a la que llamaron transcriptasa reversa— que podía convertir el ARN viral en ADN, integrarlo en el material genético de células humanas y transformarlas. Este hallazgo, que valió a Temin y Baltimore el Premio Nobel de Medicina de 1975, avalaba la teoría viral del cáncer y, partiendo de esa base, el Gobierno de Estados Unidos puso enseguida en marcha un proyecto dirigido a identificar los virus del cáncer y crear vacunas para neutralizarlos. Este proyecto enlazó con una iniciativa todavía más ambiciosa denominada «War on Cancer» (Guerra contra el cáncer), que había sido aprobada por el presidente Nixon a finales de 1971, concretamente el 23 de diciembre (el mismo día en que años más tarde moriría Adán, a quien nunca conocí y a quien nunca he olvidado). La iniciativa atrajo a numerosos investigadores de distintas disciplinas y con distintas motivaciones que acabaron por añadir las piezas que faltaban en el mecano del cáncer.

Inesperadamente, los últimos elementos no estaban en los virus tumorales, sino en los genes celulares, si bien fueron esos retrovirus transformadores de las células los que aportaron las claves definitivas para descubrir los grandes secretos de la malignidad. El 26 de octubre de 1974, Dominique Stehelin —un joven investigador francés que trabajaba en el laboratorio californiano de Harold Varmus y Michael Bishop— realizó un experimento con el virus del sarcoma de Rous que demostró que este no causaba el cáncer por sus propias características, sino porque durante el proceso de infección se había apropiado de alguna parte del genoma de las células del pollo. El enemigo mortal parecía estar dentro de las mismas células. Los pollos —y, probablemente, todos los animales, incluidos nosotros mismos— tenían genes en sus cromosomas que podían ser atrapados por virus tumorales e insertados en su propio genoma. Una vez modificados, estos genes eran utilizados por los mismos virus para transformar las células que infectaban. Aquel gen celular se llamó *c-src* (abreviatura de celular-sarcoma) y fue el primer ejemplo de un protooncogén que, una vez secuestrado y alterado molecularmente por el virus del sarcoma de Rous, se había convertido en el oncogén* *v-src* (viral-sarcoma). En suma, el cáncer era una enfermedad de los genes. Esta sencilla sentencia fue la que en último término permitió a Varmus y Bishop ser reconocidos con el Premio Nobel de Medicina de 1989.[1]

A primera vista, el descubrimiento del oncogén *v-src* parecía indicar que la teoría viral del cáncer era la que finalmente se había impuesto, pero en realidad sucedió todo lo contrario. De hecho, hoy sabemos que hay muy pocos virus capaces de provocar cáncer en los seres humanos. Entre ellos figuran algunos retrovirus, como el virus del papiloma, que causa cáncer de cérvix, y virus que tienen ADN como material genético, por ejemplo, el de la hepatitis B, que provoca cáncer hepático, o el de Epstein-Barr, que causa linfomas. Pero si los genes del cáncer forman parte de nuestro propio repertorio genético, desempeñando sus funciones para la vida normal de las células, y si los virus que los transforman en entidades tumorales son muy poco frecuentes, ¿sobre qué recaía, entonces, la responsabilidad de semejante transformación? La respuesta estaba justo delante de nosotros. Los carcinógenos naturales, la radiación ultravioleta, el hollín de Percivall Pott, el humo del tabaco que asfixia de forma creciente a la sociedad...; en definitiva, todos los agentes tóxicos que nos rodean o que nosotros mismos inventamos podrían llegar a dañar los protooncogenes sembrados a lo largo de nuestros cromosomas y convertirlos en los indeseables oncogenes.

De inmediato, todos los laboratorios que habían perseguido la hipótesis química del cáncer encontraron la oportunidad perfecta para quedar inscritos en la historia de la oncología. Finalmente, y después de una competición durísima y completamente inusual entonces en el terreno científico, solo unos pocos lo lograron. Gracias al desarrollo de nuevas estrategias experimentales dirigidas a la detección de genes cuyas alteraciones provocaban un crecimiento incontrolado de las células, los laboratorios americanos de Mariano Barbacid, Robert Weinberg y Geoffrey Cooper consiguieron descubrir el primer oncogén humano a partir de células de cáncer de vejiga.[2] Este gen, identificado en 1982, era el equivalente del oncogén *H-ras*, descubierto anteriormente en el virus del sarcoma de Harvey desarrollado en ratas. La lista de protooncogenes detectados en células de tumores humanos comenzó a crecer: *fes*, *K-ras*, *mos*, *myc*, *myb*, *raf*...; pero faltaba una prueba adicional. ¿Cuál era la alteración molecular que provocaba la transformación de un protooncogén en un oncogén? En el otoño de 1982, los laboratorios de Mariano Barbacid (que en 1998 regresó a España para crear y dirigir el Centro Nacional de Investigaciones Oncológicas), Robert Weinberg y Michael Wigler proporcionaron su sorprendente respuesta. Una sola mutación en el gen *H-ras*, que hace que la letra nucleotídica G sea una T y provoca un cambio mínimo en la proteína codificada por dicho gen, basta para conferir propiedades transformadoras a esta proteína.[3] Los estudios funcionales llevados a cabo primero con *H-ras* y después con otros oncogenes demostraron que, pese a sus diferentes funciones bioquímicas, las mutaciones oncogénicas provocaban un aumento de la actividad de tales genes. En efecto, todos los oncogenes actuaban como aceleradores del crecimiento tumoral.

A partir de esta observación se consideró la posibilidad de que también existieran genes del cáncer con funciones contrarias, es decir, genes cuyas mutaciones provocaran una pérdida del funcionamiento normal. Los trabajos de Alfred Knudson con pacientes afectados por un tumor ocular hereditario llamado retinoblastoma crearon el marco conceptual que permitió a Robert Weinberg descubrir el gen *RB* (retinoblastoma), el primer gen supresor de tumores.[4] El progreso en este campo también fue espectacular y, después de *RB*, salieron a escena otros miembros de esta categoría de genes supresores, entre los cuales figuraba *TP53*, el gen que con mayor frecuencia muta en el cáncer y que es conocido como «guardián del genoma», una expresión muy ilustrativa de la función que cumple.[5] De hecho, son muchos los genes supresores de tumores que tienen esa misma función: velar por la integridad del genoma. El estudio de estos genes, iniciado por grupos de trabajo como el de Bert Vogelstein, que centró sus investigaciones en el cáncer de colon, se ha convertido en una de las prioridades de la oncología actual por su relevancia tanto en el cáncer hereditario como en el esporádico. Además, este interés se ha extendido a otros campos, por ejemplo al análisis de las claves de la longevidad, un proceso en que los genes de reparación desempeñan un papel esencial.

En definitiva, en las postrimerías del siglo XX, la ecuación del cáncer estaba prácticamente resuelta, al menos en sus términos generales. Miles de años de humores, rumores y tumores se podían explicar, al fin, en unas cuantas frases. El cáncer surge fundamentalmente por una acumulación de daños en el genoma, a los cuales se suman los producidos en otros lenguajes biológicos de creciente interés, como el epigenoma y el metagenoma. El origen de estos daños es muy diverso. Algunos tumores son hereditarios y la predisposición al cáncer viene, justamente, de mutaciones heredadas de nuestros progenitores. Otros tumores malignos son producidos por microorganismos —entre los cuales figuran virus como el del papiloma, el de Epstein-Barr y el de la hepatitis B— o bacterias como *Helicobacter pylori*, cuya infección crónica se asocia al cáncer de estómago. Los casos de cáncer transmisible o contagioso existen, pero son extraordinariamente infrecuentes. En humanos se ha demostrado la transmisión maternofilial de células malignas a través de la placenta o en el propio canal de parto, y hay casos muy curiosos de cáncer contagioso en perros, en diablos de Tasmania y hasta en almejas.[6] De todos modos, son muchísimo más frecuentes los cánceres derivados de agresiones externas en forma de radiaciones, productos químicos, dietas inapropiadas, consumo de tabaco o de alcohol que provocan daños que no siempre pueden ser corregidos por los mecanismos de reparación y causan la transformación celular. Todos estos grandes tipos de tumores pueden prevenirse en gran medida y este debe ser el objetivo central de cualquier campaña de educación y concienciación ciudadana. Finalmente, muchos casos de cáncer son producto de las imperfecciones de nuestro propio diseño evolutivo y, por tanto, forman parte de nuestra esencia molecular, por lo que no serán tan fáciles de prevenir. El azar es el motor fundamental de estos casos, pues entre todas las mutaciones acaecidas durante la imperfecta copia del material genético, solo provocarán cáncer las que, por pura mala fortuna, afecten a regiones fundamentales del genoma y además contribuyan a crear entornos permisivos. En los próximos capítulos veremos que, incluso en situaciones como estas, existen formas de minimizar la posible mala suerte e inclinar la balanza hacia el lado de la vida.

La historia interminable del cáncer llega aquí a su fin, pero solo por ahora. En estas páginas he tratado de recoger las ideas, ilusiones, triunfos y decepciones de algunos de los protagonistas de mi biografía particular del cáncer. Sin duda, como no sobra espacio, faltan nombres y aventuras; pero si incluyéramos la totalidad de unos y otras, este libro sería también interminable. Gracias al esfuerzo de muchísimas personas —las citadas en las páginas anteriores y las que no están, pero merecerían aparecer—, una enfermedad inexplicable e incomprensible acabó por tener una lógica molecular y celular que nos permitió afrontarla con renovada serenidad y prudente optimismo. En el próximo capítulo analizaremos en detalle las primeras respuestas que la medicina y la ciencia ofrecieron a los pacientes con cáncer para su particular viaje desde el miedo a la esperanza.

CAPÍTULO 3

Cortar, quemar, envenenar

Las primeras terapias

Es otoño y en Madrid cae la tarde, pero no me olvido de soñar. Suena Radio Futura y su *Estatua del Jardín Botánico*. En la plaza de la Lealtad contemplo un maravilloso espectáculo natural que se repite todos los años. Un bello ejemplar de *Ginkgo biloba* ha teñido de un dorado intenso sus hojas; el viento de otoño ha completado el proceso de apoptosis foliar y las ha comenzado a sembrar por el suelo. Una alfombra amarilla se extiende ya en torno a este mítico árbol de la longevidad. Con esta impresión sensorial grabada en la mente, camino hasta el Museo del Prado, donde espero meditar tranquilamente sobre la inmortalidad. Me dirijo enseguida a la sala donde se exponen las obras de El Bosco. Hoy, como tantos otros días, está muy concurrida. Hoy, como tantos de esos días, la atención de los visitantes se centra en *El jardín de las delicias*. Miro brevemente hacia el Génesis, que siempre estimula mi imaginación, pero no me detengo ni en el Infierno ni en el Paraíso, pese a que creo oír los bellísimos acordes del *In paradisum* de Gabriel Fauré, que me atraen como canto de sirenas. Resisto la tentación y paso de largo porque he aprendido que estos lugares míticos no son nada fiables para mi concepción de la inmortalidad. Mi objetivo está unos metros a la izquierda de este gran tríptico. Busco con la mirada y sonrío. Allí sigue, en el lugar de siempre y en la misma ciudad —como diría Maná—, aunque no con la misma gente, porque nadie lo está mirando. Es un pequeño óleo pintado a finales del siglo XV que muestra una escena real: *La extracción de la piedra de la locura.*

La imagen representa una trepanación craneal, una brutal intervención quirúrgica realizada en la Edad Media para extirpar la piedra que supuestamente causaba tanto la locura como la estupidez. La historia narrada en el cuadro está muy alejada de los que entonces eran los temas preferentes de la pintura: Dios y los dioses, representados respectivamente en motivos religiosos o en escenas mitológicas. Los estudiosos de El Bosco dicen —seguramente con toda razón— que esta obra que critica la ignorancia y la superstición con el arma de la ironía, no tiene ningún significado médico. El cuadro es una metáfora de la extirpación corporal de los males del alma y, de paso, de toda la colección de pecados capitales, desde la ira y la soberbia hasta la lujuria y la envidia. Mi idea de este cuadro —seguramente sin ninguna razón, salvo la de la propia imaginación— es completamente distinta. *La extracción de la piedra de la locura* para mí siempre ha sido una recreación muy precisa del intento de extirpar otro tipo de mal: un tumor cerebral.

La ingenuidad que transmiten los protagonistas de esta narración visual es un buen reflejo del inocente propósito del cirujano. Cortar para curar lo entonces incurable: esta es mi propia metáfora del cuadro pintado por El Bosco.[1] La cirugía fue la primera respuesta del ser humano al reto planteado por la inmortalidad lograda por las células tumorales. Durante siglos, la confianza humana en la cirugía como forma de tratar el cáncer fue muy escasa. Aunque se tenía noticia de algunas intervenciones quirúrgicas realizadas en tumores mamarios, como las practicadas en Persia por Democedes de Crotona, los grandes representantes clásicos del pensamiento médico, desde Hipócrates hasta Galeno, desaconsejaban la extirpación de los tumores malignos. Se argumentaba que, tras la operación, el cáncer volvía a reproducirse en muy poco tiempo, por lo que la cirugía era inútil. Esta idea se mantuvo hasta el siglo X, cuando el médico árabe Albucasis dejó escrito que nunca había curado quirúrgicamente un tumor maligno, ni conocía a nadie que lo hubiera hecho. A partir de entonces y durante varios siglos, los cirujanos o los barberos que actuaban como tales realizaron intervenciones quirúrgicas de algunos tumores, pero, como no disponían de anestesia y trabajaban en unas pésimas condiciones higiénicas, lo que no lograban las células tumorales lo acababan consiguiendo el dolor, las hemorragias y las infecciones. La literatura médica apenas recoge resultados satisfactorios de la cirugía antitumoral, salvo las operaciones realizadas por el cirujano escocés John Hunter, quien a finales del siglo XVIII sostuvo que para curar el cáncer había que extirpar obligatoriamente las masas tumorales del organismo y dedicó todos sus esfuerzos a esta tarea. Sin embargo, el propio Hunter se dio cuenta de las limitaciones de semejante práctica y acabó dividiendo los tumores en superficiales —y, por tanto, operables— y avanzados o inoperables, para los que proponía una única terapia: la pura empatía. La invención de la anestesia y los antisépticos en la segunda mitad del siglo XIX proporcionó el escenario perfecto para que la cirugía pudiera demostrar al fin su verdadero valor en el tratamiento del cáncer.

El gran impulsor de la cirugía oncológica fue el médico neoyorquino William Halsted. Gran deportista y mal estudiante, Halsted acabó siendo una destacada figura de la medicina, cuya vida ha sido trasladada recientemente a la ficción audiovisual en la serie *The Knick*, dirigida por Steven Soderbergh. Su actividad profesional fue desbordante desde el principio y esta pasión por el trabajo, sumada a su curiosidad, le llevó a experimentar en sí mismo algunos de los anestésicos que utilizaba en sus pacientes. De resultas de ello se hizo adicto a sustancias estupefacientes como la cocaína y la morfina, gracias a las cuales fue capaz de multiplicar sus intervenciones quirúrgicas, que conforme a su criterio debían ser de corte radical para destruir la raíz profunda del cáncer antes de que se expandiera por el organismo. A finales del siglo XIX, Halsted centró su actividad en pacientes con cáncer de mama, a las cuales extirpaba la totalidad de la glándula mamaria. Los resultados distaban mucho de ser óptimos, por lo que realizó intervenciones aún más radicales: llegó a extirpar los músculos pectorales, los ganglios locales y axilares e incluso algunos huesos, lo cual desfiguraba a las pacientes y les causaba la pérdida de movilidad o funcionalidad de sus hombros, brazos y manos.

Hace unos treinta años, justo al inicio de mi actividad científica en el campo de la oncología, tuve la oportunidad de asistir a algunas intervenciones quirúrgicas de pacientes con cáncer. Quería aproximarme a la realidad macroscópica del cáncer antes de ponerme a escudriñar los secretos microscópicos de la malignidad celular. Recuerdo que me asombró la dureza y crudeza de muchas de estas operaciones. Por regla general, los procedimientos usados no eran tan sofisticados como yo imaginaba y los cirujanos tenían que hacer frente a continuos imprevistos, que resolvían con una mezcla de artesanía y osadía. Pero en aquella intensa experiencia de inmersión en la realidad clínica del cáncer, hubo algo que me impactó mucho más. Una mañana de verano, una joven paciente que sufría un cáncer de mama en estado avanzado iba a enfrentarse a una mastectomía radical. Al pasar por nuestro lado la camilla que la llevaba al quirófano, el marido de la paciente se acercó al cirujano y le dijo con un hilo de voz para que no lo escuchara su mujer: «Doctor, corte todo lo que haya que cortar y quite todo lo que haya que quitar. Cuanto más, mejor. No deje dentro nada de lo malo». Estas palabras se me quedaron grabadas para siempre. Representaban la aceptación social de que el cáncer necesitaba operaciones radicales para enfrentarse al egoísmo y perseverancia de las células malignas. La idea de cortar para curar, cortar sin parar, cortar hasta el final se practicó durante décadas en la cirugía oncológica.

Sin embargo, los estudios clínicos efectuados con largas series de pacientes oncológicos, especialmente en casos de cáncer de mama, unidos a los esfuerzos de activistas sociales organizados en torno a la lucha contra el cáncer, tuvieron como resultado una revisión profunda de las intervenciones quirúrgicas radicales aplicadas a los tumores malignos. La extirpación en bloque de los órganos en los que aparecían los tumores y de sus correspondientes zonas linfáticas perdió interés a medida que comenzó a emerger una nueva idea. La supervivencia de los pacientes con cáncer dependía más del grado de extensión de las células tumorales antes de la operación que de la radicalidad con la que se practicaba la intervención quirúrgica.

A partir de este nuevo paradigma oncológico, los procedimientos quirúrgicos evolucionaron hacia intervenciones de una mayor precisión y especificidad. Las cirugías pasaron de radicales a conservadoras y, en el ámbito de la oncología, la laparoscopia se afianzó como un procedimiento competitivo frente a la cirugía abierta. Por si fuera poco, la tecnología digital comenzó a incorporarse al tratamiento quirúrgico de los tumores malignos. En la actualidad se están empleando sistemas robóticos capaces de realizar cirugías oncológicas complejas —por ejemplo, en cáncer de próstata— con técnicas mínimamente invasivas que reducen los aspectos traumáticos de las intervenciones y sus complicaciones posoperatorias.

En suma, cortar y, también, vaciar o mutilar: verbos violentos que todavía forman parte del vocabulario oncológico cotidiano de los pacientes y de sus familias. Pese a la resonancia agresiva de estos términos, que habrá que eliminar del lenguaje del cáncer, hoy, como ayer y como mañana, la cirugía es, fue y será una herramienta fundamental en la oncología, aunque en lugar de hablar de cortar, vaciar o mutilar, debamos ya solo pensar en operar con precisión para curar.

Tras la cirugía entró en escena la radioterapia. Quemar para curar es el sencillo mantra que quedó grabado en el imaginario popular cuando, a principios del pasado siglo, empezaron a introducirse las técnicas radioterápicas para el tratamiento del cáncer. De alguna manera, la idea de quemar el cáncer con radiación era una reminiscencia de la cauterización de las heridas tumorales con hierro candente, un terrible procedimiento que complementó con frecuencia a la primitiva cirugía oncológica. La radioterapia tuvo sus raíces en el trabajo de Wilhelm Röntgen, que a finales de 1895 estaba realizando un experimento con corrientes eléctricas y tubos de rayos catódicos en un cuarto oscuro, cuando detectó un leve brillo sobre un cartón que atribuyó a una radiación de naturaleza desconocida. Estos rayos, que habían sido capaces de atravesar el cristal del tubo catódico, recibieron el nombre de rayos X. Tras comprobar que la radiación también atravesaba un libro y hasta un trozo de madera, apoyó la mano en una pantalla fluorescente y, una vez irradiada, contempló con una mezcla de fascinación e inquietud la imagen de sus propios huesos. El 22 de diciembre de 1895, Röntgen pidió a su mujer (Anna Bertha Ludwig) que fuera al laboratorio y acercara la mano a la nueva fuente de rayos, que había mejorado notablemente. Tras unos minutos de exposición, salió a la luz la primera radiografía de la historia. En ella se veían nítidamente todos los huesos de la mano de Anna y, además, en el dedo anular se distinguía una mancha opaca que correspondía a su anillo de compromiso. Röntgen acababa de demostrar que con la ayuda de los rayos X se podía ver a través de la piel.

Unos meses más tarde, en París, tres buenos amigos pusieron su talento al servicio de la ciencia de las radiaciones. El físico Henri Becquerel pensó que algunas sustancias fluorescentes o fosforescentes, tras ser expuestas a la luz solar, podían emitir una radiación similar a la que acababa de descubrir Röntgen. Entre los distintos compuestos que analizó, las sales de uranio mostraban una notable actividad en este sentido, lo cual parecía confirmar su hipótesis. Sin embargo, un nublado día de finales de febrero de 1896 el físico francés guardó en un cajón las sales de uranio y las puso encima de una placa fotográfica. Cuando —sin mucha lógica, pero con gran curiosidad— reveló la placa el primer día de marzo, observó estupefacto que el mineral de uranio la había impresionado perfectamente, sin necesidad de exponerlo previamente a ninguna fuente de energía. Algún tiempo después, Marie Skłodowska y Pierre Curie se dieron cuenta de que algunos de los elementos que acababan de descubrir, como el polonio, el radio y el torio, se comportaban igual que el uranio, si bien mostraban una actividad muy superior. El radio, por ejemplo, era un millón de veces más activo que el uranio. En julio de 1898, Marie y Pierre introdujeron el término «radiactividad» para definir esta propiedad natural de algunos materiales y, gracias a ellos, quedó establecido para siempre el concepto de radiactividad natural. Así fue como se inauguró una nueva ciencia de lo invisible.

La radiactividad se aplicó de inmediato al ámbito de la medicina. Si hacemos caso de las enciclopedias (aunque hay serias dudas al respecto), Emil Grubbé, un curioso y controvertido estadounidense, fue el pionero en la utilización de rayos X para el tratamiento del cáncer. Según diversas fuentes, su primera paciente se llamaba Rose Lee, tenía cincuenta y cinco años de edad y padecía un cáncer de mama recurrente e inoperable. A las 10 de la mañana del 28 de enero de 1896, el joven Grubbé, que todavía estaba estudiando Medicina, administró rayos X a la paciente por espacio de una hora y repitió el tratamiento diariamente a lo largo de tres semanas. El resultado final de aquella primera aplicación de la radioterapia oncológica es incierto, pero todo apunta a que Rose Lee experimentó una leve mejoría y, poco después, falleció a causa de las metástasis que ya presentaba al inicio del tratamiento. Paralelamente, Henri Becquerel, Victor Despeignes y Antoine Béclère empezaron a aplicar esa misma terapia en Francia y, según la literatura científica de la época, en algunos casos tuvieron un éxito notable. Desde entonces, el tratamiento del cáncer con radioterapia ha evolucionado de manera extraordinaria y se ha perfeccionado continuamente hasta la actualidad, tanto en lo que se refiere a las tecnologías utilizadas como a la precisión con que se administran.

Los primeros tratamientos de radioterapia se dispensaban generalmente mediante una bomba de cobalto, que emitía rayos gamma de alta energía. Estos equipos, además de ser muy poco precisos, causaban daños importantes a los tejidos sanos en torno al tumor. Aquel novedoso tratamiento provocaba quemaduras en la piel de los pacientes, por lo que la gente empezó a pensar que la radioterapia quemaba el cáncer, pero también el cuerpo. Los daños provocados por la radiación no eran exclusivos de los pacientes, sino que también comenzaron a aparecer en los profesionales que manejaban los equipos de radioterapia. De hecho, la práctica totalidad de los médicos y científicos pioneros en el campo de la radiactividad sufrieron graves lesiones en las manos y en otras partes del cuerpo y acabaron desarrollando el mismo mal que trataban de curar. El propio Emil Grubbé sufrió más de noventa intervenciones quirúrgicas para intentar poner coto a los múltiples tumores que aparecieron en su cuerpo. Marie Skłodowska fue también un ejemplo del sacrificio de aquellos pioneros: murió de la leucemia que le había provocado el radio —ese sol blanco que ella misma había descubierto— cuando solo contaba sesenta y seis años de edad.[2]

Con el tiempo, las bombas de cobalto fueron reemplazadas por aceleradores lineales, unas máquinas de grandes dimensiones que emiten rayos X de alta energía o electrones sobre el tumor del paciente. Tecnologías de reciente creación como la radioterapia de intensidad modulada, la radioterapia conformada tridimensional y la radioterapia guiada por imágenes permiten administrar con mucha más precisión la dosis exacta de radiación prescrita para el tumor maligno, minimizando así los daños en el tejido sano. El progreso también ha sido evidente en lo que se conoce como braquiterapia, una forma de radioterapia interna en la que se coloca un implante radiactivo dentro del tumor o en sus proximidades para que pueda actuar contra él. Asimismo, la protonterapia —basada en la radiación de protones— puede llegar a ser más eficiente y específica que los tratamientos actuales, especialmente en el caso de los tumores pediátricos o de los localizados en zonas delicadas, como el sistema nervioso.

Ciento veinticinco años después de la introducción de este avance terapéutico, más de la mitad de los pacientes con cáncer reciben algún tipo de radioterapia que permite curar sus tumores malignos o al menos reducir su tamaño para facilitar la acción subsiguiente de la cirugía y la quimioterapia. En suma, la radioterapia se enfrenta a los tumores, destruyéndolos o reduciéndolos, y salva la vida o extiende la supervivencia de los pacientes.

Escribo sobre la radioterapia y pienso en Montse, un ser maravilloso con cáncer de mama cuya enfermedad ha progresado hace un tiempo y generado metástasis óseas. Sus palabras, transcritas literalmente de uno de sus mensajes, definen perfectamente cómo percibe un paciente los efectos del tratamiento sobre su cuerpo: «Ya hice las sesiones de radioterapia y sí que noté alguna mejoría. Tengo algo de dolor porque quedó la zona como acorchada, pero tengo mayor movilidad, casi no utilizo la muleta, tengo un poco más de independencia a la hora del día a día. Hoy por primera vez desde hace meses cogí el coche... pequeños logros que hacen que sienta que mi vida vuelve de alguna manera a la normalidad». En fin, la radioterapia, una estrategia muy dura y agresiva en sus orígenes, hace ya más de un siglo que regala tiempo y vida a los enfermos de cáncer. Sin duda, lo va a seguir haciendo, pero, como en el caso de la cirugía, es necesario cambiar de perspectiva, porque ya no se trata de quemar para curar, sino de radiar con precisión para curar.

Y, por último, hemos de referirnos a envenenar para curar, el fundamento inicial de lo que hoy llamamos quimioterapia. La historia de esta aproximación clínica a la enfermedad es larga, curiosa y tortuosa. Los remedios contra el cáncer son tan antiguos como la propia enfermedad. Con un poco de esfuerzo —tal vez demasiado— podemos imaginar que los dinosaurios y otros seres con cáncer, al igual que hacen hoy en día otros animales, utilizaron su cerebro y todo lo que les ofrecía la farmacia de la naturaleza para curar sus males y sus heridas.[3] La fascinante evolución del cerebro animal hasta la mente humana hizo crecer la lista de remedios contra el cáncer. Pócimas, brebajes, ungüentos, tinturas, elixires, sahumerios y extractos de un sinfín de sustancias que después aparecerían descritas en las enciclopedias de la alquimia sirvieron para intentar afrontar un extraño mal, que normalmente solo afectaba a los pocos humanos que llegaban lejos en la maratón de la vida. Por aquel entonces, las preocupaciones esenciales eran otras: comer, sobrevivir, reproducirse y salvar el alma. Y así pasaron años, décadas, siglos enteros hasta que la evolución cultural progresó en unos cuantos lugares del planeta y pudo ofrecer algunas propuestas para el tratamiento sistémico de esta enfermedad.

Acabada la oscura etapa de la Edad Media, el Renacimiento puso en marcha una revolución del pensamiento que no arrojó demasiada luz sobre las causas del cáncer pero llenó los anaqueles de las antiguas boticas con una panoplia de remedios antitumorales. Interpretando a la perfección la idea de envenenar para curar, la mayoría de estos productos estaban compuestos por venenos extraídos de plantas a las que el saber popular atribuía propiedades medicinales. Muérdago, mandrágora, acíbar, tártago, condurango, pepinillo del diablo, azul de isamina y corteza de tejo eran algunos de los más vendidos. También se podían encontrar venenos de serpiente, pieles de sapo y tinturas de arsénico, así como azufre, bario, plata, plomo, zinc y prácticamente cualquier elemento conocido de la tabla periódica. Todo con buenas intenciones, pero muy poco efectivo. Faltaban la especificidad y la reproducibilidad, dos de las claves del éxito de cualquier medicamento. Una vez más, solo quedaba esperar.

Siguieron pasando los años, las décadas y las centurias hasta que, a principios del siglo XX, Paul Ehrlich —el padre de las balas mágicas— introdujo el término «quimioterapia» para referirse a una forma mucho más eficiente de afrontar las enfermedades. Sin embargo, todos sus esfuerzos para conseguir que alguno de sus proyectiles químicos pudiera ayudar a los pacientes con cáncer fueron en vano. La situación cambió de manera sorprendente tras los dramáticos acontecimientos acaecidos en las dos guerras mundiales que se han relatado en el capítulo anterior. Pocas veces podrá decirse que una guerra haya tenido efectos colaterales positivos, pero el hecho de que el gas mostaza destruyera los glóbulos blancos —unas células que se dividen muy rápidamente— hizo comprender a los científicos que este gas venenoso podía ser muy tóxico para aquellas unidades morfológicas que tienen un ritmo vertiginoso de reproducción: las células tumorales. Este razonamiento condujo al desarrollo de los primeros compuestos químicos con un efecto antitumoral claro y perfectamente comprensible. En 1942, Goodman y Gilman demostraron que el terrible gas mostaza era un agente alquilante* que podía unirse al ADN de nuestras células para bloquear su división e inducir su destrucción. El primer paciente tratado con dosis bajas de mostaza nitrogenada sufría un linfosarcoma avanzado que se redujo de forma espectacular tras el tratamiento, pero que después volvió a crecer. Al poco tiempo, Elion y Hitchings sintetizaron en sus laboratorios y sometieron a examen compuestos como la mecloretamina, cuyos mecanismos de actuación son similares a los del gas mostaza y que, como fármaco antitumoral, podía ser incluso más eficaz que la mostaza nitrogenada. Estos trabajos permitieron crear un amplio abanico de medicamentos, como por ejemplo el clorambucilo, la ciclofosfamida, el busulfán y el melfalán, que aún se siguen utilizando en el tratamiento quimioterápico de las neoplasias hematológicas.

Paralelamente, Sidney Farber comenzó a desarrollar en Boston los llamados antimetabolitos, unos antagonistas del ácido fólico que podían actuar como venenos con cierta especificidad frente a las células tumorales. El ácido fólico es una vitamina esencial en la síntesis del ADN y Farber comprobó que estimulaba el crecimiento de las células leucémicas. A partir de esta observación, formuló una hipótesis muy sencilla: los compuestos químicos capaces de antagonizar los efectos del ácido fólico podían detener el crecimiento celular y curar la leucemia. En 1948, trató a varios niños que sufrían leucemia linfoblástica aguda con uno de aquellos antifolatos,* la aminopterina, y de este modo abrió una nueva vía terapéutica en la oncología. En la mayoría de aquellos casos, la remisión de la leucemia fue completa pero no permanente: la aminopterina suprimía la proliferación de las células malignas pero, sin embargo, al cabo de un tiempo la enfermedad reaparecía. El fallo de esta sustancia impulsó el diseño de nuevos antimetabolitos y, tras la aminopterina, vinieron el metotrexato, la 6-mercaptopurina, el fluorouracilo, la tioguanina, la citarabina, la fludarabina y la capecitabina, entre muchos otros. Posteriormente, la combinación de agentes quimioterápicos con distintos mecanismos de acción cambió para siempre el tratamiento de los tumores malignos. Por ejemplo, la administración simultánea de metotrexato, vincristina, 6-mercaptopurina y prednisona (conocido como régimen POMP) logró que la leucemia linfoblástica aguda no fuera ya una enfermedad letal, sino una neoplasia con altas probabilidades de curación.

Simultáneamente, la síntesis química de productos antitumorales se complementó con la búsqueda de sustancias naturales que pudieran bloquear el crecimiento de las células cancerosas. Algunas han tenido un éxito enorme en el tratamiento del cáncer. La camptotecina, que se extrae de una especie ornamental china conocida como árbol de la felicidad (*Camptotheca acuminata*), inhibe la topoisomerasa I —una enzima esencial en la síntesis y plegamiento del ADN— y detiene la división celular. De la camptotecina se han obtenido derivados con mayor estabilidad y solubilidad, como el irinotecán y el topotecán, que en la actualidad se utilizan como agentes citostáticos para tratar tumores malignos tan frecuentes como los cánceres de colon, ovario, mama y pulmón. En otros ensayos parecidos se aislaron los balsámicos taxanos que contiene la corteza del tejo (*Taxus brevifolia*), un árbol con una larga leyenda de propiedades mágicas.

Si hay un árbol cercano y emotivo para mí, ese es el imponente tejo de Bermiego (Asturias), un ejemplar muy viejo pues fue plantado hace más de mil seiscientos años, aunque según los habitantes de la zona ha sobrepasado ya los dos mil. El tejo de Bermiego es uno de los árboles más bellos que he visto en mi vida. Tiene el porte de un gigante, pero se muestra armónico y elegante. Además, su entorno siempre teñido de verde transmite una sensación de serenidad difícil de olvidar. Conocedor de que su corteza oculta un tesoro de salud en forma de taxanos, cada vez que lo visito se despierta en mí un deseo irrefrenable de abrazarlo, aunque hacen falta tres pares de brazos para rodear su tronco (el cual, por cierto, ha sido vallado recientemente para proteger el árbol, aunque supongo que no de los abrazos). Abrazar un árbol es recordar con emoción al sabio abuelo analfabeto de José Saramago (Premio Nobel de Literatura de 1998), que, cuando intuyó que iba a morir, se despidió de los árboles de su pequeño huerto abrazándolos entre lágrimas uno a uno, porque sabía que nunca más volvería a verlos. En mi caso, abrazar un viejo tejo es un símbolo de gratitud por su contribución a la salud de tantas personas queridas y de tantas otras desconocidas. Así lo hice cuando Montse recibía taxanos como terapia para su cáncer de mama o cuando se le aplicaban a Kathleen durante su ejemplar lucha contra el cáncer de pulmón, por citar dos casos recientes que he vivido muy de cerca. Tomo prestadas de nuevo algunas palabras de Montse y las adapto a su imaginario encuentro con Kathleen en una de esas salas de hospital donde fluyen medicamentos por las vías sanguíneas y emociones profundas por cada poro de la piel de los que allí acuden en busca de salud:

> Hoy he sentido algo muy especial por la persona que se sentó enfrente de mí, en otro sillón azul igual al mío. Era su primera sesión y de pronto comenzaron a llegar todos aquellos frascos de farmacia que cuelgan de un palo metálico que colocan a tu lado. Se mareó, posiblemente por los nervios, y la tumbaron en una camilla. Cuando se reincorporó, en el momento que le colocaron la vía y la medicación comenzó a pasar, vi el miedo en sus ojos... La miré con dulzura y traté de decirle sin palabras que todo iría bien. Y me sentí orgullosa de ella y de tantas otras personas anónimas, que, sin recibir miles de mensajes de cariño, tienen (tenemos) la fortaleza de luchar por cada segundo que respiramos.

El taxol fue el primer taxano que se introdujo en la clínica oncológica por su capacidad de bloquear la división celular. Pero la estructura de esta sustancia es muy compleja y su síntesis química muy difícil, por lo que durante años la única fuente disponible de taxol fue la corteza de tejo. Finalmente, en 1987, más de veinte años después de su descubrimiento, un taxol sintetizado en el laboratorio demostró su efectividad en la terapia contra el cáncer de ovario y otros tumores malignos, como el de mama o el de pulmón. Hoy, el taxol y algunos otros taxanos siguen siendo fármacos de amplia aplicación en el tratamiento del cáncer.[4]

Otro de los grandes logros de la quimioterapia durante la época de crecimiento continuo de este tratamiento a partir de los años setenta del siglo pasado fue la introducción de agentes alquilantes citotóxicos basados en el platino. Como tantas veces en la historia de la ciencia, el hallazgo de las propiedades antitumorales del platino y de sus derivados fue en gran medida fruto de la casualidad, aunque no olvidemos nunca que Jorge Luis Borges dejó escrito que todo encuentro casual es una cita largamente acordada.[5] El científico estadounidense Barnett Rosenberg estaba estudiando los efectos de los campos eléctricos en el crecimiento bacteriano, cuando observó que la división celular se detenía en cuanto entraban en acción dichos campos. Desafortunadamente, sus propios estudios demostraron que era un efecto derivado del experimento en sí mismo, debido a los electrodos de platino utilizados en los ensayos. Este hallazgo accidental estimuló la exploración de los compuestos derivados del platino en el control de la división celular y, al final, condujo a la síntesis del cisplatino, el carboplatino y el oxaliplatino, tres fármacos que han sido decisivos para la curación del cáncer testicular y para el tratamiento de muchos otros tumores malignos.

Durante los años siguientes, el ritmo de introducción de nuevos agentes quimioterápicos no decayó ni un ápice. Primero se incorporaron al grupo de sustancias antitumorales antibióticos como la bleomicina y antraciclinas como la doxorrubicina; después se sumaron la nitrosourea y sus derivados, alcaloides como la vincristina y la vinorrelbina, obtenidos de la planta *Vinca rosea*, y la epipodofilotoxina, extraída de la raíz de la mandrágora (*Podophyllum peltatum*); y, por último, se añadieron varios inhibidores de la aromatasa y antagonistas hormonales como el tamoxifeno y la flutamida, todos ellos aplicados al tratamiento de cánceres hormonodependientes como los de mama y próstata. Esta relación de agentes quimioterápicos antitumorales no es exhaustiva, pues sería imposible recopilarlos aquí todos. En cualquier caso, la lista es lo suficientemente amplia como para concluir que el trabajo conjunto de muchos científicos de diversos ámbitos demostró que era posible sintetizar compuestos químicos o aislar y modificar productos naturales con una potente actividad tóxica frente a las células tumorales.

El descubrimiento de esta amplísima colección de agentes quimioterápicos y de las múltiples opciones de combinarlos dio lugar a la creación de una industria farmacéutica de dimensiones económicas estratosféricas y a una fase de gran optimismo, ya que se vislumbraba la posibilidad de curar definitivamente todos los tipos de cáncer. Sin embargo, aunque no se puede negar que todos estos tratamientos de quimioterapia resultaron satisfactorios en muchos casos, salvaron muchas vidas y regalaron mucho tiempo a muchos pacientes, pronto se apreciaron los problemas que presentaban. Los daños colaterales de la quimioterapia se pueden resumir diciendo que su falta de especificidad tenía graves efectos secundarios en los pacientes, lo cual limitaba las dosis que podían usarse de estos compuestos y reducía considerablemente la efectividad del tratamiento. Por ello, se empezaron a buscar fórmulas o procedimientos que permitieran manejar la toxicidad inherente a la quimioterapia, entre los cuales cabe citar las transfusiones de glóbulos rojos y de plaquetas, o el empleo de productos biológicos endógenos como la eritropoyetina y los factores estimuladores de colonias. En paralelo, se desarrolló una aproximación terapéutica más compleja que generó muchas expectativas: los trasplantes de médula ósea autóloga. Dado que la quimioterapia intoxicaba fundamentalmente las células de la médula ósea, la idea era extraer estas células de los pacientes antes de comenzar el tratamiento y mantenerlas en cultivo en el laboratorio. Después se administraba la quimioterapia en altas dosis y, una vez conseguido su efecto antitumoral, se reimplantaba al paciente su propia médula. Sin embargo, los beneficios de estos trasplantes autólogos fueron muy limitados y hoy en día se realizan solo en casos muy concretos de neoplasias hematológicas.

Además de los problemas planteados por la inespecificidad y toxicidad de los medicamentos usados, las propias células tumorales ponen de su parte todo lo que pueden para evitar la quimioterapia. En un principio, las células malignas mutan, evolucionan y se adaptan incansablemente a las presiones impuestas por las defensas del organismo que las hospeda o por los fármacos empleados en el tratamiento quimioterápico. Con el tiempo, se vuelven resistentes a la terapia usada y nos fuerzan a buscar nuevas estrategias. Todo esto nos obliga a pensar en la situación de la quimioterapia en la actualidad, pues, al igual que la cirugía y la radioterapia, todavía dista mucho de ser la solución perfecta y universal para todos los tumores y para todos los pacientes.

Para superar sus limitaciones, la quimioterapia ha tomado ya el camino de la especificidad por medio de lo que se conoce como terapia racional o dirigida, un tratamiento que trata de encontrar los puntos débiles de cada tumor maligno para poder emplear fármacos dirigidos específicamente contra esas debilidades. Algo muy fácil de decir, pero muy difícil de conseguir. Sin embargo, el éxito de anticuerpos como el trastuzumab en el tratamiento del cáncer de mama o de inhibidores como el imatinib en la leucemia mieloide crónica han abierto una vía terapéutica que ha permitido curar algunos de los tumores antaño incurables o ha convertido otros en males crónicos con los que se puede vivir largo tiempo o incluso toda una vida.

En resumen, en este capítulo hemos aprendido que, dado que el cáncer existe en el planeta de los genes desde tiempos remotos, no es extraño que la búsqueda de soluciones para los problemas planteados por las células malignas haya sido larga, amplia, profunda y diversa. Primero la cirugía, y después la quimioterapia y la radioterapia aportaron respuestas precisas y evitaron por primera vez que las palabras *cáncer* y *muerte* fueran términos inseparables dentro de la misma ecuación. Hoy, la expresión *stay alive* (seguir con vida) de la canción de José González adquiere todo su sentido en el tratamiento del cáncer. Gracias al esfuerzo y talento de los profesionales especializados en cada una de las ramas de la oncología, actualmente es posible curar muchos tumores malignos. Sin embargo, todos somos tristemente conscientes de que, para conseguir la curación de otros, es necesario explorar soluciones adicionales. En los capítulos siguientes explicaremos cómo las células normales se transforman en entidades egoístas, inmortales y viajeras, ya que este conocimiento es imprescindible para poder desarrollar nuevas aproximaciones terapéuticas frente al cáncer. Tras cortar, quemar y envenenar, llegó el tiempo de operar, radiar y tratar, y ahora, para avanzar, no nos queda otra opción que conocer para curar.

CAPÍTULO 4

Creced y multiplicaos

La división celular

Tras aprender que nuestra vida fue posible cuando las células comenzaron a dialogar entre sí, he dedicado mucho tiempo y esfuerzo a descifrar los lenguajes empleados en las vibrantes conversaciones que se producen en la intimidad celular. Lo que nunca imaginé es que esta profunda intromisión en el mundo minúsculo me llevaría un día a escuchar las reflexiones de una célula humana con tanta nitidez que me resultó muy difícil saber si estaba oyendo a una neurona o a un ser humano.

«Mi vida siempre ha sido rutinaria, monótona y aburrida, demasiado aburrida. Nunca he tenido grandes ambiciones, pero he de reconocer que hubo un tiempo en el que imaginé que la aventura de vivir sería mucho más emocionante. Mi educación estuvo basada en un principio fundamental: el altruismo. El bien común debía estar siempre por encima de todo lo demás. La sociedad por delante del individuo: ¡cuántas veces habré oído estas palabras! Cada vez que las recuerdo me invade la sensación de que nunca he hecho otra cosa que seguir instrucciones. Miro hacia atrás y asoman vagos recuerdos de una época ya lejana en la que tenía todas las posibilidades ante mí. Todos los caminos estaban abiertos. El futuro era una página en blanco y yo pensaba que podría escribirlo a mi manera. No fue así. Pronto, demasiado pronto, tuve la certeza de que la libertad era una quimera. No podía escoger, solo seguir el rumbo que otros trazaron por mí y para mí. Al final, el entorno social impuso su fuerza una vez más. Sin consultarme, sin escucharme, me prepararon para una tarea que iba a ocupar todos los días de mi vida. Pese a ello, con compromiso, con absoluta convicción, con máxima disciplina, aprendí todo lo que me enseñaron y después trabajé en todo lo que me pidieron. Lo hice siempre sin pensar nunca en mí, solo en ese bien común que ahora comienza a parecerme una entelequia: ¿qué me está sucediendo?

»Sin perder la calma, repaso las posibles circunstancias que han propiciado esta confusión mientras escucho de fondo lo que parecen ser lentos latidos cardíacos (*Heart beats slow*). Mis progenitores estaban sanos y no me legaron ningún defecto aparente. Durante mi época de formación y estudio, me advirtieron continuamente que tuviera mucho cuidado con la luz del sol o con cualquier tipo de sustancia tóxica. Aprendí también la importancia de la alimentación sana y natural. Seguí todos estos consejos a rajatabla. La limpieza y la higiene fueron otros de los principios que me inculcaron con denuedo; de hecho, la colección de virus más frecuentes o más peligrosos pasó a formar parte de mis preocupaciones cotidianas e incluso desarrollé una cierta hipocondría viral. Me siento joven y fuerte. Mi reloj biológico me recuerda que todavía me queda cuerda para rato. Sin embargo, no dejo de intuir que algo grave está sucediendo en mi interior. Busco en mi aspecto externo cualquier huella que me ayude a explicar mi nuevo estado. Me doy cuenta de que la pérdida de mi armonía interna ha dejado un rastro evidente en mi apariencia. He perdido cualquier atisbo de brillo, mi tono es sombrío y apenas soy capaz de transmitir otra cosa que apatía y desaliño. Todo indica que empiezo a vivir "mi vida sin mí".

»Cuando emití las primeras señales de alarma, me dijeron que no me preocupara, que todo pasaría pronto, que solo tenía que mantenerme en reposo y ponerme en manos de los profesionales encargados de devolver las armonías perdidas. No fue así. El alivio no llegó y cada vez me siento peor. Doy vueltas a todo, navego atrás y adelante en el tiempo biológico. Intento resumir mis sensaciones en unas pocas palabras. Al final, creo que lo consigo. Por primera vez en mi vida, me he vuelto egoísta. Algo ha pasado en mi interior que me ha transformado. Toda la vida obedeciendo sin replicar y ahora me estoy rebelando contra mi destino. Me vuelven a decir que no me preocupe, que es normal, que a veces sucede, que desde los albores de la vida solo han sobrevivido los egoístas, que esta vuelta a los orígenes es quizá una estrategia de supervivencia, una respuesta a la crisis existencial de la mediana edad. Me tranquilizo, pero se me ocurre consultar a mi entorno más cercano y la respuesta me preocupa. A nadie más le está sucediendo lo mismo que a mí. Además, he comenzado a recibir señales e instrucciones muy distintas a las que siempre me habían dado. No sé de dónde proceden. Mi preocupación aumenta. Incluso empiezo a creer que oigo voces. Me asusto, pero escucho con suma atención tratando de entender lo que me dicen. Al final me parece que he logrado descifrar el extraño y breve mensaje. Es una frase imperativa y repetitiva que no admite réplica: "Crece y multiplícate, crece y multiplícate...". En cierta manera, me recuerda —en versión abreviada— a un párrafo bien conocido de uno de esos libros clásicos del que todos hemos leído algún extracto: "Y los bendijo Dios y les dijo: Sed fecundos y multiplicaos, y llenad la tierra y sojuzgadla; ejerced dominio sobre los peces del mar, sobre las aves del cielo y sobre todo ser viviente que se mueve sobre la tierra".

»Lo cuento y nadie me cree. La respuesta que recibo es contundente: "No, eso es imposible, estás confundiendo una vez más la realidad con la fantasía. Asume de una vez por todas que no eres más que una neurona, una simple célula cuya única misión desde que entraste en el programa de diferenciación neuronal es integrarte en una comunidad biológica llamada cerebro, en la que convives con cien mil millones de células del mismo tipo que el tuyo. Entre todas servís a un propósito tan elevado e interesante como el de ayudar a que vuestro hospedador ría, sueñe y piense. ¿No te parece suficiente?”.

»La verdad es que mi respuesta debería ser afirmativa porque me educaron para no dudar de que la solidaridad es una rica fuente de felicidad. Pero la realidad, y no la fantasía, acude en mi ayuda para recordarme que, por alguna circunstancia imprevista —ya sea por exposición a un agente tóxico externo o interno o simplemente por mala suerte—, he sufrido alguna mutación en el genoma que no se ha reparado a tiempo y me he transformado. No controlo mi vida. He perdido la voluntad y la disciplina, dos de los valores que siempre me habían acompañado y en los que siempre he creído. Yo es otro, u otra en mi caso, como diría el poeta Rimbaud si pudiera verme. Este daño que solo me ha ocurrido a mí entre todos los miles de millones de compañeras cerebrales ha conllevado la vuelta hacia ese pasado egoísta y unicelular primitivo en el que el único propósito de la vida era la división celular. La transformación molecular de mis códigos internos me ha convertido en una entidad profundamente egoísta, que desoye cualquier otro mensaje que no sea el de animarme a crecer y multiplicarme. Y en ello estoy.»

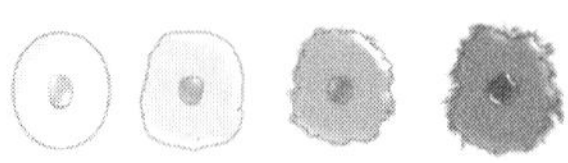

Egoísmo, esta es la primera característica general de las células malignas, como la neurona protagonista de este relato imaginario que acabamos de leer. Las sociedades celulares son más generosas que las humanas, en las que cada individuo debe encontrar un equilibrio adecuado entre el egoísmo y el altruismo. Este objetivo es difícil de lograr y a algunos, a muchos, en realidad, les parece incluso innecesario. Friedrich Nietzsche consideraba que el altruismo era un obstáculo para el desarrollo humano y, por tanto, una de las grandes debilidades de nuestra especie. Otros, pocos, muy pocos, dedican la vida entera a los demás y creen que en ese altruismo extremo está la verdadera felicidad.[1] En nuestro pequeño universo celular —mínimo en tamaño, colosal en complejidad—, no existe esta tensión emocional entre el egoísmo y el altruismo. Nuestros billones de células supeditan todas y cada una de sus actividades al bien general para que pueda mantenerse la vida. El egoísmo, entonces, solo puede surgir de alguna imperfección biológica. Una vez que una célula, una sola de ellas, ha sufrido mutaciones en regiones críticas del genoma y se ha transformado, comienza a dividirse sin freno. ¿Cuáles son los genes dañados? ¿Cómo se convierten las mutaciones en instrucciones que instan a las células a cumplir la orden de «creced y multiplicaos»?

El primer grupo de genes cuyas mutaciones activan un crecimiento celular descontrolado son los clasificados en la categoría de los protooncogenes, es decir, los que nos llevaron a considerar el cáncer como una enfermedad de los genes. Por regla general, las alteraciones oncogénicas tienen un efecto dominante: para que se produzca la malignización celular, basta que esté alterada una de las dos copias o alelos del gen (una heredada de nuestro padre y otra de nuestra madre). Estas mutaciones pueden ser de varios tipos. En la mayoría de los casos son cambios mínimos y los llamamos mutaciones puntuales porque solo cambia una letra nucleotídica (A, C, G o T) de los miles que forman la cadena polinucleotídica de un determinado gen. Un ejemplo muy ilustrativo es el de los genes de la familia *RAS*, que presentan mutaciones puntuales en diversos tipos de tumores. Otras veces se produce una amplificación* de un gen y, en lugar de las dos copias habituales, las células tumorales pasan a tener varias copias adicionales. Esto es lo que sucede con el gen *HER2* en algunos casos de cáncer de mama y con el gen *N-MYC* en ciertos tumores del sistema nervioso periférico. Por último, algunos protooncogenes se activan por translocación,* es decir, que un gen cambia de posición en el genoma y se coloca junto a un elemento regulador que le hace estar siempre activo, o bien se fusiona con otro gen y crea una entidad inexistente en las células normales. Las translocaciones oncogénicas se suelen producir en tumores hematológicos, pero también se han comenzado a encontrar en tumores sólidos, como el cáncer de próstata y el de pulmón.[2] Si las mutaciones puntuales, las amplificaciones génicas y las translocaciones en protooncogenes contribuyen a la progresión del tumor es porque aumentan los niveles de las proteínas codificadas por esos mismos genes, o porque estas se tornan mucho más activas. En suma, la activación de un protooncogén provoca una ganancia de función. Si en condiciones normales este gen contribuye a la proliferación celular, las alteraciones oncogénicas provocarán un crecimiento descontrolado y exagerado de esas mismas células.

El segundo grupo de genes implicados en la activación egoísta del crecimiento celular es el de los supresores tumorales, que únicamente intervienen en el desarrollo del cáncer si sufren mutaciones que los inactivan, es decir, si se produce una pérdida de su función. A diferencia de los oncogenes, los genes supresores de tumores funcionan en forma recesiva: para que se produzca la transformación maligna, tienen que haberse inactivado sus dos copias. Los mecanismos que causan la inactivación de estos genes pueden generar mutaciones puntuales, pero estas no se limitan a unas áreas concretas, como en el caso de los oncogenes, sino que se distribuyen ampliamente a lo largo de toda la cadena de piezas nucleotídicas del gen supresor. Ejemplos característicos en este sentido serían los genes supresores de tumores *TP53*, *BRCA1* o *BRCA2*, que presentan mutaciones inactivantes a lo largo de toda su estructura. Otras veces las alteraciones implican la inserción o deleción (eliminación) de algunos nucleótidos en un gen en concreto, lo que impedirá que funcione de manera correcta. También se pueden producir daños de mayor alcance, como por ejemplo la deleción de regiones enteras de cromosomas que albergan genes supresores de tumores, o las aneuploidías* tumorales, en las cuales se pierden o ganan cromosomas completos durante el desarrollo del cáncer. Más espectaculares si cabe son los casos de cromotripsis* tumoral, una auténtica pulverización cromosómica que provoca la desorganización e inactivación de varios genes supresores y, al mismo tiempo, la activación de algunos oncogenes. Por último, uno de los mecanismos más interesantes y frecuentes de inactivación de genes supresores tumorales es el silenciamiento epigenético,* que bloquea las regiones del genoma que sirven de interruptores de los distintos genes y contribuye así a apagar su actividad.[3] Las alteraciones moleculares que se producen en los diferentes supresores tumorales impiden que puedan seguir marcando el ritmo de la división celular. De este modo, en nuestro interior se instala una libérrima proliferación celular que, si no se remedia, acabará siendo fatal.

Recapitulando, una larga y diversa serie de mutaciones y alteraciones cromosómicas ocurridas en diferentes oncogenes y genes supresores de tumores está en el origen del egoísmo de las células tumorales. El denominador común a toda esta diversidad de genes protagonistas de tipos de cambios moleculares y de mecanismos implicados es la pérdida del control sobre el crecimiento y la división celular. Para explicar este proceso, se suele comparar los oncogenes con el acelerador de un vehículo. Las mutaciones oncogénicas hacen que el pedal esté continuamente presionado y el vehículo mantenga su marcha a la máxima velocidad y sin ningún control sobre ella. En cambio, los genes supresores de tumores serían como los frenos, por lo que su inactivación dejaría el vehículo sin posibilidad de reducir la velocidad ni de detenerse cuando fuera necesario. Una vez alcanzado este punto del trayecto narrativo, si queremos avanzar en nuestro conocimiento del egoísmo tumoral para tratar de corregirlo, deberíamos intentar comprender de qué manera las mutaciones sufridas por los genes del cáncer se convierten en señales bioquímicas que instan a las células a asumir el ancestral mensaje del «creced y multiplicaos».

Para entender las complejas claves que subyacen a la estrecha conexión entre las mutaciones oncológicas y el egoísmo proliferativo celular debemos armarnos de paciencia y viajar acompañados por una música adecuada, como por ejemplo la de Cedric Baravaglio o la de Michael Kiwanuka, hacia un mundo microscópico atestado de señales moleculares de todo tipo. Estas señales bioquímicas, que portan instrucciones muy diversas y, en ocasiones, hasta contradictorias, viajan por caminos llenos de conexiones, ramificaciones, atajos y vías muertas. La primera de esas claves se basa en el hecho de que muchos protooncogenes y genes supresores de tumores se dedican normalmente a controlar el ciclo celular, es decir, el conjunto ordenado de sucesos que conducen al crecimiento de una célula y la división en dos células hijas. Para que una célula pueda iniciar este ciclo y avanzar por sus sucesivas etapas hasta llegar a la división, han de intervenir unas señales bioquímicas específicas: las que ponen en marcha la fosforilación o desfosforilación de ciertas proteínas. La fosforilación es una suerte de decoración molecular en la cual se añade un simple grupo químico llamado fosfato a residuos de serina, treonina y tirosina, tres de los veinte tipos de aminoácidos* que forman la estructura primaria de nuestras proteínas. Esta tarea tan sencilla y delicada, pero tan importante en términos biológicos, la llevan a cabo unas proteínas sumamente especializadas llamadas quinasas. La desfosforilación sería el proceso inverso: se eliminan los grupos fosfato por medio de las fosfatasas.

Las señales que cambian el estado de fosforilación de proteínas esenciales para la división celular dependen de factores tales como el estatus nutricional o los requisitos funcionales del tejido en el que se encuentra la célula que ha de escoger el momento adecuado para dividirse. Las moléculas que envían las señales de división o calma (quiescencia) son hormonas, factores de crecimiento y otros estímulos de diversa naturaleza que controlan los niveles de unas proteínas llamadas ciclinas. Las ciclinas se unen entre sí y activan unas quinasas que fosforilan la proteína Rb (el producto del gen del retinoblastoma), cambiando su estructura y facilitando la integración de la información suministrada por las múltiples moléculas implicadas en el cáncer. La proteína Rb es, pues, un nodo central de las señales de proliferación, de modo que no tiene nada de extraño que el gen *RB* codificante de esta proteína sea un importante supresor tumoral que con frecuencia está inactivado en los tumores malignos. El ritmo de división celular también depende de la intervención de algunas proteínas inhibidoras, como por ejemplo las conocidas como p16 y p21, cuyos genes son igualmente diana frecuente de mutaciones que provocan su inactivación en muchos cánceres. Una vez se han desprendido de las limitaciones impuestas por todos estos inhibidores de la proliferación celular, las células tumorales adquieren su ansiada libertad y ya pueden crecer y multiplicarse sin ninguna traba.

La segunda de las generalizaciones que podemos hacer en nuestro afán de entender cómo se adquiere el egoísmo celular es que los distintos oncogenes y genes supresores de tumores que regulan la división celular se organizan por medio de complejas rutas de señalización cuyo propósito final es el mantenimiento de la homeostasis o armonía de la vida. Las mutaciones en los genes del cáncer adulteran este sano propósito. Son muchas las señales que fluyen entonces sin orden ni concierto por las rutas celulares y allanan el camino al egoísmo tumoral. La organización de las reacciones bioquímicas en rutas por las que viajan estímulos y respuestas para contribuir a la magia de la vida es una bella metáfora de las evocadoras rutas del pasado por las que circulaban viajeros y aventureros para cumplir un propósito particular, ya fuera este una soberana extravagancia, un motivo más o menos curioso, o un proyecto de capital importancia.

Recuerdo haber leído en la adolescencia alguna que otra historia sobre la misteriosa ruta de las especias que recorrían los aromanautas, esos exploradores del horizonte que viajaban desde el antiguo Ceilán y las islas Molucas hasta Alejandría, Grecia e Italia transportando tesoros tan valiosos como la canela, el jengibre, la cúrcuma, el clavo y la nuez moscada. Estas preciadas especias aderezaban vidas y comidas, perfumaban ambientes poco acostumbrados a los olores agradables y, según algunos, hasta curaban la peste y algunas enfermedades más. No menos misteriosa era la ruta del incienso, en la que esta mítica y mística mezcla de resinas aromáticas, más apreciada que el mismísimo oro, se transportaba en largas caravanas de camellos desde el sur de Arabia hasta el Mediterráneo. Pero en mi percepción personal, y siguiendo con la imaginación la estela de los viajes de Marco Polo, no hay ningún trayecto tan inspirador como la fascinante Ruta de la Seda. En realidad, esta ruta, tal como sucede en el entorno celular, no era una vía o camino único que conectaba dos mundos —Occidente y el lejano Oriente—, sino una compleja red de rutas comerciales organizadas desde el siglo I a. C. en torno al negocio de la delicada seda china. Esta red atravesaba todo el continente asiático hasta llegar a Constantinopla, justo a las puertas de Europa. Más tarde, la Ruta de la Seda penetró en los dominios hispánicos y se extendió hasta el este de África. El gran artista otomano Matrakçi Nasuh pintó las ciudades más importantes por las que se pasaba en unas bellísimas miniaturas cuya sola contemplación nos transporta a un pasado sugerente, cuajado de exotismo. La Ruta de la Seda también servía para transportar mercancías que parecen sacadas de los cuentos de *Las mil y una noches*: lapislázuli del Hindukush, rubíes de Birmania, zafiros de Cachemira, diamantes de Golconda, vidrio de Samarcanda, jade imperial de China... Hasta su decadencia en los inicios del siglo XVI, por la Ruta de la Seda circulaban mercancías, pero también información, cultura y enfermedades. La red tejida en torno a la suave seda contribuyó a la propagación de agentes infecciosos en poblaciones que nunca habían estado en contacto con esos microorganismos y que, por tanto, carecían de protección inmunológica frente a ellos. Fue la vía por la que se diseminó, por ejemplo, la devastadora plaga de la peste negra, que comenzó alrededor de 1320 en el desierto de Gobi y, a través de Mongolia y de sus ejércitos, se fue propagando hasta llegar en 1348 a la Europa mediterránea, para asaltar desde allí el corazón del Viejo Continente. Esta brutal pandemia causó la muerte de más de un tercio de la población europea y de unos cien millones de personas en todo el mundo.

Las rutas moleculares que reciben, transmiten e interpretan las señales de otra enfermedad —la del egoísmo tumoral— no son muy distintas de la amplia red de vías y caminos que configuró la Ruta de la Seda. El denominador común a todas esas vías de señalización molecular es que son capaces de recibir estímulos ambientales extracelulares y transportar la información obtenida del entorno hacia las zonas de la célula en que se integran los datos y se toma la decisión final sobre la cuestión principal: dividirse o no dividirse. Consecuentemente, todas estas rutas bioquímicas tienen varios elementos en común: los receptores moleculares que recogen las señales externas, situados en la membrana celular; los transmisores de las señales por el interior de la célula, y los efectores de las decisiones finales. Por lo general, estos efectores de decisiones son los llamados factores de transcripción,* que están codificados en nuestro genoma por centenares de genes distintos que regulan la expresión de la información genética. Estos factores deciden en cada momento y lugar qué genes deben ponerse en marcha y cuáles deben mantenerse en silencio cuando se producen cambios en el ambiente externo o interno de cada una de las células. Los componentes de estas rutas celulares se asemejan a los personajes principales de la gran Ruta de la Seda: las señales serían las mercancías y, por extensión, sus creadores o productores; los receptores serían los comerciantes que adquirían las mercancías; los transmisores se asemejarían a los intermediarios que iban distribuyendo las mercancías por los diferentes caminos y vías de la red, buscando la más adecuada para cada caso; y, finalmente, los efectores tendrían su equivalente en los compradores de las mercancías que se producían en Oriente y acababan encontrando su último destino en Occidente.

Una de las rutas reguladoras del crecimiento celular que se encuentra frecuentemente alterada en el cáncer es la llamada ruta de RAS-MAPK, en la que participan las oncoproteínas RAS, de las que ya hemos hablado previamente. Estas proteínas están unidas a la cara interna de la membrana celular y funcionan como interruptores moleculares que intervienen en la transmisión de señales desde la superficie al interior de las células. Las señales pueden ser muy diversas: factores de crecimiento, citoquinas, factores inflamatorios, moléculas de la matriz extracelular que proporciona soporte físico a las células, o proteínas implicadas en las interacciones celulares. Estas moléculas señalizadoras se unen a receptores de la cara externa de la membrana que suelen tener actividad quinasa, y que también pueden estar mutados en el cáncer, con lo cual se crea una suerte de interruptor siempre abierto. En condiciones normales, toda esta cascada de señales se enciende y se apaga en el momento debido, de modo que el proceso de crecimiento y división celular solo se produce cuando es preciso y en la magnitud y extensión estrictamente necesarias. Sin embargo, las mutaciones en proteínas RAS causantes de cáncer hacen que esas señales permanezcan siempre activadas, enviando continuamente mensajes de división celular, cuando lo sensato sería permanecer en estado quiescente y descansar. La ruta de señalización de PI3K (fosfatidilinositol-3-quinasa) es otra de las vías frecuentemente alteradas en el cáncer. En ella convergen las señales procedentes de diversos tipos de receptores de membrana y puede activarse de manera perpetua o excesiva en virtud de las mutaciones ocurridas en sus distintos componentes, que causan tumores de colon, mama, vejiga y endometrio, entre otros.

Y así, paso a paso, gen a gen, podríamos ir diseccionando el resto de las diversas rutas de señalización que son importantes para el control de la división celular: la ruta de *NOTCH*, la de *WNT*, la de *TGFb-SMADs*, la de *HEDGEHOG*... Cada una de ellas tiene sus propios protooncogenes y sus genes supresores de tumores, todos los cuales actúan en pro del equilibrio y el bienestar social, pero al mismo tiempo son posibles puntos débiles frente a la silenciosa amenaza de la transformación maligna. Cualquier defecto que se produce en alguno de esos genes, pertenecientes a diferentes rutas, acaba por quebrar la fascinante armonía con la que se desarrolla la aventura bioquímica de la vida y triunfa el egoísmo celular. Afortunadamente, la pomposa y exuberante activación de la proliferación celular no basta para generar tumores malignos. Las células tumorales se ven obligadas a adquirir propiedades adicionales para poder avanzar hacia la transformación maligna definitiva. La siguiente parada en su ciego, difícil y perseverante viaje hacia la malignidad es la adquisición de la inmortalidad.

CAPÍTULO 5

No matarás, no morirás

La inmortalidad celular

El quinto o el sexto mandamiento de los decálogos éticos que guían a los seguidores de religiones como el cristianismo o el judaísmo es muy categórico: no matarás. Pese a ello, este precepto es uno de los más incumplidos en la sociedad actual. Cada año se cometen más de medio millón de homicidios en el mundo, y si a esta cifra le sumamos las muertes provocadas por conflictos bélicos y por otras formas de violencia, el resultado es ya realmente abrumador. Sin embargo, los mandamientos nada dicen acerca de la inmortalidad del cuerpo, una idea que tampoco aparece en la agenda vital de nuestra especie, salvo en la mente de unos pocos —aunque influyentes— inmortalistas. Discretamente, sin llamar la atención, sin grandes ceremonias de despedida, la vida abandona el cuerpo de más de ciento cincuenta mil seres humanos cada día. Dos personas fallecen en el mundo cada segundo y, en ese mismo lapso, al menos un millón de células mueren en nuestro organismo. Estos son los ritmos de la muerte a los que puso música Camille Saint-Saëns, color Gustav Klimt (*La vida y la muerte*) y poesía Henri Cazalis: «El gallo ha cantado. / ¡Oh! ¡Qué noche hermosa para el pobre mundo! / Y viva la muerte y la igualdad». Sorprendentemente, y en contra del mensaje de aceptación de ese destino final que nos transmiten los grandes números de la muerte, las células tumorales cumplen con precisión el precepto contrario: no morirás. Este principio no se halla escrito en tablas de piedra ni en pantallas electrónicas, pero representa un principio esencial para el éxito de la malignidad.

Hoy sabemos que para generar un tumor maligno no basta con impulsar el egoísmo celular y favorecer la proliferación de las células transformadas. El avance hacia la plena malignidad exige superar la tendencia natural de las células hacia la mortalidad. Para ello, las células tumorales tratan de adquirir mecanismos de resistencia a la muerte que les permitan viajar sin sobresaltos hacia su paraíso particular y mejorar los resultados de la fallida expedición de Xu Fu en busca del elixir de la inmortalidad, bellamente recogida por los pinceles de Utagawa Kuniyoshi. Parece increíble que, en un mundo gobernado por la entropía* y en el que la desordenada muerte es el último destino de todos sus habitantes, haya entidades biológicas que consigan evitarla. ¿Cómo hacen posible este imposible?

Las células tumorales son muy inestables y en esa inestabilidad están las claves fundamentales de su inmortalidad. Un tumor no deja nunca de evolucionar y, durante su proceso de expansión descontrolada, las células que lo conforman van experimentando adaptaciones y mutaciones adicionales que les permiten adquirir nuevas propiedades y sobreponerse a los mecanismos de defensa antitumoral. Algunos de los cambios implementados por las células transformadas provocan que las células normales de nuestro cuerpo pasen por alto los mensajes de moderación y muerte que continuamente reciben. Este proceso se empezó a conocer gracias a las aportaciones de dos personas muy distintas, Henrietta Lacks y Leonard Hayflick, que fueron protagonistas de las primeras historias de la inmortalidad acaecidas en el submundo celular.

Henrietta Lacks era una joven afroamericana, madre de cinco hijos y cultivadora de tabaco, a la que se le diagnosticó un cáncer de cuello uterino en un hospital de Baltimore. Era el 1 de febrero de 1951 y contaba solamente treinta años de edad. Antes de iniciar el tratamiento y sin pedir su consentimiento, los médicos le extrajeron una pequeña porción del agresivo tumor que la estaba matando. Una vez bañadas en la disolución adecuada y alimentadas con factores nutritivos bien conocidos, las células del tumor de Henrietta se adaptaron muy bien a su nueva vida en las placas de Petri y comenzaron a crecer de manera ininterrumpida. En poco tiempo, las células de Henrietta Lacks se convirtieron en la línea celular HeLa, las primeras células humanas que lograron desafiar a la muerte y convertirse en inmortales. Henrietta no tuvo tanta suerte: incapaz de hacer frente al continuo avance de las células cancerígenas en su cuerpo, murió el 4 de octubre, apenas ocho meses después del diagnóstico de su enfermedad. Fue enterrada en una fosa de un pequeño cementerio cercano a su casa, sin ninguna lápida que indicara el lugar donde iban a reposar sus restos para siempre.[1]

El anonimato en que vivió Henrietta hasta el último de sus días contrasta sobremanera con la extraordinaria popularidad alcanzada por sus células, que pronto se habrían de convertir en herramientas fundamentales para el abordaje de cualquier investigación biomédica. Su primera contribución tuvo como protagonista a la vacuna de la poliomielitis, una de las grandes hazañas de la medicina, que fue posible gracias al empleo de células HeLa para hacer crecer en el laboratorio el virus causante de dicha enfermedad. Desde entonces, no ha habido campo en la biomedicina —incluyendo la oncología— que no se haya beneficiado de las células inmortales de Henrietta Lacks. El cultivo de células HeLa en laboratorios internacionales es de tal magnitud que, si colocáramos alineadas todas las células de Henrietta creadas hasta ahora, darían como mínimo tres vueltas completas alrededor de la Tierra. Lamentablemente, ni Henrietta ni sus descendientes recibieron nunca la menor compensación por los servicios prestados a la medicina y a la ciencia por aquella involuntaria descubridora. Henrietta nunca hubiera podido imaginar que sus células llegarían a estar vivas setenta años después de su muerte, y esto nos lleva a pensar en el significado actual de la vida y la muerte desde una perspectiva científica. Así, resulta singular que las células de Henrietta hayan vivido fuera de su cuerpo muchísimos más años —más del doble, de hecho— que dentro del propio organismo que las había creado. ¿Qué tienen de especial las células HeLa para haber alcanzado la inmortalidad y superar con creces el tiempo de vida del organismo donde nacieron?

La primera respuesta a este interrogante se la debemos a Leonard Hayflick, que entró en la escena de los estudios sobre inmortalidad biológica cuando las células de Henrietta Lacks estaban empezando a representar su papel estelar. Desde principios del siglo XX, muchos investigadores habían intentado cultivar células en el laboratorio, pero nunca se habían logrado crear líneas celulares estables de crecimiento continuo y propagación indefinida. Más pronto que tarde, las células acababan muriendo. Como resultado, acabó instalándose un principio en la biología que sostenía que las células solo pueden dividirse un número limitado de veces antes de morir. Dicho de otra forma: la inmortalidad física era imposible. Este principio sufrió un serio varapalo el 17 de enero de 1912, cuando Alexis Carrel, un cirujano francés que trabajaba en el Instituto Rockefeller de Nueva York, anunció que había creado un cultivo inmortal de las células extraídas del corazón de un pollo. Dispuestas sobre una placa de vidrio, las células cardíacas latían acompasadamente, de manera autónoma y sin el soporte de ningún órgano. Sin duda, un espectáculo fascinante, tanto hoy como entonces, para cualquiera que lo contemple por primera vez. De pronto, parecía que la inmortalidad era posible y estaba a nuestro alcance. Unos meses más tarde, y mientras las células cardíacas seguían creciendo y latiendo en su laboratorio, Carrel recibió un telegrama de Estocolmo anunciándole la concesión del

Premio Nobel de Medicina de 1912 por su trabajo pionero acerca de la sutura vascular y el trasplante de vasos sanguíneos y órganos. Alexis Carrel se convirtió en una auténtica celebridad, no solo por haber alcanzado el máximo galardón por sus contribuciones a la medicina, sino por el enorme potencial científico de sus hallazgos experimentales sobre la viabilidad de la inmortalidad.

Rápidamente, la prensa de la época presentó estos descubrimientos como el primer paso hacia la desaparición de la muerte. El líquido en el que se cultivaban las células de pollo —según Carrel, un zumo preparado a partir de embriones de perro— pasó a ser el elixir de la eterna juventud y pronto se extendió la idea de que dándonos baños en este líquido nutritivo podríamos curar todas nuestras enfermedades e incluso acceder a la inmortalidad. Él mismo alimentó durante años esta descabellada idea: cada diecisiete de enero, en medio de una gran parafernalia y rodeado de sus asistentes vestidos de pies a cabeza con unos siniestros ropajes negros, Carrel convocaba a los medios de comunicación y les mostraba las células en cultivo, que cumplían años y seguían latiendo.[2] Curiosamente, cien años más tarde, los patrones del comportamiento humano se repiten con asombrosa precisión y algunos reputados periodistas conceden mucho espacio en sus programas a los mercaderes de inmortalidad que aseguran que en sus laboratorios se cultivan células o se producen elixires que curan el cáncer y otras muchas enfermedades. También hay gurús que nos garantizan sin pudor que a partir del año 2045 seremos inmortales.[3] En fin, nada nuevo bajo el Sol o bajo la Luna. Ya lo dijo el sabio rey Salomón: «No hay novedad, solo olvido».

Pero, entonces como ahora, el tiempo pasa y la inmortalidad no llega. Poco a poco, el interés por los cultivos de Carrel fue decayendo. Tampoco ayudó a mantenerlo el hecho de que fueran experimentos que ningún científico pudo replicar. A ello se sumó su extraña deriva intelectual, que le llevó a convertirse en un supremacista blanco, antisemita y profundamente racista. Con el tiempo, se pudo demostrar que las células de corazón de pollo cultivadas en su laboratorio nunca fueron inmortales, sino que —accidentalmente, o de manera intencionada— los cultivos habían sido revitalizados con células frescas por los propios ayudantes de Carrel, cosa que garantizaba la supuesta inmortalidad celular.

En este confuso escenario, Leonard Hayflick, un biólogo celular intrigado por los experimentos de Carrel, decidió retomar el estudio de los cultivos celulares, pero abordando el problema con el máximo rigor. Tras años de trabajo, y pese al escepticismo de muchos de sus colegas, Hayflick demostró en 1961 que las células animales en cultivo, incluyendo las humanas, tienen una capacidad muy limitada de división. El número máximo de divisiones que puede experimentar una célula normal se conoce desde entonces como límite de Hayflick.[4] Aunque varía según la tipología de las células y algunos otros factores, en términos generales se sitúa en torno a los cincuenta o sesenta ciclos. Después, las células cesan de crecer y comienzan a apagarse. Hayflick también demostró que las células tumorales son capaces de superar ese límite y convertirse en inmortales. Supimos así que la incapacidad de los científicos durante años para cultivar células en el laboratorio no se debía a ningún problema metodológico, sino a una mala selección de las células utilizadas en los experimentos. Las células transformadas, ya sea por la acumulación de mutaciones en su genoma o por la infección con un virus tumoral, son las únicas que tienen el verdadero potencial de ser inmortales. En todo este razonamiento había una idea implícita muy interesante y completamente novedosa: las células tienen que saber contar el número de veces que se dividen para decidir cuándo deben dejar de hacerlo. Una vez más comprobamos que en la búsqueda del conocimiento unas preguntas nos llevan a otras. ¿Cuáles son los componentes principales de este reloj celular? ¿Cómo funcionan? ¿Hay diferencias entre el reloj de las células normales y el de las tumorales?

La clave fundamental para entender todas estas cuestiones estaba en los extremos de los cromosomas. Ahí es donde se encuentran unas combinaciones en concreto de las cuatro letras de la vida (A, C, G y T) que se repiten centenares y hasta miles de veces. Estas estructuras se conocen como telómeros* (del griego *telos*, que significa final, y *meros*, parte) y su función principal es otorgar estabilidad a los cromosomas en las células eucariotas y evitar que se enmarañen y se fusionen unos con otros durante la división celular. La existencia de los telómeros, cuya secuencia en ratones y en humanos es el hexámero TTAGGG repetido *n* veces, planteó durante años una dificultad conceptual a la biología que recibió el nombre de *problema de la replicación de los extremos*. Para exponerlo brevemente, el ADN debe copiarse íntegramente antes de proceder a la división celular, pero el mecanismo de copia es imperfecto y no funciona bien en los extremos de nuestros cromosomas lineales. Por ello, cada vez que se divide una célula, se pierde una pequeña cantidad de material genético en los extremos de cada cromosoma. Cuando esa célula vuelva a dividirse, volverá a perder algo de material genético y así, división tras división, acabará acortándose sustancialmente el telómero y la inestabilidad genómica se impondrá en el núcleo celular. Elizabeth H. Blackburn, Carol W. Greider y Jack W. Szostak encontraron solución a este complejo problema en la telomerasa, una enzima descubierta por ellos y que garantiza la copia íntegra de los telómeros y evita la pérdida de información genética a medida que las células se dividen. Su trabajo sobre la nueva enzima fue reconocido con el Premio Nobel de Medicina de 2009.[5]

La gran sorpresa que deparó el hallazgo de la telomerasa fue que esta enzima actúa en las células germinales (óvulos y espermatozoides), pero no en las somáticas* (las que conforman todos los tejidos y órganos), pese a estar perfectamente capacitadas para producirla. De esta manera se garantiza que a nuestros descendientes les llegue toda la información genética, pero ¿qué sentido tiene dejar inactiva en las células somáticas una enzima que desempeña una función tan útil? La respuesta a esta cuestión nos lleva de nuevo al concepto de inmortalidad de las células tumorales. El silenciamiento o inactivación de la telomerasa en las células somáticas maduras representa la base conceptual para generar en nuestro interior celular un reloj molecular capaz de medir el ritmo de acortamiento de los telómeros. Este reloj o temporizador funciona como un mecanismo de cuenta atrás que solo la telomerasa puede controlar y parar. En cada ciclo de división, las células somáticas van recortando sus telómeros hasta alcanzar una inestabilidad crítica, que coincide con lo que hemos llamado límite de Hayflick. En ese momento, estas células sufren una crisis telomérica* y mueren dignamente por apoptosis, o ponen en marcha un proceso de senescencia y dejan de dividirse. De este modo se evita que las células que se han dividido muchas veces y han acumulado numerosos daños en el genoma, puedan transmitir esos defectos a las células hijas. Esta estrategia es un gran regalo evolutivo, pues no en vano nos protege contra el cáncer, pero a cambio tenemos que pagar un precio muy elevado: el envejecimiento.

Sorprendentemente, casi diabólicamente podríamos pensar, la inmensa mayoría de las células tumorales son capaces de reactivar la telomerasa; de este modo consiguen que sus telómeros no se recorten y que sus cromosomas se mantengan estables, y esto les permite evitar el proceso de senescencia. De este modo, las células tumorales —como por ejemplo las de Henrietta Lacks y todas las que se cultivaron después en los laboratorios— se adaptan a la amenaza de la crisis telomérica, se dividen sin trabas y alcanzan su anhelada inmortalidad mientras nos conducen a *Tierras de penumbra*.[6] Por este motivo, la telomerasa es conocida en algunos ámbitos como la enzima de la inmortalidad y se han analizado sus implicaciones en el envejecimiento humano. De hecho, se ha planteado la posibilidad de reactivar la telomerasa en células somáticas para extender la longevidad. En cualquier caso, el peligro de que al evitar el acortamiento telomérico se impulse el desarrollo de tumores hace que el empleo de la telomerasa en protocolos de antienvejecimiento humano sea todavía una estrategia demasiado arriesgada.

Recapitulemos. En su indeseado e indeseable viaje a la malignidad, las células comienzan a mutar hasta que se vuelven egoístas. Se convierten en entidades autónomas. Crecen cada vez más y se dividen sin cesar. Pero no les basta: aspiran a ser inmortales. No es una tarea sencilla: las células mutadas siguen mutando, pero siguen muriendo porque sus telómeros se siguen perdiendo. Sin embargo, los nuevos cambios sufridos por algunas de las células egoístas les permiten obviar las señales externas e internas que las impulsan hacia la senescencia y hacia la muerte, reactivan la telomerasa y se vuelven inmortales. Las células tumorales hacen realidad las palabras surgidas de la imaginación de José Saramago: «Y al día siguiente no murió nadie».[7]

Tras el desafío a las reglas de la muerte, la rebelión contra el organismo sigue progresando mientras la moderación y la armonía permanecen en el olvido. Las células tumorales se comparan con sus hermanas vecinas, se sienten impunes e invulnerables y continúan proliferando sin parar. Su egoísmo y su fuerza empiezan a transformarse en ambición ciega y desmedida. Parecen dueñas de su destino, pero lo cierto es que no tienen futuro, pues si el organismo que las alberga es incapaz de contener la marea creciente de la malignidad, todas sus células desaparecerán, incluidas aquellas que durante un tiempo nos hicieron creer que poseían el elixir de la inmortalidad. Las células tumorales se comportan como Júpiter, el planeta gigante y arrogante que quiso ser estrella, pero no lo consiguió. La ambición de las células transformadas sigue impulsando su metamorfosis. Son ya entidades egoístas e inmortales, pero necesitan algo más para adquirir la malignidad absoluta: tienen que viajar, explorar territorios corporales que cuenten con muchos recursos y conquistarlos. El siguiente capítulo relatará las claves y las circunstancias de esta última etapa del viaje celular a la malignidad.

CAPÍTULO 6

Viajar hasta llegar al final

La migración celular

Viajar hacia lo desconocido ha sido siempre un motor fundamental de la evolución del pensamiento humano. Suena la música de Vetusta Morla y pienso en lo que significa viajar, en la determinación que hace falta para partir y en la emocionada incertidumbre que se genera cuando se llega al final del trayecto. Viajar para conocer, para buscar nuevos recursos, para perseguir nuevas sensaciones o, simplemente, para acercarnos a esa línea del horizonte que nunca se alcanza. Viajar en el tiempo y descubrir Ítaca con Ulises y Kavafis, arribar al Nuevo Continente con Cristóbal Colón, circunnavegar el planeta con Magallanes y Elcano, llegar a la India con Vasco da Gama, navegar por los mares del Sur con James Cook, rastrear las fuentes del Nilo con Burton y Speke, alcanzar los Polos con Amundsen y Scott, recorrer las islas Galápagos con Charles Darwin, ascender al Everest con Hillary y Tenzing, y seguir subiendo hasta pisar la Luna con Neil Armstrong, y seguir viajando hasta averiguar qué hay más allá de Orión.

Cuando los primeros cartógrafos trataban de reflejar en sus bellísimos mapas todo lo que aún escapaba a la mirada de aventureros y exploradores, insertaban la expresión *terra incognita* (tierra desconocida) para indicar los límites de lo conocido, las fronteras del infinito. Más allá solo habitaban el miedo y la fantasía. Los espacios vacíos de los mapas se completaban con ilustraciones de criaturas extrañas, acompañadas por la leyenda *hic sunt dracons* («aquí hay dragones»), expresión que hacía referencia a cualquier clase de monstruo marino, terrestre o alado que la persona más imaginativa —o más ignorante— pudiera haber inventado jamás.

Las células cancerígenas son herederas directas de ese ánimo de exploración y conquista que tan bien reflejan la música épica de Vangelis y Morricone o las obras de pintores viajeros como Gauguin y Rugendas. Tras evadir los mecanismos de control de la proliferación celular y obviar las llamadas al suicidio en favor del bien común, las células tumorales —convertidas ya en entidades egoístas e inmortales— buscan con ansia el momento oportuno para realizar su arriesgada e incierta expedición por la *terra incognita* del organismo. El objetivo principal del viaje es encontrar nuevos lugares en los que el espacio, los nutrientes y el oxígeno no estén limitados, lo cual acaba produciéndose en el tumor primario como consecuencia de su crecimiento excesivo y abusivo. La migración celular por los canales linfáticos y sanguíneos y la posterior colonización de nuevos territorios son las etapas finales de este largo viaje a la malignidad que comenzó hace ya mucho, muchísimo tiempo, cuando una célula sufrió un daño molecular que la transformó en maligna. Una vez que las células tumorales alcanzan el torrente sanguíneo y se extienden por el cuerpo dando lugar a las temidas metástasis, la progresión tumoral es prácticamente irreversible a largo plazo en la mayoría de los casos. Por ello, uno de los objetivos prioritarios en la investigación actual sobre el cáncer es la elucidación de los mecanismos que provocan el desarrollo de metástasis, una de las manifestaciones más extremas del caos biológico que subyace bajo las mutaciones malignas.[1]

La generación de metástasis ha sido todo un enigma molecular desde que surgió la oncología. Los billones de células que conforman nuestro organismo viven sumergidas en un universo de señales químicas y contactos físicos que impone normas rigurosas sobre los actos que pueden llevarse a cabo y los que no. Este particular mundo sensorial determina la arquitectura y extensión de los territorios corporales, los ritmos de supervivencia, renovación y muerte celular, el reconocimiento de lo propio y de lo ajeno, la percepción de los estados ambientales y nutricionales, y, en definitiva, todo lo que hace posible la vida en cualquier organismo. En este esquema ancestral no hay lugar para el afán de expansión: las células deben permanecer siempre en su territorio, ya sea ancladas a la matriz extracelular, o abrazadas a otras células. De lo contrario, su existencia se verá gravemente amenazada por alguno de los muchos mecanismos de muerte celular. Por ejemplo, una célula perdida o desorientada, divagante o diletante, y alejada de su lugar de residencia habitual recibe al instante señales de *anoikis** (palabra griega que significa sin hogar) y es instada a morir en favor de la comunidad. ¿Cómo logran las células tumorales satisfacer sus deseos invasivos y expansivos hasta culminar su traición al organismo que las sostiene y alimenta?

La respuesta fundamental a esta cuestión surge una vez más del concepto darwiniano de evolución aplicado al mundo minúsculo, pero para llegar a ella hubo que recorrer un largo camino. Hace unos dos mil quinientos años, Hipócrates y sus discípulos invocaron la teoría del desajuste humoral, al cual atribuían toda la responsabilidad de las enfermedades humanas, para explicar la capacidad invasiva y destructiva de los tumores cancerosos. Su visión de la malignidad como un proceso sistémico que puede afectar al organismo entero, y no solo al lugar de origen del tumor primario, fue tan curiosa como imaginativa. Sin embargo, durante más de dos milenios la búsqueda de los secretos moleculares del proceso de formación de metástasis apenas recibió atención, ya que se consideraba que era algo independiente del tumor original e imposible de curar.

Esta cosmovisión no sufrió cambio alguno hasta 1757, año de la muerte del gran compositor Domenico Scarlatti y en el cual un cirujano francés de nombre Henri-François Le Dran puso de manifiesto que los tumores comenzaban su andadura biológica como lesiones de pequeño tamaño que, a medida que crecían, se iban extendiendo también hasta los vasos linfáticos y sanguíneos, y a través de ellos se diseminaban hacia otros tejidos. Setenta años más tarde, el ginecólogo francés Joseph-Claude Récamier aplicó el concepto de metástasis al estudio detallado del proceso de invasión venosa emprendido por las células de cáncer de mama hasta que llegaban a colonizar territorios tan distintos como los huesos o el hígado. En 1858, el patólogo y político alemán Rudolph Virchow avanzó la propuesta de que la diseminación tumoral era impulsada por factores mecánicos. También postuló que las células del tumor primario enviaban toxinas al torrente sanguíneo para estimular la formación de metástasis en otros órganos, pero no se le pasó por la mente que las células tumorales podían llegar a ser las entidades viajeras y colonizadoras implicadas en el proceso metastásico. En 1889, Stephen Paget formuló la hipótesis de «la semilla y el suelo», en virtud de la cual las metástasis solo podrían germinar en territorios que tuvieran las condiciones adecuadas. Esta hipótesis no sería puesta en cuestión hasta 1929, cuando el médico estadounidense James Ewing sostuvo la idea de que las metástasis estaban en realidad determinadas por la anatomía del sistema circulatorio, de manera que las células viajeras solo serían capaces de colonizar órganos en los que hubiera canales de comunicación directos y accesibles para ellas.

Ahora bien, todas estas ideas se basaban en observaciones anatómicas y patológicas, por lo que necesitaban un soporte científico y mecanístico para su validación. Pese a que era preciso entender cuanto antes un proceso que acaba provocando la muerte anual de alrededor de ocho millones de personas en todo el mundo, tuvimos que esperar hasta la década de 1980 para comenzar a comprender las claves moleculares de los mecanismos de invasión y metástasis.

El paso del tiempo y la investigación bioquímica han demostrado que todos estos pioneros tenían su parte de razón y su parte de sinrazón. Hoy sabemos que, al contrario de lo que se sostuvo en un primer momento, las células metastásicas provienen directamente del tumor primario, pero también es cierto que hacen falta «mensajeros tóxicos», o, mejor dicho, señales moleculares, para que estas entidades viajeras puedan ponerse en marcha y tomar direcciones correctas en su aventura exploradora. Además, las células migrantes necesitan desarrollar alguna estrategia que les permita invadir los tejidos adyacentes y penetrar en el torrente sanguíneo, sobrevivir al azaroso viaje de diseminación por sus turbulentas aguas, defenderse del sistema inmunitario, detenerse en el lugar preciso para invadir otro territorio, abandonar los vasos sanguíneos por los que han viajado, penetrar en la nueva localización y crecer allí hasta lograr crear una nueva colonia cancerosa. Todas estas acciones forman lo que se conoce como cascada metastásica y, al analizarla en detalle, nos damos cuenta de que, afortunadamente para nosotros, no es nada fácil que una célula llegue a ser metastásica. De hecho, es posible que solo algunas de las células capaces de comportarse como células *stem* puedan iniciar y completar el proceso metastásico, lo cual nos indica que no todas valen para esta tarea. Sin embargo, esta conclusión tan positiva se ve atemperada por el hecho de que, mientras quede una sola célula con este potencial metastásico, no se podrá considerar que el cáncer está curado para siempre.

Toda esta compleja red de procesos implicados en la generación de las metástasis puede entenderse con mayor facilidad si consideramos únicamente las dos etapas principales de la cascada metastásica. La primera engloba todos los aspectos relacionados con la propia dinámica de un viaje que implica la translocación física de las células transformadas, las cuales pasan de un tumor primario a un ecosistema lejano y completamente diferente. Después, las células que han sobrevivido a los avatares del viaje tendrán que colonizar un territorio que desde el principio les va a resultar muy hostil, pues, conforme a los principios de la biología, ninguna célula podrá ser nunca bienvenida en un entorno que no es el suyo. De hecho, la ineficacia del proceso metastásico es muy evidente: tan solo el 0,01 % de las células potencialmente metastásicas del tumor primario son capaces de completar este ciclo y comprometer la vida de los pacientes con cáncer. ¿Qué rasgos especiales adornan a estas tristes campeonas de la migración, de la invasión y de la colonización?

En uno de sus escritos, Darwin se muestra asombrado por la deslumbrante creatividad de la naturaleza, pues a lo largo de la historia de la evolución ha sido capaz de generar «infinidad de formas bellas y maravillosas». Sin embargo, los propios principios y mecanismos de la selección natural han creado también elementos peligrosos para el mantenimiento de la vida. Las células metastásicas son el mejor ejemplo en este sentido. Ni el cáncer ni las metástasis son el resultado de un diseño inteligente, equivocado, punitivo o vengativo por parte de un creador, sino la consecuencia inevitable de nuestra propia evolución. Por eso, las células tumorales que aspiran a ser metastásicas tienen necesariamente que acumular nuevas mutaciones en su genoma, o amplificar algún oncogén adicional, o inactivar otros supresores tumorales, o sufrir diversos cambios epigenéticos para afrontar las muchas demandas que conlleva un viaje celular de esta naturaleza.[2]

Durante años se había creído que el éxito de las células viajeras dependía exclusivamente de su capacidad para evolucionar y adaptarse a las nuevas condiciones que se iban encontrando desde el momento que salían del tumor primario. Sin embargo, estudios recientes han demostrado que, además de las muchas habilidades adquiridas para soportar la presión impuesta por el microambiente tumoral, las células metastásicas también tienen capacidades innatas. En efecto, hay tumores que nacen con buen pie y poseen desde el principio un mínimo potencial metastásico, y otros que debutan con mal pie y desde su origen muestran un elevado potencial invasor y viajero. Por ello, el conjunto de mutaciones iniciales que convierten una célula normal en una transformada es el que a la postre parece determinar en buena medida el potencial metastásico de esta última e, incluso, el lugar preferente en el que establecerá sus nuevas colonias. Además, cada uno de nosotros tiene variantes genéticas o polimorfismos* que pueden influir en la propensión a generar metástasis en caso de que desarrollemos un tumor maligno.[3] Estas nuevas ideas se pueden interpretar bajo el prisma del pesimismo y llevarnos a considerar que este determinismo genético en un problema como el de las metástasis tumorales deja una vez más nuestras vidas en las caprichosas manos del azar. Afortunadamente, podemos contemplar la situación desde la perspectiva opuesta y asumir que todos estos hallazgos —si se consolidan clínicamente— nos permitirán conocer por anticipado la futura evolución de los tumores malignos y enfrentarnos a ellos de maneras diferentes, dependiendo del potencial metastásico que lleven inscrito en sí mismos.

Esta combinación de capacidades innatas y adquiridas permite a las células viajeras disponer de un cúmulo de herramientas moleculares con las cuales completarán la cascada metastásica. En la primera etapa del proceso invaden los tejidos adyacentes al tumor primario y se pone en jaque el primero de los ocho pilares de la salud, que implica el mantenimiento de la compartimentalización espacial, es decir, que cada célula ocupe su sitio natural para que cada proceso tenga siempre lugar donde es debido.[4] La territorialidad corporal viene marcada por unas barreras en forma de estructuras biológicas que reciben el nombre de membranas basales y matrices extracelulares, y que son las que nos permiten distinguir los tumores benignos de los malignos. Como no son capaces de derribar estas barreras, los tumores benignos quedan confinados en una zona bien definida, por lo que se pueden extirpar quirúrgicamente sin demasiadas complicaciones. Estas lesiones benignas me recuerdan a mis formaciones nubosas preferidas, las oscuras y densas nubes asperitas (*Undulatus asperatus*). Sus rugosas y agitadas ondulaciones dibujan en el cielo paisajes extraños, amenazantes, que infunden temor, pero al final pasan de largo y tienden a deshilacharse sin provocar tormentas. Por el contrario, las células errantes y aberrantes que conforman los tumores malignos tienen el potencial de destruir en algunos sitios las fronteras celulares, invadir el territorio circundante y alcanzar los sistemas linfático y sanguíneo que facilitarán su viaje hacia sitios distintos y distantes del organismo. En los últimos años se ha avanzado considerablemente en la comprensión de los tres procesos fundamentales que determinan la capacidad invasiva de las células malignas: los cambios en la adhesión celular, las alteraciones en el potencial proteolítico y la adquisición de fenotipos migratorios.

En el primer proceso es necesario que las células migrantes rompan las uniones que las anclan a su ecosistema natural y que, además, desarrollen mecanismos de adhesión que les garanticen los puntos de apoyo precisos para avanzar a través del tejido adyacente. A raíz de estas acciones complementarias o manifiestamente antitéticas, las moléculas de adhesión celular actuarán bien como promotoras, bien como supresoras de la invasión tumoral, lo cual crea una notoria complejidad. En general, las moléculas de adhesión entre células del mismo tipo son agentes supresores de la invasión. La reducción de esta clase de uniones intercelulares permite a las células tumorales separarse de las células vecinas a las que normalmente están unidas. En cambio, las moléculas implicadas en la adhesión de células de distinto tipo promueven la invasión y la metástasis. Por último, existen proteínas como las integrinas, implicadas en la interacción de las células con la matriz extracelular, que juegan un papel fundamental en el comportamiento invasivo de las células tumorales. El anclaje de las células normales a la membrana basal mediado por las integrinas es necesario para evitar la muerte por anoikis. Sin embargo, las células tumorales se vuelven resistentes o indiferentes a las señales de anoikis, por lo que su vida no se compromete pese a que han roto los lazos moleculares con su territorio original.

La segunda etapa de los procesos invasivos tumorales está mediada por las proteasas, un complejo conjunto de enzimas identificadas inicialmente en el jugo gástrico de diversos animales y cuya función principal es la fragmentación o destrucción de la estructura de las proteínas. Durante las tres últimas décadas, nuestro laboratorio ha explorado en profundidad la idea de que los sistemas proteolíticos podían desempeñar un papel fundamental en la progresión del cáncer a causa de su extraordinaria capacidad para destruir proteínas. Las proteasas podrían, pues, abrir caminos tisulares para que las células tumorales migraran a sitios distantes del tumor primario y generaran esas metástasis que se nos presentan como la característica más oscura de los tumores malignos. Los estudios realizados en este sentido nos condujeron al hallazgo de más de sesenta nuevas proteasas humanas, que llegamos a descubrir por su expresión descontrolada en distintos tipos de tumores. El descubrimiento de tantos nuevos genes codificantes de proteasas fue una indicación de la enorme complejidad de los sistemas proteolíticos, lo cual nos impulsó a introducir conceptos como el de degradoma* para analizar de manera global el superpoblado universo proteolítico, tanto en la salud como en la enfermedad.

Tras la identificación de estas nuevas proteasas humanas, pudimos confirmar que algunas se acomodaban fielmente a nuestra hipótesis inicial y contribuían a que las células tumorales adquiriesen la capacidad de generar metástasis. También hemos aprendido que, de manera sorprendente, algunas proteasas de relevancia oncológica no son secretadas por las células tumorales, sino por las células sanas localizadas en sus inmediaciones, en respuesta a señales que emanan del tumor primario. Así, las células malignas dan una prueba más de su complejidad al instar a las células normales a que produzcan factores que más tarde contribuirán a su propia destrucción.[5] Por otra parte, hemos demostrado que las proteasas tumorales pueden participar en procesos ajenos a la invasión, pero también esenciales para el desarrollo del cáncer, como son la estimulación de la proliferación celular o la generación de estrategias de resistencia al suicidio celular. En suma, las proteasas contribuyen de manera decisiva a las tres propiedades generales que determinan la transformación de las células normales en entidades egoístas, inmortales y viajeras.

Finalmente, el fenotipo invasivo de las células tumorales implica su capacidad de moverse activamente en distintos territorios y circunstancias. Los factores estimuladores de la movilidad de las células tumorales son de tres tipos: autocrinos, paracrinos y matricelulares. Los factores autocrinos, es decir, los secretados por las propias células tumorales, regulan por sí solos la forma en que se mueven las células invasivas. Por el contrario, los factores paracrinos son sintetizados y liberados por las células normales y estimulan la migración de las invasivas hacia los órganos que los producen, lo cual facilita el desarrollo de metástasis en ellos mismos. Por otra parte, algunos de los componentes de la matriz extracelular, como por ejemplo la fibronectina, la laminina o el colágeno tipo IV, también pueden estimular la movilidad de las células cancerosas.[6]

La puesta en marcha de las distintas etapas del proceso de metástasis está asociada a la activación de un programa biológico llamado transición epitelio-mesénquima,* merced al cual las células epiteliales pierden sus propiedades adhesivas y adquieren características típicas de las células mesenquimales, como por ejemplo el incremento de la movilidad celular. Este cambio en la forma y comportamiento de las células tumorales es el mismo que se produce en procesos tan importantes como el desarrollo embrionario o la cicatrización de las heridas, y en él interviene un amplio abanico de factores usurpados por las células cancerosas para su propio beneficio.[7]

La compleja cascada metastásica no queda anclada en esta primera fase invasiva, sino que se extiende cada vez más hasta que logra la intravasación que permite a las células malignas acceder al torrente sanguíneo. Allí, estas células tendrán que sobrevivir a las fuerzas físicas generadas por la dinámica de un fluido como la sangre y a las fuerzas biológicas derivadas del ataque del sistema inmunitario, que percibe las células mutadas como elementos no pertenecientes al organismo y trata de destruirlas. Después, las células supervivientes habrán de extravasarse, abandonar los vasos sanguíneos por los que han viajado e invadir un nuevo territorio. En estas dos etapas, las células migrantes tienen que activar nuevamente ese ciclo de cambios en los procesos de adhesión celular, proteólisis y locomoción que acabamos de describir para la primera fase de invasión e intravasación. Por último, las células metastásicas tienen que colonizar un territorio hostil y, para conseguirlo, ponen en marcha procesos de formación de nuevos vasos sanguíneos que aseguren el suministro de nutrientes adecuados para satisfacer las grandes necesidades metabólicas de la malignidad.

En resumen, debemos admitir que la posibilidad de completar toda esta colección de tareas solo está al alcance de unas pocas supercélulas que ponen en juego capacidades innatas y adquiridas para satisfacer su afán de viajar hasta el destino final, algo a todas luces absurdo, pues cuando lo alcancen solo encontrarán su propio final. Esta complejidad es, probablemente, la causa principal de que el progreso en el conocimiento de las metástasis tumorales haya sido tan lento. Sin embargo, este es un campo en el que se avanza continuamente y, de hecho, en los últimos años se han llegado a presentar hallazgos tan sorprendentes como interesantes. Así, por ejemplo, se ha descubierto que los órganos diana pueden anticipar la llegada de las células metastásicas y se preparan para acogerlas creando el llamado *nicho premetastásico*.[8]

La marea creciente de nuevo conocimiento sobre las metástasis es imparable, pero todavía son muchas las preguntas abiertas. Hoy en día, la dura realidad es que —salvo casos especiales, como los tumores testiculares metastásicos— sigue siendo muy difícil afrontar el tratamiento de aquellos cánceres cuyas células han logrado conquistar otros ecosistemas corporales. El desarrollo de nuevos métodos para anticipar la detección de células premetastásicas y favorecer su destrucción selectiva abrirá un nuevo tiempo con mayores oportunidades para que los pacientes afectados por este Gran Mal puedan enfrentarse con mejores garantías a su enfermedad.

Ahora es el momento de hacer una breve recapitulación de todo lo expuesto hasta aquí. Tras muchos años de esfuerzo por parte de innumerables científicos se han podido definir las claves generales de la compleja red de procesos que pervierten las células normales y las convierten en esas entidades egoístas, inmortales y viajeras cuya absurda y ciega aspiración es destruir a quien se ocupó de darles la vida y contribuyó a su desarrollo, aprendizaje y sostenimiento. En los capítulos precedentes hemos narrado cómo se fue creando un cuerpo de conocimiento general sobre una enfermedad como el cáncer, que ha conseguido poner a prueba la pretendida invulnerabilidad de nuestra evolucionada sociedad. Las células cancerígenas se infiltran en nuestros órganos y tejidos, pero también en nuestros pensamientos y sentimientos. Todos somos a la vez prepacientes,* pacientes, familiares de pacientes, amigos de pacientes y personas comprometidas con los pacientes. La mejor manera de mantener el compromiso con los enfermos oncológicos de hoy y con los que vendrán mañana (quizá nosotros mismos) es seguir estudiando en profundidad esta enfermedad definida por una palabra que es al mismo tiempo pequeña en términos lingüísticos —seis letras repartidas en dos sílabas— y de una dimensión extraordinaria por lo que representa en términos emocionales, individuales y sociales.

Con este pensamiento anclado permanentemente en nuestra mente, las siguientes páginas del libro nos permitirán avanzar hacia el futuro, presentando y discutiendo los nuevos tratamientos contra el cáncer; pero para ello necesitamos familiarizarnos aún con dos conceptos fundamentales que se abordarán en los dos próximos capítulos: los modelos experimentales del cáncer y la lógica molecular de esta enfermedad. En ellos aprenderemos algunos aspectos básicos sobre dos cuestiones también importantes: los métodos que estamos utilizando en la actualidad para entender el cáncer y cómo se ha podido organizar de manera comprensible el enorme pero disperso conocimiento acumulado durante las últimas décadas de investigación oncológica. El objetivo final de ambas tareas es muy claro: desarrollar nuevas aproximaciones terapéuticas, en especial para todos aquellos casos de tumores virulentos para los que ni la medicina ni la ciencia ni ninguna otra aproximación han sido capaces todavía de ofrecer soluciones satisfactorias.

Decía Sydney Brenner, Premio Nobel de Medicina de 2002, que, en breve, el mejor modelo de estudio para las enfermedades humanas será el mismo *Homo sapiens*. La oncología, sin embargo, tendrá que progresar mucho en los próximos años para poder prescindir de los modelos celulares o animales en los que hoy se investiga sobre esta enfermedad. La historia de estos modelos y su aplicación al estudio del cáncer se narrará en el siguiente capítulo, en el que conoceremos a Katsusaburo Yamagiwa, el curioso y estudioso hijo de un samurái que demostró por vez primera que se podían explorar *in vivo* los secretos más profundos de los tumores malignos.

CAPÍTULO 7

El hijo del samurái

Los modelos experimentales del cáncer

Katsusaburo Yamamoto vino al mundo un lunes de febrero de 1863 en la ciudad japonesa de Ueda, entonces perteneciente a la provincia de Shinano y hoy adscrita a la prefectura de Nagano. Su padre era un auténtico samurái, ese selecto grupo de guerreros que dominaron y gobernaron Japón durante muchos siglos. Ciertamente, quien nace en el seno de una casta aparentemente predestinada para la comodidad ha de hacerlo en el lugar adecuado, pero también en el momento preciso. Katsusaburo fue muy afortunado en lo primero, pero fracasó estrepitosamente en lo segundo, pues su nacimiento coincidió con el declive de la élite guerrera de los samuráis. Sus códigos éticos y su forma de vida —narrados y recreados en libros, películas y canciones como *The last samurai, a way of life*— estaban quedando obsoletos en un país que había comenzado a abrirse a las costumbres occidentales. La oposición de los samuráis a los nuevos usos sociales instaurados en Japón, mucho más liberales, hizo que el nuevo gobierno democrático surgido del afán modernizador del joven emperador Meiji les privara en 1876 de sus privilegios ancestrales, incluyendo el derecho a llevar armas. Los valientes samuráis, con Saigō Takamori al frente, no se amilanaron: pese a estar en una abrumadora inferioridad de condiciones, lucharon contra las tropas imperiales hasta que el 24 de septiembre de 1877 fueron derrotados en una desigual batalla recreada posteriormente por artistas como Ukiyo Toshimitsu. Siguiendo la más estricta tradición, Saigō Takamori cometió el respetado y admirado *seppuku* (suicidio ritual) para evitar su captura por los soldados imperiales y pasó a la historia como el último samurái.

En este nuevo escenario, los descendientes de los legendarios guerreros nipones comenzaron a encontrarse en situaciones harto precarias, que nada tenían que ver con el esplendor y riqueza que siempre había caracterizado su vida. El entonces adolescente Katsusaburo no fue una excepción; su vida sufrió un cambio tan drástico que prefirió dedicarse en cuerpo y alma al estudio de la medicina. Al final se convirtió en un *mukoyōshi*, palabra que en japonés designa a un varón adoptado por su familia política, que incluso le cede su apellido. Así fue como Katsusaburo, el hijo biológico de uno de los últimos samuráis, se convirtió en el hijo adoptivo de Yoshiya Yamagiwa —un médico de Tokio que le financió sus estudios de Medicina en la Universidad Imperial— y pasó a llamarse Katsusaburo Yamagiwa. Al terminar su formación, se trasladó al Instituto Virchow de Berlín para investigar la llamada *Reiztheorie* (teoría de la inflamación) que había formulado el propio Virchow en 1858 tras el análisis patológico de numerosos tumores malignos humanos. En 1894 regresó a Tokio para impartir clases en la Facultad de Medicina de la Universidad Imperial, donde realizó el trabajo experimental que le permitió pasar a las enciclopedias y wikipedias de la oncología.

Yamagiwa quería evaluar *in vivo* la hipótesis del origen químico del cáncer. Pertrechado con la audacia de su padre biológico heredada por vía genética y la perseverancia transmitida epigenéticamente por su padre adoptivo, más la decidida ayuda de su asistente Koichi Ichikawa, Yamagiwa preparó un extracto de alquitrán de hulla y se lo aplicó en las orejas a un total de 137 conejos. Yamagiwa e Ichikawa repitieron la operación un par de veces por semana a lo largo de tres meses y esperaron pacientemente la aparición de tumores. La paciencia fue sin duda el factor que distinguió a los científicos japoneses de otros investigadores que habían realizado anteriormente trabajos análogos sin ningún éxito. Al cabo de un año, varios de los animales tratados por Yamagiwa e Ichikawa comenzaron a desarrollar carcinomas invasivos en la piel. Se generó así el primer modelo animal de la historia de la investigación oncológica, que además sirvió para avalar la antigua hipótesis de Percivall Pott, esto es, que el cáncer de los deshollinadores estaba provocado por la exposición continuada al hollín de las chimeneas.

Yamagiwa e Ishikawa publicaron sus resultados el 25 de septiembre de 1915 en un artículo hoy ya muy famoso que terminaba con un haiku, uno de esos breves y bellos poemas japoneses que escribían los samuráis a modo de despedida antes de cometer el *seppuku*. En unas pocas palabras, Yamagiwa transmitía su satisfacción por haber logrado su propósito: «Se ha generado el cáncer, avanzo con orgullo, pero solo un poco». Era la primera vez que se fundamentaba la relación causa-efecto entre un posible agente carcinógeno y el desarrollo de tumores malignos y, gracias a este experimento, se puso de manifiesto el tremendo potencial que tenían los modelos animales como complemento de las aproximaciones puramente teóricas de la investigación biomédica y, en particular, de la oncología. Yamagiwa fue inmediatamente propuesto para el Premio Nobel de Medicina, pero su candidatura se discutió siempre en conjunto con la del danés Johannes Fibiger —quien había descrito la generación de tumores gástricos en ratas por infección del parásito *Spiroptera carcinoma*— y, al final, el galardón recayó tan solo en Fibiger. Curiosamente, el tiempo reparó lo que, visto desde la perspectiva actual, fue una flagrante injusticia o, ateniéndonos a los hechos, un error lamentable, porque posteriormente se demostraría que los hallazgos de Fibiger eran fruto de un artefacto experimental (como ya hemos discutido en el capítulo 1), mientras que los resultados de Yamagiwa se replicaron enseguida y se ampliaron a otros modelos animales, por ejemplo, los ratones. En resumen, Katsusaburo Yamagiwa —el estudioso hijo de un samurái armado de paciencia en lugar de con la tradicional *katana*— pintó con alquitrán las orejas de centenares de conejos y abrió nuevos caminos en la investigación oncológica. Nunca recibió la codiciada llamada de Estocolmo, pero, como dijo acertadamente uno de sus colegas, el hombre que ha resuelto el enigma del cáncer no necesita un Premio Nobel.

Desde el ensayo de Yamagiwa, diversas especies animales han prestado grandes servicios a la oncología: la mosca de la fruta (*Drosophila melanogaster*), el gusano elegante (*Caenorhabditis elegans*), el pequeño pez cebra (*Danio rerio*), la rata noruega (*Rattus norvegicus*), las famosas cobayas (*Cavia porcellus*), los afables conejos (*Oryctolagus cuniculus*), los alocados pollos (*Gallus gallus*) y otros muchos pasajeros del arca de Noé hasta llegar al ratón (*Mus musculus*), el protagonista indiscutible de la investigación oncológica actual. Siguiendo el ejemplo de los experimentos de Yamagiwa con conejos, los ratones se utilizaron durante años para analizar el efecto carcinogénico de centenares de sustancias químicas. Se descubrieron así numerosos agentes protumorales cuya retirada o control evitó muchos casos de cáncer y salvó muchas vidas. Con el paso del tiempo y la introducción de sofisticadas técnicas de biología molecular para crear animales modificados genéticamente, la utilidad de los ratones en la investigación oncológica ha crecido de manera espectacular.

En las últimas décadas, dos nuevos tipos de modelos animales creados mediante modificaciones genéticas y denominados ratones transgénicos y ratones *knockout*, han ampliado nuestra perspectiva sobre la utilidad de estos animales en oncología más allá de sus aplicaciones tempranas en la evaluación del potencial tumoral de todo tipo de sustancias. Hoy, los ratones modificados genéticamente son herramientas biológicas todavía imprescindibles para la comprensión de las claves moleculares subyacentes al desarrollo del cáncer y para el descubrimiento de los mecanismos que utilizan las células egoístas, inmortales y viajeras en las diferentes etapas de la progresión tumoral. Además, estos animales surgidos de la imaginación de los científicos con un objetivo muy positivo y no tras millones de años de ciega evolución biológica resultan decisivos para ensayar la actividad antitumoral de toda una nueva generación de medicamentos diseñados de manera racional. Estos nuevos fármacos ya nos permiten enfrentarnos con mayor eficiencia y especificidad al cáncer, el emperador de todos los males, tal como lo definió brillantemente Siddhartha Mukherjee.

Los ratones transgénicos son animales en cuyo genoma se ha introducido material genético externo (un nuevo gen o copias adicionales de un gen ya existente) con el objetivo de generar una ganancia de función. El primer mamífero manipulado genéticamente que mostró una alteración fenotípica evidente fue una cepa de ratones creada en 1982, en cuyo genoma se incluyó el gen de la hormona de crecimiento de rata. Tras la superproducción de esta hormona, los ratones portadores de la modificación genética se hicieron gigantes y alcanzaron un peso varias veces superior al normal. Desde entonces se han generado, mediante técnicas de microinyección pronuclear, centenares de cepas de ratones que expresan versiones normales o mutadas de genes humanos y animales.[1] Los ratones transgénicos han sido de gran utilidad en oncología, especialmente en el estudio de la función de los oncogenes. Por su parte, los ratones *knockout* son animales con pérdida de función en los que se inactiva de manera dirigida un determinado gen en el genoma del animal empleando células *stem* embrionarias, aisladas a partir de embriones de ratón durante las etapas iniciales de su desarrollo.[2] La eliminación dirigida de genes nos permite esclarecer la función biológica y oncológica de los genes supresores de tumores, pues se crean modelos *in vivo* de la situación que se produce en nuestros propios tejidos cuando se inactivan uno o varios de estos genes protectores frente al cáncer.

Un tipo diferente de ratones en los que también se realizan alteraciones dirigidas en un determinado gen son los denominados ratones *knockin*. Estos animales se generan de manera semejante a los *knockout*, pero, en lugar de proceder a eliminar un gen o una parte del mismo, el objetivo en este caso es introducir mutaciones concretas para alterar la función de un determinado gen. Un tipo de ratones *knockin* muy usado en la investigación oncológica es aquel en cuyo genoma se han introducido las mutaciones puntuales características de los oncogenes *RAS*, que contribuyen a la transformación maligna de las células humanas. Por último, se han desarrollado estrategias para generar ratones transgénicos, *knockout* y *knockin* de manera condicional en el espacio y en el tiempo, expresando o eliminando el gen de interés en el tejido deseado y en el momento más adecuado. Estas aproximaciones multiplican el valor de los modelos animales modificados genéticamente para la investigación oncológica.

En nuestro laboratorio hemos empleado todos estos métodos a lo largo de más de veinte años para investigar las funciones biológicas y oncológicas de los más de sesenta nuevos genes codificantes de proteasas que descubrimos tras detectar sus cambios de expresión en distintos tumores malignos. Por ejemplo, la generación de ratones transgénicos que sobreexpresan el gen de la colagenasa-3 humana (también llamada MMP13) en sus glándulas mamarias nos permitió demostrar que el crecimiento de tumores inducidos en estos ratones mediante carcinógenos químicos se favorece de manera extraordinaria. Estos resultados supusieron un notable avance en el conocimiento de los mecanismos de proliferación de las células tumorales y proporcionaron un modelo válido para el ensayo de fármacos antitumorales. En paralelo, la generación de ratones *knockout* deficientes en genes de determinadas proteasas protumorales nos llevó a concluir que la ausencia de tales genes dificultaba la progresión del cáncer. Sorprendentemente, también nos encontramos la situación opuesta, es decir que los ratones *knockout* para algunas proteasas desarrollaban más tumores, lo que nos condujo al hallazgo de nuevos factores protectores frente al cáncer. Por último, hemos generado estirpes de ratones *knockin* que nos han ayudado a confirmar la idea de que la expresión crónica o excesiva de algunos supresores tumorales como *TP53* —el llamado guardián del genoma— desencadena procesos impresionantes de envejecimiento prematuro en ratones y en humanos.[3]

Recientemente, la introducción de la tecnología de edición génica* CRISPR/Cas9,* desarrollada por Jennifer Doudna y Emmanuelle Charpentier (Premio Nobel de Química 2020) —basándose en unas herramientas bacterianas descubiertas por Francis M. Mojica—, ha ampliado de manera excepcional las posibilidades de realizar con eficiencia y rapidez estas modificaciones dirigidas de genes.[4] Todas estas innovaciones metodológicas y las aplicaciones que resultan de ellas reafirman la idea de que los ratones modificados genéticamente siguen siendo imprescindibles para abordar cuestiones todavía no resueltas en la investigación oncológica y en la traslación a la práctica clínica de los hallazgos obtenidos en los laboratorios. Múltiples factores éticos, sociales y económicos nos obligan a limitar el uso de los modelos animales en la investigación biomédica a situaciones o análisis en los que verdaderamente no haya otras alternativas. Esta tarea es muy compleja en el caso del cáncer, pues su desarrollo depende por completo de las interacciones *in vivo* de las células tumorales con muchos otros tipos celulares, por lo que su examen en modelos celulares *in vitro* siempre será incompleto. Por dicho motivo debemos multiplicar los esfuerzos dirigidos a mejorar los modelos celulares disponibles y tratar de superar sus lógicas limitaciones.

Las células inmortales de Henrietta Lacks fueron para los modelos celulares del cáncer lo que los conejos blancos de Yamagiwa para los modelos animales de investigación oncológica. La generación de la línea de células HeLa en 1951 y su posterior distribución en laboratorios de todo el mundo supuso un impulso extraordinario para el estudio de las claves moleculares del cáncer. Las células de cáncer de cérvix y las múltiples líneas celulares de cánceres con otros orígenes que se comenzaron a generar tras las células HeLa fueron esenciales para la identificación y caracterización de numerosos genes causantes de tumores malignos. Los modelos celulares también permitieron demostrar que, en la gran mayoría de los casos, el cáncer era el resultado de la acumulación de daños en oncogenes y genes supresores. El laboratorio de Robert Weinberg demostró en 1999 que era posible transformar células normales en células tumorales mediante la introducción de unas pocas, pero muy bien seleccionadas, alteraciones génicas. Primero se modificaron los fibroblastos normales de manera que sobreexpresaran el gen de la telomerasa. A continuación se inactivaron los genes de los supresores tumorales *TP53* y *RB*, y, seguidamente, se introdujo en las células la versión activada del protooncogén *RAS*. El resultado fue la obtención de células que se comportaban igual que las tumorales.[5]

Tal como ha ocurrido con los modelos animales, los modelos celulares de interés oncológico se están beneficiando enormemente de los recientes avances tecnológicos en campos como los de la edición génica y la inmunología. No en vano, las células ya no son solo modelos experimentales de cáncer para evaluar futuros medicamentos, sino que ellas mismas han pasado a convertirse en auténticos fármacos. Este es el caso de las células CAR-T* (del inglés *Chimeric Antigen Receptor T cells*, linfocitos T con receptor de antígenos quimérico), que han comenzado a utilizarse para el tratamiento inmunoterápico de algunas leucemias y linfomas. En estas terapias exquisitamente personalizadas se extraen linfocitos T de la sangre de un determinado paciente y se modifican genéticamente para que ataquen con mayor especificidad y eficiencia las células cancerosas. Estas células T ahora portadoras de un receptor de antígenos quimérico se cultivan en el laboratorio y, cuando se obtienen en cantidades suficientes, se administran de nuevo al paciente con la idea de que reconozcan y destruyan específicamente a sus células tumorales.[6]

Otra innovación que ya ha comenzado a implantarse en la clínica es el empleo de cultivos de organoides,* unas estructuras tridimensionales producidas *ex vivo* a partir de células progenitoras y con la capacidad de adoptar las características anatómicas y funcionales del órgano del que procedan dichas células. Estos órganos en miniatura se pueden formar también a partir de las células cancerosas del paciente, lo cual permite ensayar en ellos tratamientos o combinaciones de fármacos de manera individualizada. Posteriormente, y a tenor de los resultados obtenidos, se podrán escoger las terapias que ofrezcan las respuestas más favorables y se trasladarán al paciente con cuyas células se creó el organoide. La gran versatilidad de esta tecnología ha permitido ya desarrollar nuevos modelos para diversas enfermedades y, en especial, para los cánceres humanos. Además, la combinación de los métodos de creación de organoides con las estrategias de edición génica ha facilitado el diseño de modelos de cáncer basados en la introducción en células normales de distintas combinaciones de alteraciones en oncogenes y genes supresores de tumores. La evolución en el campo de los organoides promete ser extraordinaria tanto en la medicina y la oncología personalizadas como en los trasplantes de órganos y tejidos. Por eso, no sería extraño que alguno de sus principales impulsores —como por ejemplo Hans Clevers, investigador de la Universidad de Utrecht— deba viajar a Estocolmo en algún diciembre del futuro para recoger un merecido reconocimiento a su trabajo.[7]

En resumen, hoy en día los modelos celulares y los organoides complementan, y tal vez en el futuro sustituyan, a los modelos animales en la investigación oncológica. La utilización combinada de todas estas estrategias ha proporcionado grandes éxitos a la oncología y ha contribuido a definir la lógica molecular del cáncer, una visión integrada de los mecanismos que causan esta enfermedad que estudiaremos en el siguiente capítulo.

CAPÍTULO 8

La esencia del mal

La lógica molecular del cáncer

Pocas veces me he sentido tan abrumado por las concentraciones masivas de gente como cuando acudí por primera vez al congreso anual de la Asociación Americana de Investigación sobre el Cáncer (AACR). Corría el año 1993 y la oncología estaba dando pasos extraordinarios hacia la comprensión de las claves de la enfermedad. Tras años de incertidumbre y desconocimiento, en apenas una década se habían descubierto los oncogenes y los genes supresores de tumores y se habían comenzado a describir los genes responsables del cáncer hereditario. Estos avances se habían cimentado en un curioso proceso de convergencia entre diversas disciplinas científicas, que había cristalizado en contribuciones de investigadores especializados en distintos campos. La mayoría de ellos se habían aproximado a la investigación oncológica atraídos por el interés y la importancia del problema científico y clínico subyacente a la enfermedad, pero también por la promesa de los abundantes recursos que se estaban empezando a manejar en este ámbito.

El congreso se celebraba en Orlando, la mítica ciudad turística del estado norteamericano de Florida, adonde me había desplazado desde Asturias para exponer nuestros resultados más recientes sobre el descubrimiento de nuevos genes de proteasas asociados al cáncer. Al llegar al recinto donde se iban a presentar las ponencias, me di cuenta de que las dimensiones de aquella reunión superaban todo lo que había imaginado. Más de treinta mil científicos acudían a las gigantescas salas dedicadas a las conferencias plenarias de los que entonces eran los grandes sabios de la oncología. Además, había incontables salas relativamente pequeñas en las cuales se presentaban las investigaciones más especializadas. En cada rincón de aquel mastodóntico centro de convenciones se presentaban en todo momento comunicaciones científicas sobre los temas más diversos de la investigación oncológica. Las primeras horas pasadas en aquella catedral del conocimiento fueron frenéticas y muy excitantes: iba corriendo de aquí para allá, intentando saciar mi curiosidad, todo me parecía interesante, quería ver y escuchar a todos aquellos grandes nombres de la oncología a los que solo conocía a través de la literatura científica. Al final, agotado, me senté en un lugar apartado desde el que se contemplaba con mejor perspectiva la circulación continua de los participantes en aquel encuentro. Pese a la diversidad reinante entre los miles de individuos allí presentes, unas carteras negras con el logotipo de la AACR y una acreditación colgada del cuello con una cinta azul ponían una nota de homogeneidad entre ellos, como si estuvieran señalizando que había un secreto compartido por todos los que las portaban.

De pronto, se me pasó por la mente una idea que, a partir de entonces, se convirtió en un pensamiento recurrente: si cada año más de treinta mil investigadores de todo el mundo se reunían para tratar de explicar qué es el cáncer y cada uno de ellos lo hacía a su manera, la solución para la enfermedad todavía estaba muy lejos de conseguirse. Las necesarias aproximaciones reduccionistas en la investigación oncológica estaban alcanzando sus límites. Se multiplicaban los datos sobre numerosos aspectos parciales de la enfermedad, pero se echaba de menos una visión global e integradora para facilitar el avance entre la niebla de la complejidad. La situación en el ámbito del cáncer no era muy distinta de la que el poeta norteamericano John Godfrey Saxe había recreado en su poema «Los ciegos y el elefante», basado en un antiguo relato hindú, en el que un grupo de ciegos se dedican a examinar el cuerpo de un elefante para intentar comprender cómo es este animal. Cada uno de ellos toca una parte diferente del elefante y de esa observación tan parcial deben inferir sus características generales. De acuerdo con el poema de Saxe, el primer ciego tocó el costado del animal y aseguró que el elefante era como una pared de barro; el segundo tocó un colmillo y dijo que era como una lanza; el tercero tocó su trompa y asumió que era como una serpiente; el cuarto tocó una pata y pensó que era como el tronco de una palmera; el quinto tocó una oreja y entendió que era como un gran abanico; y, por último, el sexto tocó la cola y aseguró que el elefante era como una cuerda vieja. Saxe concluye su poema señalando que los seis ciegos pensaban que habían percibido e interpretado perfectamente la forma exacta de ese elefante que ninguno de ellos había visto: todos creían que estaban en lo cierto y, sin embargo, todos estaban equivocados.

Este relato, sutilmente recreado por el genial pintor japonés Katsushika Hokusai hace más de dos siglos, pone de manifiesto las extraordinarias dificultades que plantea resolver problemas complejos mediante el análisis fragmentario y parcial de sus partes constituyentes. Ocurre en la vida y ocurre en el cáncer, un campo en el que tradicionalmente ha habido muchas formas diferentes de afrontar el estudio de la enfermedad y poca comunicación entre los distintos observadores. Hacía falta una visión integradora. Douglas Hanahan y Robert Weinberg, dos reputados y respetados oncólogos del ámbito molecular, fueron capaces de introducir claridad y globalidad en la compleja empresa de explicar la esencia del mal.

Las contribuciones científicas de Hanahan habían girado en torno a los procesos de angiogénesis tumoral, mientras que Weinberg era una de las figuras más influyentes en la investigación oncológica por su trabajo pionero en el descubrimiento de los oncogenes y los genes supresores de tumores y, más recientemente, por sus estudios sobre los mecanismos de metástasis. Con el tiempo, ambos compartieron sus experiencias sobre sus respectivos campos de estudio y en el año 2000 publicaron en la revista *Cell* un artículo titulado «The hallmarks of cancer», en el que describían seis características distintivas (*hallmarks* en inglés) de los procesos tumorales malignos que en su opinión compartían los distintos tipos de cáncer. Más adelante, los continuos avances en la investigación oncológica les obligaron a revisar su trabajo y, en 2011, publicaron un nuevo artículo en *Cell* (titulado «Hallmarks of cancer: the next generation») en el que añadieron cuatro características nuevas a las propuestas anteriormente, con lo cual se alcanzaban un total de diez rasgos generales del cáncer.[1]

Recuerdo bien el enorme impacto que me causaron ambos artículos, especialmente el primero, ya que reflejaba a la perfección ese don tan especial que tienen algunas personas, muy pocas ciertamente, para mirar más allá que el resto de los humanos. Inmediatamente, preparé una presentación con imágenes —que todavía conservo— para mostrar a mis alumnos la extraordinaria clarividencia de Hanahan y Weinberg: habían sido capaces de condensar auténticas cataratas de datos heterogéneos en apenas unas gotas de información homogénea y esencial. Su trabajo me recordó al de esos raros profesores que además de tener las llaves de las aulas, poseían las del conocimiento y las utilizaban para abrir nuestras mentes; eran los mismos docentes que llegaban a clase y con unas pocas palabras te sacaban del laberinto de dudas y te cambiaban el mundo; eran esos extraordinarios mentores que, como el profesor John Keating de *El club de los poetas muertos*, se subían al estrado (o encima de la mesa), te mostraban una nueva perspectiva de la aparente realidad y te regalaban las claves para mirarla, justo en un periodo vital en el que uno no había visto casi nada todavía.

De acuerdo con Hanahan y Weinberg, las diez claves moleculares representativas del cáncer son: la autoactivación de la proliferación celular; la insensibilidad a los inhibidores del crecimiento celular; la resistencia a la apoptosis; la adquisición de la inmortalidad replicativa; la inducción de angiogénesis; la estimulación de mecanismos de invasión y metástasis; la reprogramación del metabolismo energético celular; la generación de mecanismos de escape del sistema inmunitario; la inducción de procesos inflamatorios crónicos y la inestabilidad genómica. A continuación, iremos presentando estas claves con la mayor simplicidad posible, pero sin perder de vista el rigor científico. Ello nos obligará en ocasiones a mostrar algunos datos que requerirán una lectura reposada y, siempre que sea posible, acompañada de una música inspiradora —como la de los conciertos para oboe de Bach— que nos ayude digerir toda la información presentada.

1. Autoactivación de la proliferación celular. Como hemos visto en capítulos anteriores, una de las características distintivas de las células tumorales es su capacidad de crecer y dividirse sin control. En circunstancias normales, las células reciben señales externas que determinan el momento y el ritmo al que deben proliferar. Normalmente, estas señales proliferativas son los denominados factores de crecimiento, un grupo de proteínas que se unen y activan a otras proteínas localizadas en la membrana celular y que por lo general pertenecen a la familia de las tirosín-quinasas, descubiertas por el brillante científico Tony Hunter. He tenido la fortuna de colaborar estrechamente con él en un proyecto que pretendía definir las relaciones funcionales entre las proteasas y las quinasas en el cáncer.[2] Tony siempre cuenta con simpatía e ironía que el hallazgo de estas enzimas cruciales tanto para la vida como para el cáncer fue una consecuencia directa de su pereza. En aquel tiempo, en torno a 1979, su trabajo consistía en analizar las otras dos actividades quinasas más típicas, las serín- y las treonín-quinasas, y para ello necesitaba unos reactivos que se alteraban y estropeaban con facilidad. A la vuelta de unas vacaciones, tenía que realizar un experimento que había dejado pendiente, pero, como le dio pereza preparar nuevos reactivos, usó los ya caducados y, gracias al defecto que presentaban, pudo detectar casualmente un aminoácido fosforilado que no era ni serina ni treonina. El análisis posterior determinó que ese nuevo aminoácido modificado era tirosina y a las proteínas responsables de esa modificación se las denominó tirosín-quinasas.[3] Posteriormente se demostró que estas quinasas son las proteínas receptoras de diversos factores de crecimiento que, una vez activadas, ponen en marcha vías de señalización intracelular. Estas rutas trasladan las señales externas hasta el núcleo celular, que es donde se toman las decisiones finales sobre los ritmos de proliferación. A menudo, las células tumorales sufren mutaciones en al menos uno de los componentes de estas rutas que controlan la proliferación celular, ya sea en los factores de crecimiento, en sus reguladores, en sus receptores, o en las proteínas de transmisión de las señales proliferativas al interior nuclear. En cualquier caso, las rutas son hipersensibles a cantidades mínimas de factores de crecimiento, o bien sucede que están crónicamente activadas, como si en las células hubiera un interruptor que está continuamente presionado y la luz nunca se apagara. Las células pierden el control de sus mecanismos de crecimiento y división, lo que nos puede llevar a pensar que ya son capaces de proliferar sin cesar. Pero no es así: todavía hay algún obstáculo adicional que las células tumorales deben superar.

2. Insensibilidad a los inhibidores del crecimiento celular. En algún momento de la evolución, nuestras células fueron capaces de anticipar el hecho de que se pudiera perder el control sobre la proliferación celular. Para tratar de evitarlo, la propia evolución biológica nos dotó de una serie de genes codificantes de inhibidores del crecimiento celular, que en condiciones normales están en perfecto equilibrio con los factores de proliferación.

Las células tumorales se vuelven insensibles a las señales de inhibición de la proliferación, contribuyendo así a su egoísta obsesión por crecer. Hay diversas rutas de regulación negativa de la división celular que funcionan de manera concertada bajo el control de varios genes supresores de tumores. Entre estos genes que ponen pausa y sosiego en la vida de las células destacan dos que ya hemos mencionado anteriormente: *TP53* y *RB*. Lamentablemente, en las células tumorales suelen inactivarse ambos y el caos proliferativo logra imponerse. *TP53* codifica una proteína que evalúa diversas formas de daños intracelulares y activa numerosas respuestas, incluyendo la parada de la división celular para reparar los daños producidos, o la inducción de la muerte celular por apoptosis cuando las alteraciones son demasiado graves y se perciben como irreparables. La respuesta tumoral a esta gran labor benefactora de *TP53* es impactante: este gen es el más frecuentemente mutado en los cánceres humanos. Las mutaciones en *TP53* se pueden generar por exposición a radiaciones, productos químicos o virus como el del papiloma humano; o se pueden heredar de los progenitores, como en el caso del síndrome de Li-Fraumeni, que predispone al desarrollo de diversos tumores en la edad adulta. Análogamente, la proteína codificada por el gen *RB* integra señales externas e internas de proliferación y decide si la célula está en las condiciones precisas para dividirse, o bien ha de sacrificarse y autoeliminarse. Las mutaciones en *RB* se detectan en la práctica totalidad de los retinoblastomas y, en menor proporción, en otros tumores malignos como el cáncer de pulmón o el de esófago. Se completa así la ecuación del caos proliferativo: las células tumorales pisan a fondo el acelerador y pierden los frenos. Sin embargo, esta doble acción todavía es insuficiente: las células malignas tienen que adquirir nuevas capacidades para poder progresar.

3. Resistencia a la apoptosis. El crecimiento de los tumores no depende únicamente de la tasa de división celular, sino que también influye el ritmo de muerte celular. La reducción del número de células tiene lugar fundamentalmente por apoptosis, un proceso repetido miles de millones de veces al día en nuestro organismo tras ser inducido por varios estímulos, que son canalizados por distintas vías de señalización.[4] Estas rutas convergen en la activación de unas proteínas que contribuyen a destruir las células dañadas y evitar que sigan dividiéndose. Las células tumorales desarrollan diversas estrategias para evadir la apoptosis. Mutaciones en distintos genes proapoptóticos alteran el equilibrio entre proteínas pro- y antiapoptóticas, e inclinan la balanza hacia el lado de la antiapoptosis. Además, se pueden generar defectos en los receptores de muerte celular y en sus rutas de señalización, o puede que disminuya la actividad de las proteínas encargadas de ejecutar las etapas finales del proceso de apoptosis. De una u otra forma, la muerte celular comienza a quedar entre paréntesis.

4. Adquisición de la inmortalidad replicativa. La ruta hacia la inmortalidad de las células tumorales iniciada con la evasión de los mecanismos de apoptosis se completa con la activación de una estrategia que hace caso omiso del límite de Hayflick, que, como se recordará, indica el número máximo de divisiones que pueden experimentar las células normales. Cuando alcanzan este límite —definido por el acortamiento de los telómeros—, las células tienen dos opciones para detener su proliferación: la senescencia o la apoptosis. Difícil decisión: cadena perpetua o pena de muerte, una dicotomía planteada en dos excelentes películas con estos mismos títulos y brillantemente interpretadas por Morgan Freeman y Tim Robbins (*Cadena perpetua*) y Susan Sarandon y Sean Penn (*Pena de muerte*). Las células tumorales, como los protagonistas de estas películas, no se conforman con su destino y tratan de sobrepasar el límite de Hayflick mediante la reactivación de la telomerasa, la enzima que asegura la integridad de los telómeros en las células germinales. De esta manera, las células transformadas y egoístas logran evadir la amenaza de la senescencia y de la apoptosis, y alcanzan un estado de inmortalidad replicativa que les permite dividirse de manera ilimitada.

5. Inducción de angiogénesis. El proceso de formación de nuevos vasos sanguíneos a partir de vasos ya existentes (angiogénesis) es una tarea imprescindible durante el desarrollo de un organismo para proporcionar oxígeno y nutrientes a los tejidos que se están formando. Tal como sucede en la apoptosis, la angiogénesis está modulada por vías de señalización en las que participan moléculas pro- y antiangiogénicas, que se encuentran en un delicado equilibrio. En las células tumorales se pierde este equilibrio y se impulsa el desarrollo de nuevos vasos a partir de células precursoras de linaje endotelial. La falta local de oxígeno generada por el rápido y exagerado crecimiento tumoral induce la síntesis de proteínas angiogénicas como los factores de crecimiento del endotelio vascular (VEGF). Estos factores estimulan a sus correspondientes receptores, que a su vez activan rutas que conducen a la vasodilatación, al incremento de la permeabilidad vascular y a la división de las células endoteliales. El proceso de angiogénesis es esencial para alimentar el tumor primario y también las metástasis, cuya formación es la siguiente de las claves distintivas del cáncer.

6. Estimulación de mecanismos de invasión y metástasis. Algunas células del tumor primario adquieren mutaciones adicionales que les permiten invadir el tejido que las rodea, diseminarse y colonizar otros territorios para generar metástasis, el problema más importante en los pacientes con cáncer. La generación de metástasis implica cambios en procesos de adhesión, invasión, migración y angiogénesis. La capacidad invasiva de las células tumorales se adquiere mediante el proceso de transición epitelio-mesénquima, que implica un cambio de su morfología epitelial hasta acabar pareciéndose a los fibroblastos. Tras esta transición, las células tumorales producen proteasas que degradan el tejido sano y factores de movilidad que favorecen su capacidad invasiva. Las células malignas comienzan así su periplo viajero y van completando con grandes y crecientes dificultades las etapas sucesivas de la cascada metastásica: invasión local, intravasación en vasos sanguíneos o linfáticos, diseminación a través de estas vías, extravasación, penetración en tejidos distantes, formación de pequeños nódulos de células cancerosas (micrometástasis), angiogénesis y colonización, para finalmente concluir con el desarrollo de macrometástasis detectables clínicamente.

7. Reprogramación del metabolismo energético. Las células normales utilizan glucosa como combustible y la degradan completamente en las mitocondrias* mediante el proceso de fosforilación oxidativa para generar energía y liberar dióxido de carbono. Cuando el oxígeno escasea (por ejemplo, en los músculos de un atleta) se activa la ruta denominada glicólisis anaeróbica, pese a que es menos eficiente energéticamente, pues la glucosa no se quema completamente. En cambio, las células tumorales ponen en marcha lo que se conoce como efecto Warburg, que provoca una reprogramación metabólica hacia una ruta llamada *glicólisis aeróbica,* pues se lleva a cabo incluso en presencia del oxígeno suministrado por la angiogénesis tumoral. Las células malignas utilizan esta forma de metabolizar la glucosa, y no la fosforilación oxidativa, porque les permite satisfacer las demandas biosintéticas impuestas por su rápido crecimiento. Así, la combustión incompleta de la glucosa genera productos que son utilizados por las células tumorales para sintetizar con urgencia el ADN y otras moléculas necesarias para poder crecer y dividirse sin cesar. Paralelamente, se activa la producción de transportadores de glucosa que aumentan su disponibilidad en el interior de las células tumorales. De esta manera, estas se reprograman metabólicamente para garantizar simultáneamente el suministro de energía y el de ciertos precursores metabólicos. Todo ello les da una notable ventaja sobre las células normales y les permite seguir creciendo y evolucionando para afrontar las siguientes etapas de su progresión, incluida la necesidad de evitar el ataque del sistema inmunitario.

8. Escape del sistema inmunitario. Las células tumorales presentan algunas diferencias respecto a las normales, que son detectadas por nuestros sistemas de vigilancia inmune. En cuanto se las desenmascara —una tarea compleja, ya que en un cáncer las células normales y las tumorales son muy semejantes, pues provienen del mismo individuo—, las células transformadas son eliminadas por el sistema inmune innato, en el cual participan los monocitos, los macrófagos y las células NK (*natural killer*), o por el sistema inmune adaptativo, al que contribuyen los linfocitos B y T, y muy especialmente, los linfocitos T citotóxicos (CD8+). No es extraño, por tanto, que las personas con deficiencias inmunológicas tengan mayor predisposición al desarrollo de ciertos tipos de tumores. Sin embargo, las células tumorales están en continua evolución para adaptarse a las condiciones cambiantes de su microambiente, y con este fin producen ciertas proteínas inmunomoduladoras que suprimen la actividad del sistema inmune. De este modo, algunas células tumorales logran escapar de una muerte segura y entran en una curiosa fase de equilibrio, llamada dormancia, en la que no desaparecen, pero son mantenidas bajo control por el sistema inmune adaptativo durante algún tiempo, a veces incluso durante varios años. Paradójicamente, estas células logran entrar en hibernación en el cálido interior de nuestro cuerpo y sobreviven a los avatares derivados de su extraña forma de vida.[5] Desafortunadamente, la incansable capacidad adaptativa de las células malignas, unida a la existencia de defectos sobrevenidos en el sistema inmunitario por el paso del tiempo o por diversas situaciones de estrés, conduce a la activación de un proceso llamado inmunoedición.[6] Las células tumorales inmunoeditadas son la semilla para la emergencia de nuevos clones que, tras escapar del sistema inmune, despiertan sus capacidades dormidas y continúan proliferando hasta lograr la formación de las indeseables macrometástasis. Por último, las células malignas también favorecen el reclutamiento de células inflamatorias que contribuyen de manera decisiva al establecimiento de la siguiente clave distintiva del cáncer.

9. Inflamación crónica. Las células que conforman el sistema inmunitario son las que se encargan de llevar a cabo la inmunovigilancia tumoral, que conduce a la eliminación de las células pretumorales o tumorales. Sin embargo, este proceso tan beneficioso, y responsable de alguna de las llamadas curas milagrosas de pacientes con cáncer tiene un lado oscuro, pues a menudo conlleva la generación de una respuesta inflamatoria crónica que juega a favor de todas las etapas del desarrollo de los tumores malignos. La inflamación impulsa la iniciación del cáncer al provocar un estrés oxidativo genotóxico, que genera las nuevas mutaciones que son precisas para la completa transformación maligna. Además, contribuye a la promoción tumoral al impulsar la proliferación de las células transformadas a través de factores de crecimiento producidos por las células inflamatorias que se introducen en los incipientes tumores. Por último, la inflamación también interviene en la progresión del cáncer, ya que fomenta la invasión tumoral y favorece los procesos de intravasación, extravasación y angiogénesis que finalmente conducen al desarrollo de macrometástasis. Con este propósito, los tumores malignos se aprovechan de diversas proteasas y factores angiogénicos producidos por las células implicadas en la respuesta inflamatoria, que son usurpados por las células tumorales en su propio beneficio. Por todo ello, es muy frecuente que la inflamación generada por numerosos factores, desde infecciones virales o bacterianas hasta la obesidad, contribuya a aumentar el riesgo del cáncer. Por ello, un logro evolutivo tan importante como la respuesta inflamatoria para reparar daños en nuestros tejidos o defendernos de microorganismos, si no se resuelve a su debido tiempo y se cronifica, se convierte en uno de los procesos que facilitan el desarrollo de los tumores malignos. Este es un papel que desempeña también la inestabilidad genética, la décima y última clave distintiva del cáncer según los criterios de Hanahan y Weinberg.

10. Inestabilidad genómica. Si las células tumorales no adquirieran un estado de inestabilidad genómica que promueve la rápida acumulación de mutaciones, el cáncer no podría desarrollarse en la gran mayoría de los casos. La inestabilidad genómica se manifiesta en forma de cambios globales en el número de cromosomas o mediante la adquisición de profundas aberraciones cromosómicas, como la amplificación o la pérdida de regiones enteras de los cromosomas. Además, la inestabilidad genómica también se caracteriza por la generación de mutaciones de mucho menor alcance o extensión, pero no por ello de menor importancia. Entre ellas podemos mencionar la existencia de miles de mutaciones puntuales o la presencia de pequeñas inserciones o deleciones de material genético en las células tumorales. Como ya hemos visto, las células normales poseen varios mecanismos para evitar la acumulación de las mutaciones inherentes a las imperfecciones moleculares de la vida. Entre estos mecanismos se cuentan la detención de la división celular, la reparación del material genético o la invitación a la muerte si los daños son irreparables. Las células tumorales desactivan tales mecanismos por medio de las estrategias descritas en las anteriores claves distintivas del cáncer y se vuelven hipersensibles a los agentes mutagénicos químicos, físicos o biológicos. El resultado final de esta situación es la generación de un ambiente general de inestabilidad genómica que estimula la progresión del cáncer y facilita su evolución para adaptarse a las complejas situaciones por las que discurre su aventura egoísta y errante.

La definición de estas diez claves generales del cáncer nos ha permitido establecer un marco general de discusión sobre los procesos tumorales cuyo fin último es el desarrollo de nuevas estrategias terapéuticas. Este decálogo puede interpretarse como el libro de instrucciones que deben seguir las células para transformarse en entidades egoístas, inmortales y viajeras. Lógicamente, no es preciso que las células sigan un orden estricto en la adquisición de estas diez propiedades consustanciales a la malignidad. Tampoco hay un tiempo concreto para adquirir cada una de ellas y pasar luego a la siguiente. Dependiendo de la naturaleza del paciente y del tipo de tumor que padece, el proceso puede durar meses o, incluso, varios años. En el caso de los tumores hematológicos, por ejemplo, como surgen a partir de células cuya naturaleza es migratoria, la activación de alguno de los programas imprescindibles para los tumores sólidos —como la transición epitelio-mesénquima— es innecesaria. Es más, en algunas ocasiones, una misma mutación, por ejemplo, la inactivación del gen *TP53*, puede bastar para adquirir de manera simultánea varias de las características de los tumores malignos. En suma, en el complejo viaje celular a la malignidad hay algunos atajos que las células tumorales tratan de aprovechar.

El otro gran valor de la definición de las claves del cáncer por parte de Hanahan y Weinberg es haber proporcionado una base teórica para la introducción de estrategias combinadas *anti-hallmarks* para el tratamiento del cáncer. La mayoría de las terapias antitumorales se centran en una sola clave del cáncer, habitualmente la primera de las descritas por Hanahan y Weinberg: la pérdida del control de la proliferación celular. El futuro anuncia la posibilidad de introducir estrategias clínicas alternativas dirigidas a intervenir concomitantemente sobre varias de las propiedades distintivas del cáncer, que en conjunto configuran su verdadera esencia celular y molecular. Antes de abordar la discusión de las nuevas terapias contra el cáncer, en el siguiente capítulo cerraremos el estudio de la esencia del mal con la presentación de su herencia; es decir, describiremos ese pequeño grupo de tumores hereditarios cuyo análisis nos ha proporcionado lecciones fundamentales para la comprensión del cáncer.

CAPÍTULO 9

La herencia del mal

El cáncer familiar

El 5 de mayo de 1821, Napoleón Bonaparte murió durante su exilio en la isla de Santa Elena, lejos de su familia y a la temprana edad de cincuenta y un años. Las causas de la muerte de un personaje histórico tan carismático como controvertido han despertado mucho interés a lo largo de los dos siglos transcurridos desde su fallecimiento. Entre las hipótesis barajadas al respecto, se ha discutido ampliamente su posible envenenamiento por arsénico, pero los estudios más recientes parecen indicar que Napoleón murió debido a un cáncer de estómago. Esta posibilidad ya fue apuntada por su médico personal, el doctor Francesco Antommarchi, quien, tras realizar la autopsia sobre la mesa en la que el emperador francés jugaba al billar, concluyó que había fallecido a causa de un cáncer gástrico avanzado con metástasis hepáticas. Curiosamente, el propio Napoleón siempre tuvo la intuición de que esta enfermedad —que ya le había costado la vida a su padre, a su hermana Paulina y a otros miembros de su familia— acabaría por causarle la muerte a él mismo. Durante sus últimas semanas de vida, pidió con insistencia a su médico que, después de su muerte, examinara con atención su aparato digestivo en busca de los presumibles tumores gástricos que confirmarían la letal traición de sus células. Tras esta honda inquietud subyacía la preocupación por la salud de sus descendientes, que podían ser también portadores de esos hipotéticos genes mutados cuya existencia entonces se ignoraba, pero que Napoleón y el sentido común anticipaban. Hoy, un análisis genético podría haber dado la respuesta definitiva a estas cuestiones que surgían de los pensamientos más oscuros del emperador. Posiblemente, este análisis habría detectado alguna mutación inactivadora en el gen *CDH1*, que codifica una proteína de adhesión celular alterada en ciertos cánceres gástricos.[1]

Casi doscientos años después de la muerte de Napoleón Bonaparte, el 27 de enero de 2007, Marcheline Bertrand murió en un hospital de Los Ángeles a la también relativamente temprana edad de cincuenta y seis años. ¿Qué tenían en común Napoleón y Marcheline? Para saberlo solo tenemos que revisar el árbol genealógico de Marcheline: su madre murió de cáncer de ovario, su hermana de cáncer de mama y ella misma falleció también por un carcinoma ovárico. Las familias Bonaparte y Bertrand son ejemplos representativos de los muchos grupos familiares cuyos miembros tienen una clara predisposición a padecer alguna forma de cáncer hereditario. Además de perder la vida por un cáncer familiar, había un vínculo adicional entre el famoso Napoleón (épicamente retratado por Jacques-Louis David y a quien Beethoven dedicó inicialmente su sinfonía *Heroica*)[2] y la desconocida (para muchos) Marcheline: ambos fueron muy conscientes del componente hereditario de su enfermedad y tuvieron pánico a transmitirla a sus descendientes. Napoleón engendró al menos dos hijos: Napoleón II (rey de Roma), que murió muy joven de tuberculosis, y Alejandro José (conde Colonna-Walewski), que falleció a los cincuenta y ocho años, pero del que no se sabe que padeciera ningún cáncer. Marcheline tuvo un hijo sano y una hija que heredó la mutación responsable del cáncer familiar de las Bertrand, pero que gracias al progreso médico y científico ha podido esquivar el fatal destino de su abuela, de su madre y de su tía. Para que el lector entienda por qué la familia Bertrand tiene tanto protagonismo en estas páginas, basta con que conozca el nombre de la hija de Marcheline: Angelina Jolie.

La actriz Angelina Jolie es uno de los seres humanos más famosos del planeta y el hecho de que la información sobre su cáncer familiar se haya diseminado por todos los rincones del mundo ha servido para aumentar la concienciación acerca de esta enfermedad. Además, su caso ha enseñado a la población mundial los enormes beneficios que tiene el consejo médico en materia de genética para evitar las formas hereditarias de cáncer. Por último, la popularidad de la actriz ha permitido trasladar a una audiencia universal la idea de que los conceptos de enfermedad genética y enfermedad hereditaria son muy diferentes. El cáncer es un excelente ejemplo en este sentido: dado que siempre surge de alteraciones en los genes, se puede considerar una enfermedad genética. Sin embargo, solo unos pocos tumores malignos (menos del 10 %) son hereditarios, ya que son obra de la transmisión de padres a hijos de los genes mutados causantes de la enfermedad. El descubrimiento de diversos genes responsables de los relativamente raros casos de cáncer familiar ha proporcionado información fundamental acerca del origen, la naturaleza y los mecanismos que subyacen al desarrollo del cáncer esporádico, que es el que padecen la gran mayoría de los pacientes con tumores malignos.

Los primeros casos bien documentados de síndromes de cáncer hereditario los describieron a finales del siglo XIX el cirujano francés Paul Broca y el oftalmólogo brasileño Hilário de Gouveia. Paul Broca fue un niño prodigio que estudió simultáneamente Literatura, Física y Matemáticas, para después completar la carrera de Medicina en apenas tres años. Tras concluir su formación, Broca se volcó en la cirugía, la anatomía, la neurología y la antropología, y en todas estas disciplinas realizó brillantes contribuciones. Si ha pasado a la historia es porque la región del cerebro humano que controla las funciones del lenguaje lleva su nombre (área de Broca), pero su relación con la oncología tiene un componente mucho más personal. Preocupado por la acumulación de casos de cáncer en el entorno familiar de su mujer, estudió con detalle este problema y, en un largo tratado publicado en 1866, *Traité des tumeurs*, describió cinco generaciones de mujeres de su familia política afectadas por cáncer de mama. En esa misma época, Hilário de Gouveia atendió en su consulta a un niño con un retinoblastoma. La intervención quirúrgica para extirparlo le supuso al niño la pérdida del ojo que portaba el tumor, pero no tuvo ninguna otra complicación clínica y creció sin problemas, llegó a la edad adulta y formó su propia familia, que llegó a estar compuesta por siete hijos. Tristemente, dos de sus hijas desarrollaron retinoblastomas en ambos ojos, pero, pese a la insistencia de su médico, el padre no quiso operarlas, y esta decisión les costó la vida: las dos niñas murieron porque el tumor maligno se terminó extendiendo al cerebro. En aquel tiempo, Hilário de Gouveia no sabía nada de genes ni de mutaciones, pero se le ocurrió proponer y defender que algunos tumores eran hereditarios. Sus conclusiones quedaron registradas en un artículo titulado «L'heredité des gliomes de la retine», publicado en 1886 en una modesta revista de la sociedad médica de Río de Janeiro. En los más de ciento treinta años transcurridos desde los hallazgos de Paul Broca e Hilário de Gouveia, el progreso en el campo del cáncer familiar ha sido excepcional.

Hasta el momento, se han descrito con precisión más de cincuenta síndromes de cáncer hereditario y en casi todos ellos se han identificado los genes responsables de su desarrollo. La gran mayoría de estos genes que predisponen al cáncer familiar pertenecen al grupo de los supresores de tumores. Por lo tanto, para que se genere el tumor será necesario que queden inactivadas las dos copias (alelos) de esos genes. El mecanismo fundamental que permite dañar ambos alelos actúa conforme al modelo de la doble lesión molecular descrito por Alfred G. Knudson en 1971.[3] La primera lesión consiste en la mutación existente en un alelo del gen de predisposición al cáncer, que es transmitida por uno de los progenitores. Así, una de las dos copias ya está dañada en todas las células del paciente antes de su nacimiento. La segunda lesión, en cambio, se genera con posterioridad y consiste habitualmente en una mutación puntual o en la deleción del otro alelo del gen implicado en ese tipo de cáncer familiar. Alternativamente, la segunda copia del gen puede inactivarse en forma epigenética a través del bloqueo de su región promotora o interruptor génico, lo que hace que quede silenciado sin haber sufrido ninguna mutación genética.

Otros cánceres familiares son causados por mutaciones germinales en protooncogenes como *RET*, *MET*, *KIT* y *CDK4*. En todos estos casos, los oncogenes activados funcionan de manera dominante tanto en la predisposición al cáncer como en su posterior desarrollo, por lo que no es necesario que se produzca la mutación somática del segundo alelo. Finalmente, hay otros síndromes familiares de predisposición al cáncer —el xeroderma pigmentoso, la ataxia telangiectasia, el síndrome de Bloom y la anemia de Fanconi— que siguen un patrón de herencia autosómica recesiva, por lo que tanto el padre como la madre deben ser portadores de una copia mutada del correspondiente gen de susceptibilidad. Solo aquellos descendientes que hereden las copias dañadas de la madre y del padre serán candidatos a padecer la enfermedad.

En general, los síndromes de cáncer familiar son de tipología diversa e incidencia muy baja, lo que ha dificultado su estudio y la identificación de los genes responsables de su desarrollo. De hecho, los cánceres hereditarios siguen fielmente las palabras de Tolstói al comienzo de *Anna Karenina:* «Todas las familias felices se parecen, pero cada familia desgraciada lo es a su manera». Sin duda, cada tumor hereditario es distinto y genera su particular cuota de infelicidad en las familias que los sufren. Afortunadamente, pese a la enorme diversidad de las características clínicas y biológicas de estos síndromes, hay aspectos comunes en todos ellos. Los cánceres hereditarios se reconocen clínicamente porque la enfermedad se manifiesta en varios miembros de la familia y a edades más tempranas que en los tumores no hereditarios. Por otra parte, los pacientes suelen presentar varios tumores a la vez, por ejemplo, en el cáncer de mama hereditario es frecuente el fenómeno de bilateralidad, es decir, la aparición de lesiones malignas en las dos mamas. Por último, algunos síndromes de cáncer familiar suelen ir acompañados de defectos congénitos adicionales, pues los genes implicados también desempeñan funciones relevantes durante el desarrollo embrionario, que se puede ver gravemente comprometido por los daños en estos genes.

Desde el punto de vista biológico, también podemos encontrar algunos elementos compartidos por las diversas clases de cáncer familiar. Así, las funciones biológicas de las proteínas codificadas por los genes responsables de estos síndromes se pueden agrupar en cuatro tipos de procesos: proliferación, diferenciación, apoptosis y reparación del daño genético. Descendiendo a un nivel bioquímico más específico, estas proteínas actúan como receptoras y moduladoras de la señalización celular, pueden regular la transcripción génica y el ciclo celular, y suelen contribuir al mantenimiento y reparación de la integridad genética.[4]

La diversidad de los genes implicados en los síndromes de cáncer familiar tiene una característica adicional relacionada con una serie de fenómenos de heterogeneidad genética, los cuales se pueden manifestar de diferentes formas. En primer lugar, mutaciones en genes muy distintos pueden dar lugar a tumores hereditarios muy semejantes. Por ejemplo, el melanoma familiar puede estar causado por mutaciones en genes tan diferentes como *CDKN2A*, *POT1* o *CDK4*. También se puede dar la situación opuesta, de modo que mutaciones en un mismo gen de predisposición al cáncer pueden provocar síndromes distintos dependiendo del tipo de alteración sufrida por ese gen o de la localización de la mutación dentro de la arquitectura del gen. Mutaciones en el gen supresor tumoral *VHL*, por ejemplo, predisponen a carcinomas renales o a feocromocitomas, mientras que alteraciones en el protooncogén *RET* pueden ocasionar tanto carcinomas de tiroides como la enfermedad de Hirschsprung. Por último, es muy importante precisar que la herencia de un alelo mutado en un gen de predisposición al cáncer familiar no implica que el portador vaya a desarrollar inexorablemente la enfermedad. El riesgo final de padecer ese cáncer viene determinado por múltiples factores, que incluyen las características moleculares de la mutación, sus implicaciones funcionales, sus interacciones con otros genes o con factores ambientales, y el grado de permisibilidad del microentorno tumoral. La suma de todas estas variables afecta decisivamente no solo a la probabilidad de que se desarrolle o no la enfermedad, sino que también influye en la edad a la que esta se manifiesta y en su mayor o menor gravedad clínica.

Los cánceres hereditarios dañan prácticamente todas las estructuras de la anatomía humana; los hay que afectan al cerebro, a los ojos, a la piel, al páncreas, al estómago, al intestino, a las glándulas mamarias, a los ovarios, al útero, a la próstata, al tiroides, a las glándulas suprarrenales, a los riñones, a la sangre..., y así hasta completar una larguísima lista de adversidades patológicas. Su abordaje detallado queda lejos del alcance de este libro, pero recuerdo con nostalgia el trabajo y las discusiones científicas que durante muchos años he mantenido con colegas y amigos entrañables como Francisco Real, Xavier Estivill y Javier Benítez, durante la escritura y actualización del capítulo titulado «Genes, herencia y cáncer», perteneciente a la extraordinaria obra *Medicina interna* de Farreras-Rozman. En esta auténtica biblia de la docencia médica en castellano, se pueden encontrar numerosos detalles acerca del cáncer familiar, por lo que aquí solo me ocuparé de dos de estos tipos de tumores —el cáncer de mama hereditario y el cáncer colorrectal hereditario— que, por su elevada incidencia y repercusión social, merecen una atención especial.

El cáncer de mama es el tumor maligno más frecuente entre las mujeres del mundo occidental; se estima que alrededor del 10 % de la población femenina desarrollará un tumor mamario a lo largo de su vida. Más allá de estas cifras, que pueden asustar y generar una gran preocupación, hay que recordar dos aspectos fundamentales en relación con esta enfermedad. En primer lugar, debemos saber que, hoy en día, más del 80 % de los carcinomas mamarios se curan. Esto ha constituido un avance científico y médico extraordinario y, al mismo tiempo, un poderoso estímulo para seguir investigando en la búsqueda de nuevos tratamientos para aquellos casos que todavía son refractarios a las terapias actuales. El segundo aspecto que debemos tener muy presente con relación al cáncer de mama es que, de los miles y miles de casos que se producen en todo el mundo, menos del 10 % tienen un componente familiar.

Mary-Claire King —un notable ejemplo de investigadora con gran compromiso social y con la que he tenido la fortuna de colaborar en el pasado— fue la más destacada pionera en el complejo arte de buscar los genes responsables del cáncer de mama hereditario. Finalmente, el trabajo conjunto de numerosos científicos condujo al hallazgo en 1994 y 1995 de los dos genes principales de predisposición al cáncer de mama familiar, que fueron denominados *BRCA1* y *BRCA2* (*Breast cancer* 1 y 2). Estos genes serían responsables de una tercera parte de los casos de cáncer de mama hereditario. Cerca del 80 % de las mujeres portadoras de una mutación en alguno de estos dos genes desarrollarán un cáncer de mama a lo largo de su vida y el 50 % de las portadoras de alteraciones en *BRCA1* (y, en menor porcentaje, las portadoras de mutaciones en *BRCA2*) padecerán un cáncer de ovario. Además, en estas mujeres, el riesgo de padecer otros tumores como cáncer de páncreas o melanomas es mucho mayor del normal. Por su parte, los varones portadores de mutaciones en estos genes (especialmente, en *BRCA2*) no solo tienen una mayor predisposición al cáncer de mama, sino mayor riesgo de desarrollar cáncer de próstata.

BRCA1 y *BRCA2* son genes de gran tamaño formados por cerca de cien mil piezas nucleotídicas y codifican proteínas cuya función principal es la reparación del ADN. Además, la proteína *BRCA1* desempeña otras funciones relacionadas con la modulación de procesos como la síntesis de ADN, la reorganización cromosómica y la transcripción génica. La mayoría de las alteraciones que experimentan ambos genes son pequeñas inserciones o deleciones que provocan que las proteínas codificadas por estas versiones mutadas de *BRCA1* y *BRCA2* tengan una estructura incompleta o aberrante y no puedan desarrollar su comprometida función de velar por la integridad de nuestro material genético.

Además de *BRCA1* y *BRCA2*, hay una decena de genes adicionales cuyas alteraciones predisponen al cáncer de mama en un número de familias mucho más reducido.[5] En conjunto, estos otros genes darían cuenta del 10 % de los casos de cáncer de mama hereditarios, aproximadamente. En los casos en que no se ha identificado un gen concreto de susceptibilidad tumoral, se cree que son obra del efecto conjunto de múltiples variantes genéticas de penetrancia moderada, pero que, una vez sumadas, conducen a una situación de alto riesgo de padecer cáncer. El mensaje que subyace a esta sopa de siglas genéticas es que, pese a los grandes avances en este campo, todavía desconocemos el gen o genes responsables de la mitad de los casos de predisposición al cáncer de mama hereditario. Esto provoca una enorme frustración en los posibles pacientes, ya que saben que hay una predisposición al cáncer en su familia, pero desconocen los defectos moleculares que la provocan. Sin duda, el descubrimiento de estos genes será decisivo para ampliar la estrategia de consejo genético que ya se utiliza para los posibles portadores de mutaciones en *BRCA1* y *BRCA2*.

En la actualidad, el análisis mutacional de *BRCA1* y *BRCA2* está indicado en los siguientes casos: a) familias con antecedentes de cáncer de mama y/u ovario (al menos, tres familiares de primer o segundo grado, y alguno de ellos menor de cincuenta años); b) familias con algún varón al que hayan diagnosticado cáncer de mama; c) familiares de los pacientes portadores de alguna mutación en uno de estos genes; d) pacientes de ascendencia judía, ya que en este grupo humano existen mutaciones fundadoras en los genes *BRCA1* y *BRCA2* y hay una alta frecuencia de portadores de tales variantes; e) mujeres menores de treinta y cinco años con cáncer de mama y/u ovario; f) mujeres menores de cincuenta años con cáncer de mama triple negativo; y g) mujeres con cáncer epitelial de ovario de alto grado no mucinoso, independientemente de la edad. La identificación de los individuos portadores de mutaciones en estos genes es muy importante para tomar medidas preventivas, entre las cuales se encuentran la autoexploración mamaria periódica y la realización de mamografías, resonancias magnéticas mamarias y ecografías transvaginales. Por último, si el médico lo aconseja, se pueden asumir acciones tan drásticas como la extirpación de las mamas y de los ovarios.[6]

Angelina Jolie siguió todos estos consejos a rajatabla, según relató ella misma en sendas cartas publicadas en el periódico *The New York Times* y en la revista *Time*. Tras la muerte de su madre, y dados los antecedentes de cáncer de mama y ovario en su familia, Angelina solicitó un análisis genético que reveló la presencia de una mutación en *BRCA1*, que la predisponía al desarrollo de cáncer de mama y/u ovario con alta probabilidad. Según sus propias palabras: «La prueba llegó demasiado tarde para las otras mujeres de mi familia. Una vez que supe que esta era mi realidad, decidí actuar y minimizar el riesgo lo más que pudiera. Por eso decidí someterme a una doble mastectomía preventiva». Esta primera intervención quirúrgica de Angelina Jolie se realizó el 16 de febrero de 2013 y dos años después le extirparon los ovarios y las trompas de Falopio para completar el plan profiláctico contra su predisposición familiar al cáncer. Durante todo este tiempo de incertidumbre, la actriz ha mostrado un gran compromiso personal con el problema del cáncer:

> Escribo ahora sobre ello porque espero que otras mujeres puedan beneficiarse de mi experiencia. El cáncer es todavía una palabra que llena de miedo el corazón de las personas y produce un profundo sentimiento de impotencia. Hoy en día se puede conocer a través de un simple análisis de sangre si tienes probabilidades elevadas de sufrir un cáncer de mama y de ovario, y actuar en consecuencia. Espero que a cualquier mujer que lea esto le ayude a conocer mejor sus opciones. Quiero animar a todas las mujeres, especialmente si tienen antecedentes familiares de cáncer de mama o de ovario, a buscar información y consultar a expertos médicos que puedan ayudarle a tomar sus propias decisiones informadas.

Personalmente, suscribo todas y cada una de las palabras de Angelina Jolie y estoy convencido de que su caso ha tenido un efecto muy positivo en la concienciación y visibilización del cáncer en general y, más concretamente, del cáncer hereditario. Sin embargo, en estos tiempos confusos en los que cualquiera puede opinar o catedrar (palabra que me enseñó mi querido discípulo Pablo Bringas) sobre los temas más complejos sin tener la más mínima base conceptual para hacerlo y después difundir *ad infinitum* mensajes incorrectos, distorsionados o simplemente falaces y mentirosos, la actriz ha sido severamente criticada por las decisiones que ha tomado respecto al cáncer. Estas críticas, en su gran mayoría injustas, cuando no disparatadas, le echan en cara su elitismo, porque ha podido someterse a procedimientos o tratamientos que catalogan de inaccesibles para la mayoría de la población. Otros opinan que ha generado un efecto llamada al recomendar métodos tan agresivos como la mastectomía bilateral para prevenir el cáncer, cuando no hay un cien por cien de probabilidades de que las portadoras de mutaciones en los genes de predisposición vayan a padecerlo. Sería bueno recordar que, en nuestro país y en la práctica totalidad de los que poseen un sistema sanitario público bien organizado, los análisis genéticos en las familias portadoras de genes con predisposición al cáncer son totalmente gratuitos. Además, todas las medidas que adoptó Angelina Jolie tras la detección de la mutación genética que la predispone al cáncer están igualmente cubiertas por el sistema sanitario. Es más, me atrevería a decir que es una pena que nadie la informara mucho antes de la necesidad de realizarse las pruebas genéticas, cuando su abuela materna, su madre y su tía materna Debbie ya habían sido diagnosticadas de cáncer de mama u ovario. Las medidas profilácticas han llegado a tiempo para ella, pero sus hijos e hijas biológicos tienen el 50 % de probabilidades de haber heredado la mutación de predisposición al cáncer que porta su madre. Esta realidad se hubiera podido evitar mediante procedimientos de selección de embriones, que hoy en día son factibles y perfectamente legales cuando han sido aprobados por los comités éticos encargados de la supervisión de todas estas cuestiones.

Mientras escribo estas líneas sobre la prevención del cáncer hereditario no puedo olvidarme de Natalia, protagonista de uno de los momentos más emotivos de mi vida molecular en el ámbito de la oncología. Por puro azar, una tarde de verano de hace ya doce años, tras una conversación aparentemente insustancial, nos dimos cuenta de que en su familia había una clara predisposición al cáncer de mama. Su madre, su tía y su abuela habían sufrido esta enfermedad, siguiendo un patrón de herencia familiar perfectamente equiparable al de Angelina Jolie. Sin embargo, nadie parecía haber otorgado importancia a esa agregación tumoral en la familia materna de Natalia, nadie la había alertado de que podía ser portadora de una mutación que incrementaba su riesgo de desarrollar cáncer de mama u ovario. En ese mismo instante decidimos que había que realizar un análisis genético para saber en qué estado se encontraban en su caso los genes más frecuentemente mutados en el cáncer de mama hereditario. En aquel tiempo, el proceso de análisis genético era mucho más lento que ahora, pero al final se completó y se demostró que, aunque en su familia había una mutación patogénica en *BRCA1*, como en el caso de Angelina Jolie, Natalia no la había heredado. Era un auténtico cara o cruz, porque sus probabilidades de heredar una mutación dominante eran del 50 %, pero, en esta ocasión, el azar quiso mostrar el lado de la salud y obviar el de la enfermedad. Tras conocer el resultado del análisis, mantuve una conversación telefónica con Natalia entre lágrimas de emoción que se me ha quedado grabada para siempre como un ejemplo inolvidable de que no hay que tener miedo al conocimiento sino a la ignorancia.

Así pues, tomando como modelos los casos de Angelina Jolie y Natalia: no permitamos que el miedo o la ignorancia se impongan y causen enfermedades como el cáncer de mama hereditario que se pueden llegar a evitar. Algo parecido ocurre con los cánceres de colon y recto, una clase de tumores con una elevada incidencia.

Los cánceres colorrectales constituyen la segunda causa de muerte por cáncer en el mundo occidental y, de manera análoga al cáncer de mama, un pequeño porcentaje de casos (menos del 10 %) tienen un componente familiar. Estas formas hereditarias de los tumores colorrectales se clasifican en dos grandes categorías: la poliposis familiar y el cáncer de colon hereditario no polipósico. La primera de estas patologías se caracteriza por el desarrollo desde una edad temprana de múltiples pólipos colorrectales que, si no son extirpados a tiempo, podrán progresar hasta convertirse en adenocarcinomas. El gen supresor tumoral *APC* es el responsable de la mayoría de estos casos de cáncer polipósico, que siguen un modelo de herencia dominante, aunque si la enfermedad se debe a mutaciones en el gen *MUTHY*, la herencia es recesiva. El gen *APC* codifica una proteína implicada en la regulación de la vía *WNT* de señalización molecular y su inactivación mutacional provoca la generación de mensajes aberrantes de proliferación celular. El descubrimiento del gen *APC* puso de manifiesto la importancia de estudiar los síndromes relativamente raros de cáncer hereditario, ya que, además de las mutaciones en el cáncer colorrectal familiar, este mismo gen está mutado en más del 85 % de los tumores colorrectales esporádicos, que son los que acabaron con la vida de Claude Debussy, el brillante compositor de *Claro de luna*; Audrey Hepburn, la inolvidable protagonista de *Vacaciones en Roma* y *Desayuno con diamantes*, y Francis Crick, el inspirador descubridor de la estructura en doble hélice del ADN.

El cáncer de colon hereditario no polipósico también presenta un patrón de herencia dominante y está causado por mutaciones en genes como *hMSH2*, *hMLH1*, *hMSH6* y *hPMS2*. Algunas familias con alteraciones en estos genes presentan únicamente cáncer de colon y a su enfermedad se la denomina síndrome de Lynch; sin embargo, en otras familias se pueden detectar también carcinomas de otros tipos (estómago, endometrio, hígado...). Todos estos genes codifican proteínas implicadas en la reparación del ADN y su inactivación genera una notable inestabilidad genómica, especialmente en las regiones del genoma que contienen unas secuencias llamadas microsatélites (repeticiones en tándem de uno o varios nucleótidos: AAAAAAAA..., CGCGCGCGCG..., CATCATCATCAT...). Finalmente, y también en una situación análoga a la del cáncer de mama hereditario, hay un porcentaje significativo de familias con cáncer colorrectal hereditario en las que no se detectan alteraciones en ninguno de los genes descritos anteriormente. Por lo tanto, es probable que estos casos se deban a la participación de varios alelos de baja penetrancia cuando se consideran de manera aislada, pero cuya combinación conduce a la elevada predisposición al cáncer de esas familias. Una vez más, queda todavía un importante trabajo que hacer para identificar estos genes de susceptibilidad tumoral y poder ofrecer a sus portadores el adecuado consejo genético y médico que permita evitar tanto el desarrollo del cáncer en ellos mismos como la transmisión de la predisposición tumoral a sus descendientes.

A modo de resumen, cabe decir que el extraordinario avance en el estudio de las claves moleculares y celulares del cáncer o, lo que es lo mismo, el conocimiento de la esencia del mal, ha traído aparejado un no menos extraordinario progreso en la comprensión de la herencia del mal, es decir, la obtención de información fundamental sobre los casos de cáncer hereditario. La introducción de eficientes plataformas tecnológicas de análisis de genomas servirá para identificar nuevas variantes genéticas de susceptibilidad al cáncer y nuevos genes implicados en el cáncer familiar. El estudio detallado de las funciones de estas nuevas variantes y genes permitirá comprender los mecanismos subyacentes a la transformación maligna, tanto en los casos familiares como en los esporádicos. De esta manera se podrá avanzar en el desarrollo de nuevas estrategias terapéuticas basadas en el empleo de fármacos que mimeticen (al menos parcialmente) las funciones normales perdidas por la inactivación de los genes supresores tumorales, o que bloqueen los efectos derivados de la activación de los oncogenes mutados. Por otra parte, la expansión de nuestro conocimiento sobre las claves de la predisposición al cáncer permitirá adoptar las medidas preventivas o profilácticas adecuadas en las familias portadoras de genes mutados, así como en los grupos de alto riesgo. En cualquier caso, debemos ser muy conscientes de que todavía existen muchas limitaciones en la aplicación general de las pruebas diagnósticas de predisposición a los distintos cánceres hereditarios. Entre las dificultades que encontramos en este terreno figuran factores tan importantes como el desconocimiento actual de algunos genes causantes de ciertos tumores familiares, la diversidad y heterogeneidad genéticas características de estos cánceres y la detección de falsos positivos, debido a que existen variantes en los genes de susceptibilidad que son adscritas como patogénicas, pero que en realidad son irrelevantes en cuanto al desarrollo de la enfermedad. Además, la diversidad de mecanismos de inactivación de los genes implicados en el cáncer familiar —habitualmente de gran tamaño y con mutaciones dispersas a lo largo de toda su estructura— supone una dificultad añadida en los métodos de análisis e interpretación de los resultados.

Finalmente, debemos tener muy presente que estas nuevas posibilidades de determinar el riesgo de desarrollar cáncer que puede tener cualquiera de nosotros, incluso varias décadas antes de que la enfermedad comparezca, suscitan múltiples cuestiones éticas, legales, sociales y laborales, para las que debemos estar muy bien preparados y muy bien informados. La pérdida de confidencialidad derivada de los nuevos usos sociales, ahora que nuestros datos personales acaban siendo utilizados sin nuestro consentimiento por empresas que obtienen enormes beneficios económicos de esta información, introduce un nivel adicional de preocupación. Por ello, los análisis genéticos y moleculares de predisposición al cáncer (y, por extensión, a cualquier otra enfermedad) deben ser extraordinariamente rigurosos y confidenciales. Inexcusablemente, el objetivo de los nuevos conocimientos sobre la herencia del mal debe ser mejorar la vida de los prepacientes y de los pacientes mismos. No podemos permitir que la información generada por los avances científicos en este campo contribuya a crear una nueva dimensión de discriminación en la especie humana cuyos límites son hoy difíciles de anticipar: la discriminación genotípica.

Y tras discutir la historia interminable del cáncer, sus orígenes, su biografía, su egoísmo, su inmortalidad, sus viajes, su lógica, sus modelos, su esencia y su herencia, llega el momento de centrarnos en la búsqueda de las soluciones, las de ahora y las que anuncia el futuro. Todas son distintas, pero todas pretenden lo mismo: regalar vida.

CAPÍTULO 10

Regalos de vida

Las nuevas terapias

Pesa la luz y pesa la vida, pero también pesa el alma y pesa el miedo cuando se contempla el *Guernica* de Picasso o cuando se tiene cáncer. Nada debe extrañarnos si esto sucede, porque el miedo fue lo primero que crearon los dioses en el mundo (*primus in orbe deos fecit timor*), pero tampoco debemos olvidar nunca que cada tormenta tiene su arcoíris. La cirugía, la radioterapia y la quimioterapia tradicional llevan ya muchos años ofreciendo luz y regalando vida a los pacientes con cáncer. Por eso, tras asumir las primeras incertidumbres que suscita un diagnóstico de malignidad, debemos recordar que hoy en día casi el 50 % de los tumores malignos se curan. Sin embargo, esta afirmación tan positiva como contundente no debe llevarnos a ser complacientes con lo insuficiente. Hoy, también hoy, cuando muchos alzan la voz para hablar de vidas ilimitadas caminando hacia la perfección, otros viajamos a contracorriente o solos, como Tom Rosenthal, y constatamos que todavía hay tumores incurables, que afectan a pacientes concretos que no se curarán con estadísticas, ni con predicciones, ni con ensoñaciones. Por eso estamos obligados a desarrollar nuevas ideas para encontrar mejores maneras de ofrecer tiempo y vida a quienes reciben la siempre inesperada visita de esos tumores cuyo tratamiento exige avanzar en el conocimiento. Para conseguirlo, lo primero que tenemos que preguntarnos es por qué somos incapaces de afrontar con garantías algunos cánceres, cuando muchos otros ya son curables o, al menos, controlables.

Asumir con optimismo el hecho de que cada tormenta tiene su arcoíris o, lo que es lo mismo, que en cada uno de los golpes de la adversidad podemos encontrar alguna extraña forma de serenidad nos lleva en volandas a otra idea: hay tantos arcoíris diferentes como ojos que contemplan la tormenta. Si trasladamos estas sabias observaciones populares a la oncología, llegamos a la sencilla conclusión de que hay tantos cánceres como pacientes con esta enfermedad y, por tanto, lo ideal sería buscar el arcoíris o tratamiento específico para cada uno de ellos. En efecto, cada tumor de cada paciente es único, tanto en su naturaleza biológica como en su comportamiento clínico. El motor de tanta diversidad y variabilidad es la inagotable capacidad adaptativa de las células tumorales. Abrazándonos a estos principios, podemos hacer algunas generalizaciones. Hay tumores que todavía son incurables porque se detectan tarde, demasiado tarde, ya sea por miedo a lo que nos amenaza en silencio, por negligencia con nuestra propia salud, por ignorancia sobre las posibilidades actuales de anticipar los tumores, o por la insuficiencia misma de los métodos disponibles para hacer frente a algunos tipos de cáncer cuando las células tumorales han comenzado ya su aventura egoísta, inmortal y viajera. Además, dado que el crecimiento tumoral implica una continua adquisición de diversidad molecular y celular, los tratamientos convencionales de los tumores avanzados siempre serán imperfectos y no podrán eliminar aquellas células que ya han adoptado nuevas mutaciones que les confieren propiedades adicionales o que las hacen resistentes al tratamiento inicial. El reconocimiento de estas incómodas verdades llevó al planteamiento de una nueva aproximación al tratamiento farmacológico de los tumores malignos que se ha definido como terapia racional o dirigida del cáncer.

Las terapias dirigidas persiguen una especificidad que la quimioterapia convencional no puede ofrecer. Los primeros tratamientos quimioterápicos estaban basados en el empleo de sustancias con propiedades citotóxicas, es decir, productos capaces de dañar y destruir células que, como las tumorales, se dividen con enorme rapidez. Sin embargo, estos venenos celulares son incapaces de distinguir las células tumorales de las normales que también necesitan dividirse rápidamente; de ahí los notables efectos secundarios de la quimioterapia citotóxica e inespecífica. Por el contrario, las terapias dirigidas se diseñan para que actúen sobre dianas moleculares concretas presentes de manera exclusiva o preferente en las células malignas. Habitualmente, el modo de acción de las terapias dirigidas es citostático y no citotóxico, pues detienen la división y proliferación de las células tumorales en lugar de destruirlas, lo que conlleva menos efectos secundarios y mayores posibilidades de utilizar dosis más eficaces. Como tantas veces sucede en la investigación científica, esta idea es fácil de exponer, pero difícil de llevar a la práctica, pues no es sencillo encontrar esas dianas o blancos de las terapias dirigidas y después desarrollar los fármacos que actúen específicamente contra ellas. El camino que ha llevado al hallazgo de estas dianas ha sido largo y se ha recorrido con prudente lentitud.

Los primeros logros en esta búsqueda de dianas terapéuticas que permitieran incrementar la especificidad de las terapias antitumorales vinieron del ámbito de cánceres hormonodependientes tan frecuentes como los de mama y próstata. El temprano reconocimiento de que el desarrollo de tales tumores estaba directamente relacionado con factores hormonales condujo a la introducción de una serie de medicamentos dirigidos a reducir los niveles de hormonas en el organismo o a impedir la unión de estas hormonas a sus receptores. En el caso del cáncer de mama, fármacos como el tamoxifeno, el fulvestrant o los inhibidores de aromatasa se han utilizado ampliamente —y se siguen empleando en la actualidad— para el tratamiento de pacientes con cánceres de mama cuyas células tumorales tienen receptores hormonales y, por tanto, son sensibles a la presencia de hormonas y a la vez susceptibles a las terapias antihormonales. De manera análoga, los cánceres de próstata dependen de la hormona masculina testosterona para su desarrollo y crecimiento, y los tratamientos antiandrogénicos con medicamentos como la flutamida hacen que las células tumorales mueran o crezcan más despacio. En las últimas décadas, las terapias antihormonales han regalado muchas horas de vida a millones de pacientes con cánceres hormonodependientes, por lo que no debe olvidarse nunca lo que se ha conseguido con estos tratamientos. Además, los buenos resultados obtenidos con ellos constituyeron un estímulo adicional para proseguir la búsqueda de esa máxima especificidad terapéutica que ha sido el difícil objetivo de la oncología desde tiempos ya muy lejanos. Afortunadamente, los éxitos iniciales en las terapias racionales o dirigidas frente a tumores tan distintos como la leucemia y el cáncer de mama fueron el anuncio de una nueva era en el tratamiento del cáncer.

La leucemia mieloide crónica representa un buen ejemplo de los tumores líquidos que surgen de alteraciones en las células hematopoyéticas de la médula ósea encargadas de producir la sangre que nos alimenta y nos oxigena. Hay muchas formas de leucemia, pero la mieloide crónica tiene algunas características peculiares que despertaron un gran interés cuando comenzaron los estudios de terapias dirigidas contra el cáncer. Clínicamente, la leucemia mieloide crónica era una enfermedad casi siempre incurable y los trasplantes de médula ósea eran prácticamente la única alternativa terapéutica para estos pacientes. Recuerdo que, al poco de incorporarme a la Universidad de Oviedo, conocí a un joven profesor de Biología Celular, amable y entusiasta, de nombre Armando, al que le traicionaron sus propias células, justamente las unidades de vida a cuyo estudio consagraba todo su tiempo. Inesperadamente, para él y para todos, a Armando se le diagnosticó leucemia mieloide crónica. Aquel diagnóstico fue sorprendente, pues su aspecto seguía siendo tan lozano y rubicundo como siempre, y su desbordante energía no auguraba nada malo. Sin embargo, la enfermedad cumplió su fatal palabra y pronto puso punto final al paso de Armando por una vida que en su caso fue demasiado breve.

Biológicamente, este tipo de leucemia se caracteriza porque la práctica totalidad de los pacientes portan en sus células sanguíneas la misma alteración molecular, que a su vez es la responsable de generar la enfermedad. Esta alteración se denomina cromosoma de Filadelfia, pues se descubrió en unos laboratorios de esta ciudad norteamericana, y consiste en una translocación recíproca entre los cromosomas 9 y 22. Así, una porción del cromosoma 9 se coloca en el cromosoma 22, reemplazando a un fragmento de este, que a su vez es trasladado al cromosoma 9.[1] Esta peculiar danza cromosómica conduce a la formación de una proteína quimérica llamada BCR-ABL que estimula de manera crónica e intensa la división celular e induce el caos proliferativo de algunas células sanguíneas (en este caso las de linaje mieloide) y el desarrollo de la leucemia.

En suma, estábamos ante una enfermedad que demandaba una solución urgente y que presentaba una única lesión molecular fundamental en los pacientes, algo totalmente contrario a lo que acontece en la mayoría de los tumores malignos que, al poseer múltiples mutaciones, obligan al empleo de diversos medicamentos para frenarlos. La diana molecular de la terapia racional o dirigida frente a la leucemia mieloide crónica era, pues, obvia: la proteína BCR-ABL. Muchas empresas farmacéuticas instaron a sus mejores químicos a diseñar inhibidores que pudieran bloquear la hiperactividad de esta proteína, con la esperanza de que, al ser una diana exclusiva de las células leucémicas, la indeseada toxicidad de estos fármacos fuera mínima y su anhelada especificidad, máxima. A finales de los años noventa, científicos de una compañía que después pasó a ser parte del gigante Novartis identificaron el compuesto STI-571 (mesilato de imatinib) como un inhibidor muy eficaz, aunque no completamente específico, de la proteína híbrida BCR-ABL. Los subsiguientes ensayos clínicos dirigidos por Brian J. Druker pronto proporcionaron unos resultados espectaculares, algo que, como bien sabemos, pocas veces sucede en la investigación oncológica. El imatinib inhibía la proliferación de las células productoras de la hiperactiva proteína BCR-ABL y, aunque este nuevo medicamento no erradicaba las células leucémicas, sí que limitaba su crecimiento en la práctica totalidad de los pacientes incluidos en los primeros ensayos clínicos. La eficiencia del imatinib fue tal que los ensayos se interrumpieron, pero no por las causas habituales de toxicidad excesiva o ineficacia clínica, sino porque no resultaba ético que los pacientes que recibían un placebo en lugar del medicamento quedaran marginados de una terapia tan prometedora. En 2001, Novartis comenzó a comercializar el imatinib (Gleevec® en Estados Unidos y Glivec® en Europa) y la leucemia mieloide crónica pasó de ser una enfermedad incurable a representar un claro ejemplo del éxito de la terapia dirigida del cáncer y de sus futuras posibilidades.[2]

Paradójicamente, el imatinib ha ampliado su espectro de actuación al demostrar su efectividad en tumores que, pese a no poseer en sus células la proteína aberrante BCR-ABL, son sensibles a este inhibidor. Es el caso de los tumores del estroma gastrointestinal llamados GIST, un grupo de sarcomas cuyo tratamiento con imatinib permite controlar el avance de la enfermedad de manera muy eficiente, ya que actúa sobre una proteína semejante a la BCR-ABL que es importante para el crecimiento de estos tumores GIST. Así, y de manera sorprendente, la imperfección de un inhibidor como el imatinib —que no resultó tan específico como se esperaba— ha permitido que este fármaco diseñado para tratar la leucemia mieloide crónica haya proporcionado tiempo y vida a los pacientes que, como mi querida Lourdes, padecen un tipo de sarcomas que nada tienen que ver con los tumores hematológicos.[3]

Mientras escribo estas reflexiones sobre el imatinib recuerdo a mi querido compañero Armando y no dejo de pensar que si su leucemia se hubiera manifestado solo unos años más tarde, es muy probable que no hubiera sucumbido a ella. En el mismo extremo emocional, pero con un resultado final bien diferente, recuerdo el caso de Aldo, el entrañable padre de mi no menos entrañable discípula argentina Cristina K. El profesor Aldo fue diagnosticado de leucemia mieloide crónica antes de que el imatinib fuera aprobado en su país como medicamento subvencionado por la sanidad pública. Aldo, guiado por su enorme curiosidad intelectual, supo que el fármaco estaba resultando muy eficaz para su recién diagnosticada enfermedad, exploró posibles opciones de conseguirlo y, finalmente, se trasladó por su cuenta y riesgo a un lejano país en el que el imatinib se producía de manera genérica y económica. Sin hablar una sola palabra de la lengua del lugar, fue capaz de conseguir la cantidad de medicamento suficiente para tratarse durante un largo tiempo, guardarla en su equipaje, regresar a su país y sobrevivir a su enfermedad hasta que finalmente el uso del imatinib fue aprobado oficialmente en Argentina para el tratamiento de la leucemia mieloide crónica. Hoy, Aldo sigue en perfecto estado de salud y recibiendo a su debido tiempo y de forma más convencional un gran regalo de vida surgido del talento humano. Esta rocambolesca historia parece balancearse entre la realidad y la fantasía, pero en mi mente siempre reaparece como un ejemplo de que el deseo de vivir de los pacientes de cáncer impulsa la búsqueda, por ellos mismos o por sus familias, de cualquier atisbo de esperanza allá donde pueda encontrarse.

Sin duda, el imatinib ha donado vida a muchos miles de pacientes con leucemia mieloide crónica, pero nunca debemos menospreciar la capacidad de adaptación de los tumores malignos. Por eso, pasado un tiempo tras la afortunada introducción de este elixir antitumoral, empezaron a detectarse algunos casos de pacientes que se volvían resistentes al imatinib, pues sus células leucémicas habían desarrollado mutaciones en el propio gen quimérico *BCR-ABL* que las hacía insensibles a la acción del inhibidor. Comenzó entonces una nueva etapa de la lucha interminable entre la adaptabilidad de las células tumorales y la imaginación de los científicos para buscar nuevas soluciones. En poco tiempo, el catálogo de medicamentos eficaces frente a la leucemia mieloide crónica se amplió con nuevos nombres acabados en *ib* (abreviatura de inhibidor), entre los que se incluyen el nilotinib, el dasatinib, el bosutinib o el ponatinib. La balanza se inclina de nuevo del lado de la vida y la esperanza, y las oportunidades de hacer frente a una leucemia antaño fatal ahora son múltiples, diversas y plenas de un prudente optimismo.[4]

En paralelo al progreso de las terapias dirigidas para el tratamiento de los tumores líquidos, las pacientes con cáncer de mama también tuvieron una maravillosa oportunidad de beneficiarse de estas nuevas aproximaciones terapéuticas. En principio, la búsqueda de una terapia dirigida para el cáncer de mama prometía ser una tarea mucho más compleja. Esta enfermedad es incomparablemente más frecuente que la leucemia mieloide crónica, pero son tantas las formas en que las células mamarias pueden transformarse y tan diversas las mutaciones que acumulan en su genoma durante el proceso de malignización que parecía difícil encontrar esas dianas específicas para las cuales poder diseñar las anheladas terapias dirigidas. Sin embargo, a medida que fue aumentando nuestro conocimiento de las diferencias moleculares entre las células normales y las tumorales, se pudo comprobar que alrededor del 30 % de los casos de cáncer de mama producían una cantidad excesiva de una proteína llamada HER2 (siglas en inglés de receptor 2 del factor de crecimiento epidérmico humano). Esta proteína es uno de los receptores de las señales químicas que estimulan el crecimiento celular, la primera y más general de las claves moleculares del cáncer compendiadas por Hanahan y Weinberg. La hiperproducción de HER2 —habitualmente por la amplificación en las células tumorales del protooncogén que codifica esta proteína— hace que estas células sean muy sensibles a las señales proliferativas y que su crecimiento se multiplique incesantemente. Por ello, no es extraño que en otras épocas las pacientes cuyos tumores mamarios eran positivos para HER2 y producían una gran cantidad de esta proteína tuvieran un pronóstico clínico peor que las pacientes negativas para HER2. Sin embargo, lo que a priori parecía una grave desventaja acabó por convertirse en una excelente oportunidad de superar la enfermedad a través del diseño de una terapia dirigida específicamente contra estos tumores HER2-positivos.

El origen de esta historia molecular se remonta a 1987, cuando Dennis Slamon, oncólogo e investigador de la Universidad de California en Los Ángeles (UCLA), observó que los tumores de las pacientes de cáncer de mama con alteraciones en el gen *HER2* eran más agresivos. Según relata él mismo, el siguiente paso en su investigación consistió en demostrar que aquel hallazgo no era algo accidental, sino que el exceso de la proteína HER2 desempeñaba realmente un papel en el mal pronóstico de aquellas mujeres. El empleo de modelos celulares y animales como los descritos en el capítulo sobre el hijo del samurái reveló que el exceso de este receptor no era un mero acontecimiento correlativo o pasajero durante el desarrollo del cáncer, sino que tenía una función causal y directa en la agresividad de los tumores mamarios HER2-positivos. De este modo, HER2 se convirtió en una diana para la terapia dirigida de este subgrupo especial de carcinomas de mama. Dennis Slamon pensó entonces que un anticuerpo capaz de bloquear HER2 evitaría que este receptor dejara de enviar continuamente señales de proliferación a las células tumorales y que, en consecuencia, podría convertirse en la terapia deseada.

El desarrollo de anticuerpos frente a una proteína humana no es una tarea compleja, pues solo es preciso inyectar una pequeña cantidad de dicha proteína en animales de experimentación. El sistema inmunitario de los animales reconocerá esa proteína humana como algo extraño a su organismo y generará anticuerpos frente a ella. La sangre de los animales se convierte de este modo en una fábrica biológica de dichos anticuerpos, a los que llamamos *policlonales* por su heterogeneidad, ya que son fruto de varias células progenitoras. Sin embargo, la continua demanda de especificidad para los anticuerpos usados en biomedicina llevó a la introducción de los anticuerpos monoclonales, derivados de un solo clon de células productoras de estas proteínas. Las técnicas para obtener estos anticuerpos fueron desarrolladas por César Milstein y Georges Köhler, maestro y discípulo, cuyo excepcional trabajo fue justamente reconocido con el Premio Nobel de Medicina de 1984. Usando esta metodología, Slamon y sus colaboradores crearon anticuerpos monoclonales para la proteína humana HER2 que funcionaban con la especificidad deseada y detenían la proliferación de las células productoras de un exceso de este receptor. Todo parecía invitar al optimismo, pero hasta entonces nunca se había utilizado clínicamente un anticuerpo para tratar el cáncer, y la posibilidad de emplear en seres humanos una proteína producida en ratones o en otros animales de experimentación tenía una grave limitación que, además, estaba cargada de ironía: tras su inyección en los pacientes, el anticuerpo creado en ratones sería reconocido como una proteína no humana y se desarrollarían anticuerpos contra el propio anticuerpo. De esta forma, la utilidad terapéutica de los anticuerpos diseñados para bloquear el receptor HER2 en las células de cáncer de mama iba a quedar reducida al mínimo o completamente anulada. De nuevo, el ingenio humano se puso en marcha y solventó finalmente el asunto con una brillante idea: había que humanizar estos anticuerpos. Paul Carter, de la empresa Genentech, fue quien lo consiguió. Aplicando técnicas de ingeniería genética, eliminó en los anticuerpos anti-HER2 las regiones inductoras de respuestas inmunes y las reemplazó por las zonas equivalentes presentes en los anticuerpos humanos. Los anticuerpos híbridos así generados mantenían su capacidad de inhibir el receptor HER2, pero no inducían en los pacientes una respuesta inmune contra ellos porque estaban humanizados, es decir, eran anticuerpos de ratón disfrazados molecularmente de humanos.[5]

Así fue como nació el trastuzumab (Herceptin®), es decir, el primer anticuerpo recombinante, monoclonal y humanizado para hacer frente al receptor HER2 implicado en la progresión del cáncer de mama. Comenzaba entonces una nueva era en la oncología —y, por extensión, en la medicina—, ya que había quedado demostrado que los anticuerpos monoclonales o *mab* (sufijo derivado del inglés ***m****onoclonal* ***a****nti****b****odies*) podían ser herramientas fundamentales para las terapias dirigidas. Y finalmente, unos diez años después de que Dennis Slamon iniciara su proyecto en este ámbito, el escenario ya estaba preparado para la gran prueba: poner en marcha un ensayo clínico con pacientes portadoras de tumores HER2-positivos y valorar la efectividad terapéutica del trastuzumab. La valiente actitud de estas primeras pacientes —como Barbara Bradfield o Louise Cooper, por ejemplo—, cuya voluntad de curarse pudo más que las incertidumbres subyacentes a un tratamiento tan novedoso, tuvo su recompensa: el ensayo fue un éxito. Tras la validación en diferentes hospitales de los resultados del ensayo inicial, el trastuzumab fue aprobado oficialmente —primero en Estados Unidos y después en otros países, aproximadamente entre 1998 y 2000— para su uso en el tratamiento del cáncer de mama HER2-positivo. El añorado oncólogo español José Baselga —a quien recuerdo con admiración y cariño— desempeñó un papel fundamental en el proceso de traslación del trastuzumab a la práctica clínica y contribuyó a regalar mucha vida a muchas mujeres de todo el mundo con tumores positivos para el receptor HER-2.

Desde entonces, la consideración de este tipo de tumores en términos clínicos ha evolucionado sustancialmente: si en un principio era considerado como uno de los de peor pronóstico, hoy en día es un cáncer con unas tasas muy elevadas de supervivencia. Resulta muy emocionante constatar que, hasta el momento, más de dos millones de pacientes con cáncer de mama se han beneficiado del tratamiento con trastuzumab. A esta cifra hay que sumar los pacientes con tumores gástricos HER2-positivos que también se tratan con este anticuerpo humanizado. En cualquier caso, estos datos tan espectaculares no deben hacernos olvidar que el trastuzumab tampoco es un medicamento perfecto: su eficiencia no siempre es óptima, puede producir efectos secundarios y, además, algunas pacientes se hacen resistentes al tratamiento. Por eso hay que seguir investigando. Afortunadamente, se han planteado ya terapias alternativas para solventar esos problemas, entre las cuales encontramos la combinación del trastuzumab con quimioterapia citotóxica o con inhibidores químicos del propio receptor HER2 (por ejemplo, el lapatinib, el tucatinib o el neratinib), o bien con otros anticuerpos humanizados como el pertuzumab, que se une a un lugar distinto en la proteína diana y complementa la acción del trastuzumab.[6]

El éxito de las primeras terapias dirigidas contra el cáncer, ejemplificado en inhibidores como el imatinib o en anticuerpos como el trastuzumab, abrió una nueva época en la investigación oncológica, que en adelante estaría centrada en la búsqueda de nuevas dianas moleculares y el diseño de nuevos *ibs* y *abs* para tratar otros tipos de tumores malignos. Poco a poco, la lista de terapias antitumorales dirigidas fue creciendo y el lenguaje de los profesionales médicos y de los pacientes oncológicos fue incorporando nombres concretos que reemplazaban a ese término genérico comúnmente abreviado como «quimio» y cuya sola mención evoca toxicidad y malignidad. Hoy disponemos de cerca de un centenar de terapias dirigidas basadas en moléculas, como los inhibidores sintetizados químicamente, o en anticuerpos monoclonales humanizados producidos biológicamente mediante técnicas de ingeniería genética. Entre las dianas de estos medicamentos se encuentran diversos receptores y transductores de los factores de crecimiento, moduladores de la apoptosis y la angiogénesis, receptores hormonales, proteínas implicadas en los procesos de invasión y metástasis, y, en definitiva, cualquier molécula que se exprese de forma diferencial entre las células normales y las tumorales, y que pueda ser accesible farmacológicamente de manera específica. Resulta, además, muy interesante que, aparte de la investigación en todas estas dianas intrínsecas a las células tumorales, también haya ido aumentando el interés por las llamadas dianas extrínsecas, como por ejemplo los diversos componentes del microentorno tumoral que facilitan el progreso del cáncer. Estas últimas dianas pueden desvelar nuevas vulnerabilidades y debilidades de las células tumorales y conducir al desarrollo de nuevas estrategias en las terapias antitumorales.

Así, paso a paso, al imatinib y el trastuzumab se han ido añadiendo medicamentos como el cetuximab, el panitumumab, el erlotinib, el gefitinib y el afatinib, que bloquean el receptor del factor de crecimiento epidérmico EGFR; el bevacizumab, que se une al factor de crecimiento endotelial VEGF e impide la angiogénesis tumoral; el vemurafenib, que bloquea una forma mutada del factor BRAF presente en muchos melanomas; el rituximab, que se une a una proteína de la superficie de los linfocitos B e induce su apoptosis en numerosos casos de leucemias y linfomas; y a ellos se sumarían otros muchos medicamentos pertenecientes a la categoría de los *ibs* —el bortezomib, el crizotinib, el ibrutinib, el idelalisib, el olaparib, el sorafenib, el sunitinib, el vismodegib...— y a la de los *abs* —el alemtuzumab, el daratumumab, cl obinutuzumab, el ofatumumab...—, cada uno con sus dianas concretas y sus indicaciones terapéuticas para los distintos tipos de tumores. Sí, son nombres complejos, difíciles de recordar, pero lo que no debe olvidarse nunca es que detrás de todos y cada uno de estos trabalenguas hay un esfuerzo ingente de muchas personas que durante años han puesto su inteligencia, esfuerzo y conocimiento al servicio de los pacientes con cáncer. No lo ignoremos, no lo minimicemos, no esperemos a que el cáncer se muestre cercano —en nosotros, en nuestra familia, en nuestros amigos— para caer en la cuenta de que unos pocos, demasiado pocos, trabajan con discreción para muchos, para todos nosotros.[7]

Durante años, hemos tratado de brindar tiempo de vida a los pacientes oncológicos y, sin embargo, esto no basta. Cada fracaso terapéutico, cada muerte a destiempo es un recordatorio de nuestra impotencia y de nuestra ignorancia. Cirugía, radioterapia, quimioterapia, terapias racionales y dirigidas, y apoyos adicionales que van desde la psicología hasta la adopción de patrones de vida sana y equilibrada, han venido en nuestro auxilio y, sin embargo, todo esto sigue sin ser suficiente. Aún tenemos tumores incurables, tumores resistentes a las terapias, tumores invisibles hasta que ya es tarde, tumores traidores que regresan cuando ya creíamos que se habían ido para siempre...: ¿podemos albergar todavía alguna esperanza? La respuesta es un resonante sí. Nuevas aproximaciones que han empezado a concretarse en tiempos muy recientes nos han devuelto la confianza en nuestra lucha contra el cáncer. Entre estos nuevos elixires de salud que se complementan y retroalimentan entre ellos destacan estrategias como el desciframiento de los genomas del cáncer y la inmunoterapia, que ya han comenzado a proporcionar extraordinarios regalos de vida. En los dos capítulos siguientes abordaremos la realidad actual y el futuro que anuncian las últimas estrategias antitumorales.

CAPÍTULO 11

Orden en el caos

Los genomas del cáncer

Caos, un profundo y abrumador caos: esa fue la imborrable impresión que tuve al contemplar en nuestro laboratorio por primera vez el paisaje genómico de las células tumorales de un paciente con cáncer. Varios miles de señales rojas diseminadas a lo largo de una representación gráfica de los cromosomas de ese paciente nos mostraban las diferencias existentes entre el genoma de las células normales y el de las tumorales. Hasta entonces, y pese a que algunos trabajos ya comenzaban a poner de manifiesto la complejidad del paisaje genético tumoral, siempre había pensado que el cáncer surgía por la acumulación de una pequeña cantidad de mutaciones en una sola célula que acababan provocando la transformación maligna. Los experimentos de Robert Weinberg dirigidos a transformar células normales en tumorales o los modelos de evolución del cáncer de colon a partir de lesiones benignas descritos por Bert Vogelstein avalaban la idea de que unas pocas, poquísimas alteraciones génicas bastaban para generar tumores malignos.[1] Sin embargo, al contemplar con mis propios ojos que las células tumorales tenían miles de daños inscritos en su ADN, pensé que el cáncer era algo así como el naufragio de la nave genómica que transporta el maravilloso tesoro de la información biológica. Tras esta reflexión me invadió el pesimismo: si teníamos que enfrentarnos a semejante caos molecular, no podríamos llegar a encontrar nuevas claves que nos permitiesen progresar en el tratamiento del cáncer. Pasados unos minutos de desconcierto, invoqué la literatura en busca de alivio y esta compareció de inmediato. *El hombre duplicado* —la novela de José Saramago cuyo curioso título evoca las todavía prohibidas clonaciones humanas— comienza señalando que «el caos es un orden por descifrar»; el genial Albert Camus nos cuenta en *El verano* que «en medio del caos» descubrió que dentro de él había «una calma invencible»; por último, Henry Miller en su provocador *Trópico de Cáncer* anotó de manera magistral que «el caos es la partitura en la que está escrita la realidad». Estos brillantes escritores no podían estar equivocados; tras el caos causado por las tormentas mutacionales del cáncer tenía que haber un orden concreto, una partitura que debía interpretarse con atención para encontrar la calma terapéutica buscada.

La historia del desciframiento de los genomas del cáncer como estrategia para desarrollar nuevos tratamientos antitumorales es muy reciente. Comenzó a gestarse hace poco más de una década, en noviembre de 2008, cuando el grupo del oncohematólogo Timothy Ley, de la Universidad de Washington-San Luis, publicó los resultados del análisis realizado en el genoma tumoral de una paciente con leucemia mieloide aguda.[2] Este estudio permitió descubrir nuevos genes mutados en el cáncer, entre los cuales había algunos implicados en generar las modificaciones epigenéticas que traducen el diálogo de nuestro genoma con el ambiente externo o interno en el que se mueve la vida. Al margen de estos logros, el trabajo de Ley y sus colaboradores constituyó todo un hito en la historia de la investigación oncológica, ya que abordaba por primera vez la secuenciación del genoma completo de unas células tumorales. No era una idea nueva; de hecho, ya llevaba mucho tiempo encima de la mesa, al menos desde el periodo comprendido entre 2001 y 2004, cuando se fueron completando las distintas versiones del genoma humano, esa gigantesca espiral helicoidal constituida por tres mil millones de piezas químicas llamadas nucleótidos. Esta primera hazaña genómica fue el fruto de una gran empresa colectiva que implicó a numerosos laboratorios internacionales —incluido el nuestro, responsable de la anotación de un grupo de cerca de mil genes— y en la cual se invirtieron más de diez años de trabajo y algo más de tres mil millones de dólares.

La aplicación de esta técnica para estudiar el cáncer parecía a la vuelta de la esquina. Dado que los tumores malignos se forman por la acumulación de mutaciones en el ADN de las células tumorales, la secuenciación del ADN maligno de un paciente oncológico y, en paralelo, el de cualquier célula normal de ese mismo paciente nos permitiría encontrar, con la ayuda de un gran imán informático, las mutaciones tumorales como si fueran minúsculas agujas ocultas en el gigantesco pajar genómico. En suma, con una tecnología bien establecida y la secuencia del genoma humano de referencia a nuestra disposición, parecía obvio que pronto tendríamos descifrado el genoma del cáncer. Sin embargo, unas simples operaciones matemáticas demostraron que lo obvio era sencillamente imposible. Si cada día se diagnosticaban miles de tumores malignos en todo el mundo, habría que invertir varios años de trabajo y muchísimos millones de dólares para descifrar el genoma de todos esos tumores por medio de las técnicas genómicas. Era inviable, sencillamente inviable.

De manera inesperada, sin embargo, la situación cambió de repente cuando varias empresas desarrollaron casi al mismo tiempo estrategias rápidas y económicas para descifrar el genoma humano. Lo imposible comenzó a retroceder al veloz ritmo de la llamada «secuenciación masiva y paralela de nueva generación» hasta que, al final, se convirtió en algo posible y hasta probable.[3] Nuestro laboratorio se incorporó de inmediato a esta nueva aproximación a la investigación oncológica. Tras más de dos décadas estudiando el cáncer conforme a los principios de la ciencia dirigida por hipótesis, estos proyectos eran un buen ejemplo de una incipiente ciencia agnóstica basada en la acumulación masiva de datos (o *big data*) que, una vez analizados, podrían ayudarnos a formular nuevas hipótesis de trabajo en el ámbito de la oncología. Datos, datos y más datos en la ciencia, en la vida y en el cáncer; datos convertidos en información, en conocimiento y hasta en arte de la mano de Giorgia Lupi. En nuestro laboratorio carecíamos de los equipos necesarios, pero después de habernos dedicado tantos años a la anotación de genomas de interés biomédico y al análisis funcional de distintos genes implicados en el cáncer, sabíamos cómo mirar, leer e interpretar genomas para encontrar los genes que los conforman. Con ese bagaje, y en estrecha colaboración con los grupos de Elías Campo en el Hospital Clínic de Barcelona y de Xavier Estivill en el Centro de Regulación Genómica, presentamos nuestra candidatura a uno de los proyectos del Consorcio Internacional de los Genomas del Cáncer (ICGC, por sus siglas en inglés). Gracias al encomiable esfuerzo de Cristina Garmendia —a la sazón ministra de Ciencia e Innovación—, España se incorporó al grupo de los ocho países fundadores de este gran consorcio y a nuestro laboratorio se le atribuyó la responsabilidad de analizar el genoma de la neoplasia hematológica más frecuente en el mundo occidental: la leucemia linfática crónica.[4]

Con osadía y tesón, más la decidida colaboración de muchos investigadores españoles asociados al Instituto de Salud Carlos III, a principios de 2009 comenzamos a trabajar en el gran proyecto global del ICGC. Este consorcio internacional y su equivalente en Estados Unidos, The Cancer Genome Atlas (TCGA), eran las iniciativas más ambiciosas que podían plantearse para abordar de manera integrada el estudio molecular del cáncer. En su propuesta inicial, ambos proyectos pretendían descifrar el genoma de las células normales y tumorales de unos quinientos pacientes afectados por los cánceres más frecuentes. De este modo, y en paralelo al proyecto español sobre la leucemia linfática crónica, en Inglaterra se inició el estudio genómico de quinientos casos de cáncer de mama; en Australia se analizó la misma cantidad de pacientes con cáncer de páncreas; en Francia se abordó el cáncer de hígado; en Alemania los tumores cerebrales... y así hasta completar un primer bloque de ocho propuestas de estudio, que después se fueron ampliando y llegaron a incluir más de treinta proyectos genómicos. Estados Unidos —con muchos recursos, pero también con una certera visión de la importancia de la investigación científica en la mejora de la salud— afrontó en solitario el análisis genómico de los tumores de mayor incidencia o relevancia, pero se comprometió a poner en común los resultados obtenidos para compararlos con los conseguidos por los grupos integrantes del ICGC.

Siete años después del inicio de nuestro trabajo en este proyecto global, pudimos descifrar el genoma tumoral de más de quinientos pacientes con leucemia linfática crónica, un estudio que vio la luz en las páginas de la revista *Nature* a finales de 2015.[5] Fue, sin duda, un momento inolvidable para nuestro laboratorio y un motivo de orgullo para el consorcio español del ICGC, que fue el primero que logró cumplir su compromiso internacional y contribuyó así a escribir la biografía mutacional del cáncer. Nuestros estudios no encontraron ninguna prueba de que —contrariamente a lo que defendía la seudociencia— los tumores malignos portaran en su genoma mensajes encriptados provenientes de civilizaciones extraterrestres que hubieran diseminado el cáncer por nuestro planeta.

La hipótesis de que los lenguajes genómicos podían tener algún mensaje oculto se remonta al año 1979, cuando Hiromitsu Yokoo y Tairo Oshima sugirieron que el genoma del bacteriófago ϕX174 podía contener algún tipo de señal alienígena. Esta curiosa, interesante o estrafalaria posibilidad, según como lo vea cada cual, acabó siendo descartada sin necesidad de tener que pedir ayuda a Louise Banks, una lingüista experta en descodificación de mensajes extraterrestres.[6] En cambio, nuestro trabajo genómico sí que pudo certificar la existencia de un profundo caos molecular que era obra de los miles de mutaciones presentes en cada tumor.

Además, bastaba con echar un vistazo a las gráficas que mostraban la localización genómica de todas estas mutaciones para constatar que sus perfiles eran completamente distintos, pese a que reflejaban datos relativos a pacientes con el mismo tipo de leucemia. Esos días genómicos no pude dejar de recordar con nostalgia machadiana a mi abuelo y el tiempo ya muy lejano «de días azules y sol de la infancia» en el que, en el gabinete de maravillas y curiosidades de su vieja casa pirenaica, con la sola ayuda de una lupa mágica y mientras sonaba de fondo la suave *Neige* de Satie, me enseñó que cada uno de los copos de nieve que caían sobre el cristal eran diferentes. Más tarde percibiría también cuán diferentes son las siluetas humanas aparentemente clónicas que pintó René Magritte flotando entre las nubes o cayendo de ellas como gotas de agua. Así, el proyecto genoma me demostró una vez más que, en realidad y en lo fundamental, el mundo no alberga grandes novedades, solo olvido; lo dijo un sabio rey, me lo enseñó mi abuelo, me lo recordó Magritte y lo vi con mis propios ojos al observar el cáncer bajo un prisma molecular. Entonces, ¿dónde quedaba la promesa anunciada por Saramago, Camus y Miller de encontrar orden, armonía y equilibrio en el caos tumoral? Era el momento de invocar la ayuda de la tecnología y esta, tal como había sucedido antes con la literatura, también compareció a su debido tiempo.

El desarrollo en nuestro laboratorio, por parte de Xose S. Puente, Víctor Quesada, Gonzalo R. Ordóñez y Rafael Valdés, de nuevas y poderosas herramientas informáticas —incluido el mítico algoritmo Sidrón, cuyo nombre posee claras resonancias asturianas— nos permitió detectar la existencia de una pequeña colección de genes recurrentemente mutados en la leucemia linfática crónica. Los mismos genes se encontraban alterados de una u otra forma en diferentes pacientes. Además, en algunos de ellos encontramos exactamente las mismas mutaciones en pacientes distintos, lo cual a priori es muy improbable, ya que, como se recordará, nuestro ADN genómico posee más de tres mil millones de nucleótidos y cualquiera de estas piezas puede llegar a sufrir daños. Estos genes recurrentemente mutados y con mutaciones a su vez recurrentes se han convertido en nuevas dianas de terapias dirigidas frente a leucemias y otros tumores.[7] En esta búsqueda de orden en el caos, también detectamos mutaciones recurrentes en regiones genómicas no codificantes, lo cual demuestra que el denominado lado oscuro del genoma —antaño llamado injustamente ADN basura— posee información decisiva para mantener la salud y sostener la vida.[8]

En paralelo, comenzamos a examinar la biografía genómica de otros tumores, incluyendo linfomas, melanomas y carcinomas de laringe, lo cual nos permitió descubrir nuevos genes supresores de tumores y nuevas dianas terapéuticas. Más recientemente, el trabajo coordinado por Iñaki Martín Subero en el contexto de nuestro proyecto genómico de la leucemia linfática crónica nos ha permitido descifrar el epigenoma normal y tumoral de numerosos pacientes con esta forma de leucemia.[9] Los impactantes resultados obtenidos, que ponían de manifiesto que durante la transformación maligna cada genoma puede llegar a acumular más de un millón de cambios epigenéticos, son la mejor prueba de la necesidad de prestar atención a los distintos lenguajes de la vida para obtener una visión molecular integral del cáncer. De hecho, entre los nuevos medicamentos antitumorales destacan algunos agentes desmetilantes que han sido diseñados para tratar de recomponer los patrones epigenéticos abrumadoramente alterados en muchos tumores malignos. Y tras el genoma y el epigenoma es necesario analizar el metagenoma de los pacientes con cáncer y, muy especialmente, el microbioma* intestinal (el genoma de los billones de microorganismos que nos cohabitan), pues su composición determina aspectos tan relevantes en oncología como la respuesta a la quimioterapia.[10] El estudio del microbioma intestinal no deja de brindarnos sorpresas, tanto en el hallazgo de componentes protumorales como en los antitumorales. De especial interés resulta el reciente descubrimiento de que algunos carcinomas colorrectales surgen por la acción mutagénica de una toxina llamada colibactina, producida por una bacteria de la microbiota* humana. En cambio, la presencia de cierto virus bacteriano en la microbiota intestinal potencia la acción positiva de la inmunoterapia en pacientes con cáncer de colon.[11] Más curioso si cabe es el hallazgo de que los tumores parecen tener su propio microbioma, cuya composición varía según el tipo de cáncer y las características de cada paciente.[12]

En resumen, la complejidad ómica de los tumores tiene una historia tan larga como la del propio cáncer. Por ello, en nuestro laboratorio también llevamos a cabo rutinariamente estudios transcriptómicos y proteómicos a fin de analizar la expresión de genes y producción de proteínas durante la progresión y evolución de la malignidad tumoral. Estos estudios ómicos nos ayudan a mejorar nuestra capacidad de estratificar a los pacientes oncológicos y predecir el comportamiento de sus tumores analizando los perfiles mutacionales, epigenómicos, transcriptómicos y proteómicos, y no solo las características histopatológicas clásicas, como la morfología y el tamaño de dichos tumores.

Mientras íbamos acumulando toda esta larga colección de datos ómicos, nuestro trabajo genómico siguió explorando otras cuestiones relativas a los tumores, entre las cuales se encontraría la búsqueda de los posibles agentes causales de la leucemia y de otros tumores. La labor experimental llevada a cabo en este ámbito en colaboración con otros grupos integrados en el consorcio ICGC, y especialmente con el equipo dirigido por Mike Stratton en el Instituto Sanger de Cambridge, propició la identificación de nuevos mecanismos mutagénicos implicados en la génesis del cáncer. Efectivamente, los agentes tumorigénicos —incluyendo el inevitable paso del tiempo— dejan claras e imborrables huellas o cicatrices en nuestro genoma. El tipo de mutaciones que provoca el consumo de tabaco es diferente a las causadas por la edad, por la obesidad, por la ingestión excesiva de alcohol, por la exposición a la radiación ultravioleta, o por el contacto con productos químicos genotóxicos. Llevando al límite estas predicciones, y con un indisimulado espíritu provocativo a la par que pedagógico y disuasorio, me gusta retar a mis estudiantes y plantearles que, si me permitiesen leer su genoma, podría adivinar su edad, su tasa de exposición a agentes tóxicos, las horas que han tomado el sol a lo largo de su vida, el número de cigarrillos que han fumado y hasta su marca comercial, pues no todas las marcas contienen los mismos agentes mutagénicos.

Este primer gran estudio sobre la lectura de los genomas del cáncer y la identificación de los mecanismos de mutagénesis en distintos tipos de tumores permitió describir un total de veinticuatro huellas mutacionales. Curiosamente, todavía desconocemos los agentes causantes de la mayoría de ellas, lo cual provoca en el científico la misma frustración que la que puede sentir un naturalista cuando encuentra las huellas de un animal impresas en la nieve o en el barro, pero no sabe asignarlas a ningún animal en concreto. En los últimos tiempos, el grupo de Serena Nik-Zainal en la Universidad de Cambridge ha logrado ampliar las conclusiones de los trabajos previos, estableciendo nuevas asociaciones entre los agentes mutagénicos y las cicatrices mutacionales que dejan grabadas en el genoma.[13]

Por último, la comparación de nuestro trabajo sobre el genoma de la leucemia linfática crónica con el estudio equivalente llevado a cabo en el consorcio americano, dirigido por Cathy Wu y Gad Getz, ha servido para definir con mayor precisión el paisaje mutacional de esta enfermedad y las claves moleculares de su generación, y proponer nuevas opciones terapéuticas para su control. Además, los trabajos realizados sobre otros tumores por parte de los diferentes grupos participantes en el proyecto de los genomas del cáncer han acabado convergiendo en el punto deseado. Hoy, disponemos de una información fundamental sobre los secretos moleculares más íntimos de los distintos tipos de cánceres que nos afectan y que tan claramente nos recuerdan nuestra vulnerabilidad como especie y como individuos.

En suma, la consideración del cáncer —una palabra oscura formada por seis letras— como una enfermedad que podemos leer con un código de cuatro letras —A, C, G y T— nos ha llevado a una nueva era de la investigación oncológica. Una vez concluida la primera fase de los proyectos de los grandes consorcios genómicos internacionales, se ha pasado a otra etapa, conocida como PanCancer, el objetivo de la cual es la integración y análisis global de todos esos nilos, ganges, amazonas y niágaras de datos generados durante el desciframiento de miles y miles de genomas de pacientes con cáncer.[14] En este sentido, y con la perspectiva que da haber participado en el desarrollo de esta aventura científica desde su concepción en 2008, me atrevo a decir que el gran proyecto global de los genomas del cáncer ha cumplido ampliamente las expectativas del planteamiento inicial. Se han podido esbozar los rasgos genómicos de miles de tumores malignos de casi todos los tipos, incluso de algunos muy poco frecuentes y que nunca habían recibido la suficiente atención. Se han desterrado viejas ideas y se han asentado otras nuevas; por ejemplo, que la complejidad de los daños sufridos por las células tumorales es tan grande que se acomoda perfectamente a los postulados del matemático Henri Poincaré, el gran profeta del caos. Además, el hallazgo en los genomas del cáncer de nuevas estrategias mutacionales como la cromotripsis (pulverización cromosómica), la *kataegis** (lluvia de mutaciones concentrada en una pequeña región genómica) o la retrotransposición* masiva de secuencias repetidas ha revelado un mundo oculto y pleno de diversidad en los mecanismos que pueden dañar los genomas.[15] Asimismo, se han descubierto nuevos genes mutados que participan en procesos cuya relevancia oncológica era desconocida o incierta, por lo que necesitaban un aval mutacional para su consolidación. Entre ellos se encuentran genes relacionados con el metabolismo energético, con el plegamiento del ADN o con lo que se conoce como *splicing* (corte y unión de fragmentos del genoma), un proceso que resulta esencial para regular la expresión de la información genética. Estos genes se han convertido en dianas tan inesperadas como prioritarias en futuras intervenciones terapéuticas antitumorales. Por otra parte, se han definido las firmas mutacionales o patrones específicos de los daños genómicos causados por toda una serie de tóxicos ambientales que debemos evitar activamente para no seguir sumando cifras innecesarias a la continua cuenta de las víctimas del cáncer.

Y, sí, también era cierto que al final, en medio de todo este caos biológico, había un orden a la espera de ser descifrado. Hoy conocemos los genes más frecuentemente mutados en cada tipo de tumor, lo cual posibilita el diseño de estrategias pensadas para cada uno de ellos. Estos genes mutados son muchos y muy distintos, pero todos ellos se pueden agrupar en una docena de rutas bioquímicas que quedan significativamente alteradas en el cáncer. Se trata de un hallazgo fundamental, ya que hoy en día resulta muy difícil desarrollar fármacos para contrarrestar las ganancias o pérdidas de función experimentadas por los diferentes genes mutados en los tumores malignos. El diseño de intervenciones terapéuticas que actúen sobre las rutas alteradas en lugar de hacerlo sobre genes concretos puede llegar a simplificar mucho la labor de los creadores de nuevos medicamentos antitumorales. En este tiempo de análisis moleculares de los cataclismos genómicos, también hemos aprendido que no todas las mutaciones del cáncer son iguales y que, de entre los miles que se detectan en el genoma de un tumor maligno, solo unas pocas son las conductoras (*drivers*) del proceso tumoral. Estas mutaciones merecen la máxima atención, pues están en el núcleo de la adicción oncogénica, en virtud de la cual los tumores se hacen adictos a unas mutaciones concretas que acabarán convirtiéndose en su talón de Aquiles si se logra intervenir terapéuticamente sobre ellas. La identificación de las mutaciones conductoras es también esencial para analizar las biopsias líquidas, que permiten el seguimiento de un tumor y la anticipación de las resistencias y las recidivas mediante análisis moleculares de genes conductores en muestras de sangre extraídas periódicamente a los pacientes con cáncer.[16] Las restantes mutaciones detectadas en los tumores malignos se denominan pasajeras y acompañan a las mutaciones conductoras en ese largo viaje hacia la inmortalidad que emprenden las células transformadas. Estas mutaciones pasajeras —masivas en número, pero mayoritariamente irrelevantes en términos funcionales— surgen de la inestabilidad genómica característica del cáncer y acaban por subirse a la nave de la malignidad como despreocupados polizones que se suman a la aventura tumoral sin imaginar cuál va a ser su final.[17]

Lógicamente, quienes pensaron que el proyecto de los genomas del cáncer iba a representar la antesala de la erradicación de esta enfermedad desconocían la magnitud real de un mal que surge de nuestra inevitable imperfección biológica, o bien eran partícipes de la información exagerada y sesgada con que cada día nos inunda la sociedad de la información. Por supuesto, una iniciativa con una perspectiva tan amplia e innovadora ha mostrado también su debilidad en algunos aspectos, cuyo reconocimiento y discusión resultan imprescindibles para facilitar el futuro abordaje de los muchos retos pendientes en el ámbito oncológico. En mi opinión, el principal problema relacionado con el proyecto de los genomas del cáncer deriva de su lenta traslación a la práctica clínica. A menudo, pacientes con cáncer o sus familiares me preguntan por la accesibilidad actual de los análisis genómicos para tratar de buscar alguna alternativa terapéutica cuando los tratamientos más convencionales no han logrado cumplir su objetivo. La realidad es que esta metodología no suele estar implantada todavía en la sanidad pública. Varias son las razones que subyacen a una situación que nos recuerda nuevamente que la investigación básica progresa a un ritmo diferente al de las aplicaciones clínicas.

En primer lugar, debemos reconocer que entender los lenguajes genómicos no es una tarea sencilla para quienes no han tenido la oportunidad de formarse adecuadamente en estas novedosas metodologías, y sabemos que lo que se desconoce suele causar un cierto rechazo inicial en la mente humana. Este problema se está subsanando a medida que va penetrando la idea que escuché por primera vez en boca del inolvidable profesor Severo Ochoa: la medicina del futuro será molecular o no será. La curiosidad por las nuevas tecnologías aumenta a la par que el deseo de saber lo que de verdad se esconde tras palabras tan importantes como genoma, epigenoma, metagenoma, clonación, secuenciación, edición o reprogramación. Afortunadamente, las tecnologías genómicas se siguen simplificando y sus costes disminuyen, por lo que comienza a atenuarse la crítica común, pero poco documentada, de que estudiar la información contenida en los lenguajes de la vida es algo insostenible en términos económicos. No solo hay que preguntarse cuánto cuesta poner al alcance de toda la población una nueva tecnología médica, sino que hay que considerar cuál es el precio en salud y vida que debemos pagar si no introducimos estos avances. Hoy, el desciframiento de un genoma puede costar alrededor de mil euros y, en el futuro, dicho coste disminuirá cada vez más hasta que, al final, quedarán atrás los tiempos imaginados por el gran intuicionista Isaac Asimov, que hace casi tres décadas dejó escrito: «Obtener el genoma de Wanda no era una tarea fácil. Para empezar, el número de biofísicos capaces de estudiar un genoma era muy reducido y siempre estaban muy ocupados; y por si esta dificultad no fuera suficiente, el proceso de desciframiento era infernalmente caro». Además, en el caso del cáncer y de otras enfermedades genéticas, se han desarrollado métodos más sencillos para realizar análisis genómicos, como los llamados paneles de genes, que examinan a precios muy asequibles los genes candidatos a estar mutados en un determinado tipo de tumor o en una enfermedad hereditaria concreta, incluyendo los cánceres familiares. La atención se centra en buscar alteraciones entre los genes con mayor probabilidad de estar dañados en cada caso y se evita la complejidad que representa el estudio de los genomas completos. Obviamente, las simplificaciones siempre tienen limitaciones, pero estas nuevas estrategias están contribuyendo de manera decisiva a la democratización de las aproximaciones genómicas al estudio del cáncer.

Otra gran dificultad asociada con los proyectos de los genomas del cáncer deriva de la imposibilidad actual de disponer de medicamentos adecuados para frenar muchas de las mutaciones recurrentes que se han encontrado en el curso de las investigaciones llevadas a cabo por los consorcios ICGC y TCGA y el proyecto PanCancer. Este problema es todavía muy difícil de resolver y, en mi opinión, representa una limitación más seria que las consideraciones meramente económicas a la hora de implementar las aproximaciones genómicas al tratamiento del cáncer. Sin duda, para un oncólogo es muy frustrante recibir los resultados del análisis mutacional de un tumor maligno de uno de sus pacientes y constatar que no hay ningún fármaco aprobado para ninguna de las mutaciones señaladas en el informe genómico como posibles responsables del desarrollo de ese cáncer. ¿Cómo afrontar esta decepción? Una vez más, la respuesta solo puede venir del estudio y de la investigación.

La más reciente investigación genómica del cáncer también nos ha traído hallazgos sorprendentes: por ejemplo, en ciertos casos, los tejidos normales muestran mutaciones en alguno de los genes habitualmente mutados en los tumores malignos, lo cual nos indicaría que estas mutaciones típicas pueden no ser suficientes para iniciar el desarrollo tumoral.[18] Como ya hemos visto, el daño en el genoma es continuo y hace necesaria una ardua reparación, pero parece que en ciertas situaciones los tejidos normales escogen la supervivencia celular frente a la perfección genómica y toleran esas mutaciones con la esperanza de que solo en raras ocasiones llegarán a provocar un tumor maligno. Estos hallazgos nos obligan a ampliar la perspectiva y considerar que los agentes carcinógenos también provocan cambios en el microentorno de las células normales que favorecen la tumorigénesis. Estos cambios extrínsecos pueden consistir en daños físicos en la arquitectura de las matrices extracelulares, la activación de factores de señalización celular o la promoción de respuestas inflamatorias. Todos ellos pueden colaborar con las mutaciones conductoras para llegar a completar el proceso de transformación maligna.[19]

Conocer para curar, este es el mantra que hay que repetir una y otra vez. Los estudios genómicos se han de complementar con estudios funcionales que nos ayuden a transmutar el caos mutacional en nuevos medicamentos surgidos del viaje de conocimiento molecular al minúsculo planeta nuclear en el que habitan los genomas. En esta transición de mecanismos moleculares a elixires de salud habrá que prestar atención a procesos como la adicción oncogénica y no-oncogénica,* la letalidad sintética,* la evolución clonal y la resistencia tumoral, pues son los que poseen las llaves que abren o cierran las puertas del éxito en el desarrollo de nuevas terapias.[20] En paralelo, habrá que progresar en los nuevos modelos de ensayos clínicos basados en los perfiles moleculares, que intentan agilizar la traslación eficaz y segura de los medicamentos a los enfermos.[21] Indudablemente, las barreras científicas, tecnológicas y económicas que limitan los avances de los estudios genómicos del cáncer se irán superando, pero también creo que el desciframiento de genomas no ofrecerá respuestas definitivas ni para todos los pacientes, ni para todos los tumores. Afortunadamente, estos análisis genómicos no son la única opción de futuro en la oncología, ya que su desarrollo ha ido en paralelo a los avances realizados en la segunda de las nuevas estrategias antitumorales mencionadas anteriormente: la inmunoterapia. En el siguiente capítulo relataremos la larga historia de esta aproximación terapéutica, que es tan esperanzadora como antiguas son sus raíces: comenzó hace ya muchos millones de años, cuando la evolución biológica consiguió poner en marcha por primera vez unos primitivos sistemas inmunológicos de protección y defensa frente a la perseverante agresividad del entorno.

CAPÍTULO 12

La fuerza interior

La inmunoterapia

El joven italiano Peregrino Laziosi no tenía muy claro cuál era su lugar en el mundo. Dicho así, no parece que se tratara de nada extraño, pues la desubicación o la desorientación son males que nos han afectado a muchos en el pasado —o incluso en el presente— y que siguen alimentando las dudas e incertidumbres de las nuevas generaciones. Lo curioso del caso de Peregrino es que nació hace más de setecientos cincuenta años, una época en la que creemos, equivocadamente, que las preocupaciones adolescentes debían de ser otras. A ello se suma el hecho de que, pese a sus dudas existenciales, el joven Peregrino acabó siendo protagonista de algunos acontecimientos extraordinarios.

Peregrino Laziosi nació en 1265, en la ciudad italiana de Forlí, en el seno de una familia acomodada y radicalmente contraria al papa Martín IV. Probablemente, la epigenética —que refleja los cambios que sufre nuestro ADN por el efecto de factores ambientales, incluidas las conversaciones y discusiones familiares— hizo mella en Peregrino y de ahí que, cuando el religioso toscano Felipe Benizi se presentó en la ciudad para rebajar la creciente oposición al papa, Peregrino le propinara un puñetazo en plena cara antes de que pudiera articular palabra. Siguiendo la metodología cristiana más ortodoxa, Benizi le ofreció la otra mejilla, lo cual dejó al joven militante antipapal completamente perplejo. Este sencillo gesto de alguien que llegó a ser santo de la Iglesia católica fue el catalizador de una transformación radical en la vida y en el pensamiento de Peregrino: el joven dejó atrás su violento proceder, se convirtió al catolicismo, entró en la Orden de los Servitas —la misma a la que pertenecía el agredido Felipe Benizi— y se entregó en cuerpo y alma a la búsqueda de la perfección. Entre las diversas penitencias que se imponía a sí mismo el austero Peregrino para fortalecer su voluntad y su propia fe, cuenta la tradición que escogió la de permanecer de pie siempre que fuera posible, como símbolo de su afán por no detenerse nunca en su largo viaje hacia la plena espiritualidad. Tal vez a causa de los problemas circulatorios generados por una actitud tan extrema, se le empezaron a formar lesiones varicosas en ambas piernas hasta que, al final, en una de ellas se le desarrolló un tumor maligno que acabó por ulcerarse e infectarse. Según las crónicas de la época, era un tumor inoperable y desprendía un olor nauseabundo. Los médicos recomendaron amputar de inmediato la pierna infectada, cosa que era casi una sentencia de muerte, pues dada la carencia de medios antisépticos y de anestesia las intervenciones quirúrgicas eran una invitación a viajar al otro mundo.

La noche anterior a la operación, Peregrino pasó hora tras hora entregado a la oración hasta que, con la llegada del amanecer, cayó en un profundo sueño. Al despertar, se encontró con la pierna completamente curada, no quedaba ni rastro de las graves lesiones que habían aconsejado su amputación y los médicos nada tuvieron que hacer salvo certificar su curación. El cáncer no volvió a presentarse y Peregrino de Forlí tuvo una larga vida consagrada a la fe y la oración. En 1726 fue canonizado por el papa Benedicto XIII y, desde entonces, ha sido el patrón de los enfermos de cáncer. Para los creyentes, san Peregrino Laziosi es un clásico ejemplo de la fuerza interior de la fe, pero para los científicos el santo italiano puede constituir un paradigma de otra fuerza interior, la del sistema inmunitario. En efecto, la curación de san Peregrino es una sugerente descripción de cómo se produce la regresión espontánea de un tumor maligno. Además, la grave infección que padecía el santo en la pierna, recogida fielmente en las representaciones artísticas de su figura, apoyaría la hipótesis de que la remisión del tumor estuvo de alguna manera asociada a una respuesta inmunológica natural de la que entonces nada se sabía.

Tuvieron que pasar seis siglos para que las regresiones espontáneas del cáncer volvieran a despertar interés, y ello fue gracias a William Coley, un joven cirujano americano que sí que tenía claro cuál era su lugar en el mundo. Nacido en 1862 en el seno de una modesta familia rural, desde niño mostró un gran interés por la medicina. Trabajó duramente para pagarse los estudios y, tras formarse en las universidades de Yale y Harvard, comenzó a trabajar como cirujano en el Hospital del Cáncer de Nueva York, hoy conocido como Memorial Sloan-Kettering Cancer Center, uno de los mejores centros oncológicos del mundo. El 1 de octubre de 1890, el joven y todavía inexperto doctor Coley recibió en su consulta a una encantadora paciente llamada Bessie Dashiell, una adolescente que iba a cambiarle la vida y que, con el tiempo, habría de cambiar también la de muchos miles de personas en todo el mundo. Bessie tenía entonces diecisiete años y acudió a William Coley en busca de consejo porque sufría una dolorosa hinchazón en la mano derecha que ningún médico había logrado curar. Ella atribuía el dolor a un leve accidente que había sufrido en el tren semanas atrás, cuando se le quedó atrapada la mano durante unos minutos —que a ella le parecieron eternos— entre los asientos del vagón en el que viajaba. Coley pensó que la lesión podía ser una infección derivada de ese percance y la intentó tratar como tal, pero no logró ningún resultado positivo: Bessie seguía teniendo dolor y la mano estaba cada vez más hinchada.

Confundido e intrigado, Coley realizó una biopsia de la zona inflamada. El análisis patológico fue tan concluyente como dramático: Bessie tenía un sarcoma, un tumor muy agresivo para el que entonces no había más opción terapéutica que la amputación de la región afectada. Sin perder el ánimo, la joven pasó por la dura prueba de verse privada del brazo derecho a fin de evitar la diseminación de las células tumorales. Pero no sirvió de nada. Coley pronto comprobó que el sarcoma se había extendido velozmente por varios órganos, comprometiendo gravemente la vida de Bessie. Murió el 23 de enero de 1891: no habían transcurrido ni cinco meses desde que una chica con toda la vida por delante había acudido a una consulta médica para poner remedio a un problema aparentemente menor y nada se había podido hacer para curarla.

El triste caso de Bessie impresionó vivamente a William Coley, que desde entonces dedicó toda su carrera profesional a tratar de encontrar alguna solución eficaz contra el cáncer. Su formación clínica era excelente, pero carecía de experiencia científica, así que lo primero que hizo fue revisar la literatura oncológica y las historias clínicas de su hospital con la esperanza de encontrar alguna clave que iluminara su incipiente viaje de exploración al centro del cáncer. Por fortuna, no tardó en descubrir que entre las montañas de artículos e informes médicos que tenía a su alrededor había una auténtica joya: la historia de la inexplicable curación de Fred Stein.

Fred era un inmigrante alemán que en 1883 había sido operado de un tumor en el cuello en el Hospital del Cáncer de Nueva York. El tumor volvió a aparecer enseguida y, además, tras la intervención Stein desarrolló una grave erisipela —una infección de la piel causada por la bacteria *Streptococcus pyogenes*— que hizo pensar a los médicos que su fatal destino era ineludible. Sin embargo, para sorpresa de todos, en cuestión de días el tumor desapareció por sí solo, la infección cesó y Fred fue dado de alta completamente curado. Ocho años después de este curioso caso de «tumor de san Peregrino» —pues así se llaman los cánceres que se curan espontáneamente—, Coley pasó varias semanas recorriendo de arriba a abajo el barrio de Manhattan donde vivían los inmigrantes alemanes, tratando de localizar a un hombre llamado Fred Stein que tenía una gran cicatriz en el cuello. Finalmente, y de nuevo con gran fortuna, lo encontró y pudo comprobar que, tras casi una década, el cáncer no había reaparecido y Fred se encontraba en perfecto estado de salud.

Pensando que la respuesta defensiva contra la infección bacteriana podía haber contribuido también a eliminar el tumor, William Coley redobló sus esfuerzos para aclarar esta cuestión. La literatura científica acudió en su ayuda y le enseñó que grandes figuras de la microbiología como Louis Pasteur y Robert Koch habían descrito casos similares de regresión tumoral después de que los pacientes contrajeran la erisipela. Incluso es posible que Coley leyera en algún libro de historia de la medicina que, en 2600 a. C., el médico egipcio Imhotep trataba algunos cánceres mediante cataplasmas e incisiones en el propio tumor para facilitar la generación de infecciones, pues parecían tener efectos curativos. Decidido a evaluar su hipótesis, Coley escogió a uno de sus pacientes con cáncer terminal y, en una audaz aproximación clínica que hoy resultaría impensable, una mañana de mayo de 1891 lo infectó con *S. pyogenes.* Apenas tenemos datos de este primer héroe voluntario o involuntario de la medicina apellidado Zola y cuyo nombre no ha llegado hasta nosotros. Zola era un inmigrante italiano de unos treinta y cinco años, que había sido intervenido varias veces de un raro y agresivo sarcoma de cuello que prácticamente le impedía comer, hablar y hasta respirar. Coley realizó diversas incisiones en la región afectada y administró directamente sobre ellas una preparación de *S. pyogenes.* La mejoría de Zola fue mínima, pero suficiente para que Coley decidiera seguir con la inyección de bacterias durante varios meses. Finalmente, el médico preparó una cepa muy virulenta de *S. pyogenes*, inyectó las bacterias directamente en el tumor y, tras veinticuatro horas agónicas con una fiebre muy elevada, el paciente se recuperó en muy poco tiempo y el tumor desapareció. Zola vivió ocho años más, lo cual fue considerado como un milagro parecido al de Peregrino Laziosi, dado el estado terminal en el que se encontraba cuando se le introdujeron los agentes patógenos.

Al poco tiempo, Coley intentó mejorar y sistematizar su estrategia antitumoral y, anticipando las terapias combinadas actuales, preparó bacterias de distintas cepas causantes de erisipela, a las que añadió otras con un nombre tan sugerente como *Bacillus prodigiosus* (hoy denominadas *Serratia marcescens*) y que producen un compuesto de intenso color rojo llamado prodigiosina. No sabemos si el interés de Coley por estas bacterias tenía algún soporte científico o era una mera intuición derivada de su evocador nombre y de su asociación a acontecimientos milagrosos. En efecto, es probable que *B. prodigiosus* esté detrás de la sorprendente aparición de sangre en la sagrada forma en una eucaristía celebrada en la ciudad italiana de Bolsena por un sacerdote que dudaba de la transubstanciación. Debido a la facilidad con la que crece en el pan y a la pigmentación roja causada por la prodigiosina, esta bacteria podría ser la responsable natural de aquella milagrosa aparición de sangre en la eucaristía, que llevó al papa Urbano IV a instituir la fiesta del Corpus Christi en 1264 y al gran artista renacentista Rafael Sanzio a pintar su bellísimo fresco *La misa de Bolsena*.

Fuera cual fuera el motivo por el que Coley escogió esta prodigiosa bacteria, la cuestión es que, tras mezclarla con *S. pyogenes*, procedió a inactivar ambos microorganismos al modo de Pasteur para evitar su peligrosa propagación, pero sin eliminar sus componentes moleculares más importantes. Después añadió algunos otros compuestos de origen bacteriano y, de esta manera, consiguió una combinación de productos biológicos que pasó a ser conocida como «la toxina de Coley». Esta pócima mágica y prodigiosa, como se decía entonces, se utilizó en tratamientos de cáncer durante muchos años, pero los resultados obtenidos fueron muy variables y los efectos secundarios, de bastante entidad y, a veces, hasta letales. De acuerdo con los datos del propio Coley, su tasa de éxito en el tratamiento de sarcomas de tejidos blandos fue de alrededor del 10 %, lo cual no es nada desdeñable en un tumor que un siglo después sigue teniendo mal pronóstico clínico en muchos pacientes.

El principal problema para William Coley era la falta de reproducibilidad de sus tratamientos y la imposibilidad de explicar su mecanismo de acción en los casos de regresiones tumorales completas. En aquel momento, y gracias al trabajo de Pasteur y Koch, ya parecía evidente que el cuerpo humano se defiende de los agentes patógenos por medio de las células y de la sangre. Tanto Pasteur como Koch se sirvieron de los escasos conocimientos existentes sobre lo que luego se llamaría sistema inmunitario para desarrollar vacunas tan importantes como las de la rabia, el ántrax o la difteria, que demostraron que era posible estimular las defensas endógenas o fagocitos para luchar contra los microbios. Paul Ehrlich, el padre de la idea de las balas mágicas antitumorales, también sostuvo que los sistemas endógenos de defensa eran los responsables de que el cáncer no fuera una enfermedad todavía más frecuente de lo que ya era. Por esa misma época, el gran dramaturgo irlandés George Bernard Shaw —ganador del Premio Nobel de Literatura en 1925 y del Oscar de Hollywood al mejor guion adaptado en 1939— en la obra teatral *El dilema del doctor*, estrenada en 1906, puso en boca del protagonista una frase extrañamente premonitoria: «En el fondo, solo hay un único tratamiento científico para todas las enfermedades y no es otro que la estimulación de los fagocitos». William Coley podría haber seguido los principios de Pasteur y Koch, o las intuiciones de Ehrlich o Shaw, para intentar explicar las regresiones tumorales que observaba en algunos pacientes tratados con su toxina, pero no lo hizo. Según él, el cáncer tenía su origen en los microorganismos que eran destruidos por su prodigioso remedio. Este fue el gran error de Coley: con el tiempo supimos que las toxinas que preparaba en su laboratorio no eran agentes de destrucción masiva de los tumores, sino agentes de estimulación masiva de los mecanismos endógenos antitumorales, nuestra fuerza interior contra el cáncer.

Con el avance del siglo XX, la quimioterapia y la radioterapia fueron progresando cada vez más, mientras que la toxina de Coley iba perdiendo predicamento entre los oncólogos, hasta que finalmente fue abandonada e incluso prohibida. Pese a los reveses sufridos y a las críticas de tantos colegas, la teoría de Coley nunca se dejó completamente de lado. Su hija Helen Coley Nauts asumió su legado, revisó los más de mil casos que había tratado su padre con la combinación de toxinas bacterianas y adaptó sus ideas al conocimiento más reciente. Helen reconoció que las toxinas no actuaban directamente sobre los tumores, sino que posiblemente lo que hacían era estimular el sistema retículo-endotelial —hoy conocido como sistema fagocítico mononuclear—, que engloba varios tipos de células implicados en la respuesta inmunológica.

Desafortunadamente, las dudas persistieron y el trabajo de Coley como pionero de la inmunoterapia del cáncer no fue reconocido. En estos casos nunca olvido que la investigación científica es como una *ekiden* japonesa, una carrera de relevos de larga distancia en la que el primer componente del equipo recorre un buen número de kilómetros y pasa la *tasuki* (una tela en forma de banda) al siguiente corredor de su equipo, y así sucesivamente con el resto de los componentes hasta que logran completar la carrera. Escuchando la simbólica canción *The Alien*, constato que la muerte de William Coley coincidió con notable precisión con la llegada al mundo de Steven A. Rosenberg, que tomó su testigo en otra larga y difícil carrera cuya meta iba a ser la instauración de la inmunoterapia como nueva estrategia frente a ese alien tumoral que invade nuestras vidas.

Steven Rosenberg nació en Nueva York en 1940; sus padres eran unos judíos de origen polaco que habían emigrado a la tierra prometida americana en busca de mejor fortuna para sus hijos. El estudioso Steven se formó en las universidades de Johns Hopkins y Harvard, en las que se especializó en cirugía y biofísica, respectivamente. Tras completar su formación médica, en 1974 se incorporó al Instituto Nacional del Cáncer de los Estados Unidos y hoy en día todavía sigue trabajando en este organismo. A Steven Rosenberg se le ha considerado como uno de los pioneros en la investigación formal de la hipótesis de que el sistema inmune es capaz de generar respuestas contra el cáncer. Al principio de su trabajo, la mayoría de los investigadores consideraba que, como las células tumorales eran parte de nuestro cuerpo, el sistema inmunitario era incapaz de reconocerlas como entidades extrañas y, por tanto, de atacarlas o eliminarlas. Steven Rosenberg comenzó a distanciarse de este dogma en 1968, cuando, durante su formación clínica, coincidió con un paciente apellidado DeAngelo que había acudido al hospital por un problema médico menor. Al revisar su historial, Rosenberg comprobó asombrado que, doce años antes, ese mismo paciente había sufrido un cáncer incurable y en fase terminal, por lo que fue enviado a casa para que pudiera despedirse de la vida en un entorno familiar. El caso de DeAngelo fue para Rosenberg una prueba de que el sistema inmune era el responsable de la curación del enfermo y, en cierto modo, se convirtió en el equivalente de lo que Bessie había representado para Willian Coley o Adán para mí mismo. Nombres propios que cambian las voluntades, los destinos y las vidas.

Desde entonces, Steven Rosenberg ha dedicado sus ya más de cinco décadas de trabajo clínico y científico a la búsqueda de las claves que determinan la relevancia del sistema inmune en la eliminación de los tumores malignos. En este viaje personal hacia el centro de la inmunología del cáncer, Rosenberg partía con una gran ventaja sobre Coley, pues el conocimiento de los principios básicos de la respuesta inmunológica había crecido sustancialmente en unos pocos años. Los inmunólogos ya nos habían enseñado a distinguir entre el sistema inmune innato y el adquirido. El sistema innato representa nuestra primera línea de defensa y está formado por un amplio abanico de células, como los macrófagos, los monocitos, los granulocitos, las células NK (*natural killer*) o las células dendríticas, que examinan hasta el último rincón del interior de nuestro organismo en busca de todo aquello que es ajeno, está ya caduco o parece insolidario. Tras localizar estos componentes no deseados, las células del sistema inmune innato los ingieren y los destruyen, para después proseguir su labor general e inespecífica de limpieza interna. Afortunadamente, la evolución nos ha regalado una estrategia adicional de defensa mucho más sofisticada y específica: el sistema inmune adaptativo. Su objetivo es asegurar nuestra protección frente a lo nuevo, facilitar nuestra adaptación a lo inesperado y recordar siempre a nuestros visitantes, por si en el futuro tuviéramos que volver a enfrentarnos al mismo agente invasor. Los personajes principales de este sistema son los linfocitos B y T, que recorren el torrente sanguíneo en una permanente y coordinada labor de protección frente a la eventual llegada de nuevos agentes patógenos como pueden ser los virus, las bacterias, los hongos y los parásitos. Los linfocitos B se originan en la médula ósea (en inglés *bone marrow*) y producen anticuerpos de una variedad abrumadora —más de cien millones de moléculas diferentes—, lo cual hace muy probable que alguno de ellos reconozca alguna de las proteínas (antígenos) de esos microorganismos a los que nunca antes nos habíamos enfrentado e inicie un proceso para eliminarlos. Los linfocitos T deben su nombre al lugar donde se produce su maduración a partir de células precursoras hematopoyéticas: una glándula llamada timo que tiene forma de mariposa o de manojo de tomillo y está situada bajo el esternón. Las células T también muestran una extraordinaria diversidad en sus características moleculares y en sus funciones; las más importantes son las T-*helper* (cooperadoras), encargadas de coordinar la respuesta inmune adaptativa a través de una compleja red de pequeñas proteínas llamadas citoquinas, y las T-citotóxicas, responsables de la destrucción última de los agentes invasores.

Apoyándose en todos estos conocimientos, Rosenberg consideró que si lograba potenciar de alguna forma el sistema inmune, a lo mejor podía contribuir a ampliar las opciones de tratar el cáncer. No en vano, la gran mayoría de los tumores surgen desde dentro y, por tanto, deberían ser invisibles para el sistema inmune innato, pero al mismo tiempo son entidades tan profundamente transformadas que su procedencia original podría comenzar a difuminarse hasta llegar al olvido. En este escenario no resultaría extraño que, si se daban las condiciones apropiadas, las dos ramas del sistema inmune se conjuraran para enfrentarse a ese alien invasor de cuya procedencia original ya apenas quedaría memoria clara. Su primera exploración experimental de esta idea comenzó en torno a 1975 y estuvo basada en el empleo de interleuquina-2, una proteína estimuladora de la proliferación de los linfocitos T, por lo que podía potenciar su hipotética acción antitumoral. Tras algunos estudios prometedores en ratones con cáncer —a los que se les extraían linfocitos T, se activaban con interleuquina-2 y se infundían de nuevo en los ratones junto con la propia citoquina—, Rosenberg puso en marcha un ensayo clínico con pacientes oncológicos en fase terminal basado en la misma estrategia metodológica. Los resultados del ensayo, realizado con más de sesenta pacientes, fueron negativos; pero, después de mejorar varias veces el protocolo de actuación y aumentar considerablemente la dosis de interleuquina-2, una paciente con melanoma metastásico mostró una remisión completa de la enfermedad, situación en la que se mantuvo más de tres décadas. En estudios paralelos, pronto se pudo observar que otros pacientes con melanoma y cáncer renal metastásico también habían respondido favorablemente al tratamiento basado en la interleuquina-2, aunque sin lograr la eliminación total de sus tumores. Habían pasado ya más de diez años desde que Rosenberg comenzó a explorar su idea, pero al fin había conseguido la primera prueba de que la potenciación farmacológica del sistema inmune podía curar a pacientes oncológicos para los que ya no había ninguna esperanza de salvación.

Los resultados de este estudio se publicaron el 5 de diciembre de 1985 en la prestigiosa revista *New England Journal of Medicine* y generaron una gran expectación.[1] Muchos otros científicos intentaron mejorar y expandir este trabajo preliminar y prometedor. Para ello utilizaron diversos factores inmunológicos como los interferones o el factor estimulante de colonias GM-CSF que, solos o en combinación, pudieran aumentar la respuesta antitumoral natural. Sin embargo, pese a lo que algunos afirmaron de manera exagerada e imprudente, estos factores en ningún caso llegaron a convertirse en la penicilina del cáncer. Asimismo, se llevaron a cabo numerosos ensayos con distintas formas de vacunas antitumorales, pero solo fueron eficaces en casos muy concretos. El propio Steven Rosenberg mejoró su protocolo de terapia celular utilizando las denominadas células TIL (linfocitos infiltrantes de tumores), extraídas directamente de los tumores de los pacientes y expandidas *in vitro* con interleuquina-2. En los casos con melanoma avanzado se obtuvieron buenos resultados, pero en la mayoría de los pacientes oncológicos las distintas opciones de inmunoterapia seguían sin funcionar. A esta decepción se unió el hallazgo de los llamados casos de catástrofe mutacional o mitótica, en los que la natural inestabilidad genómica de las células tumorales en algunos cánceres (entre ellos los melanomas) alcanzaba unos valores tan desmesurados que las células tumorales acumulaban decenas de miles de mutaciones y se volvían inviables. Estos procesos catastróficos podían ser responsables de algunas de las curaciones espontáneas o milagrosas del cáncer y rivalizar con las curaciones adjudicadas a la incipiente inmunoterapia. Poco a poco, volvió a instalarse la impresión de que, una vez más, una idea conceptualmente irreprochable como la de reforzar las defensas inmunológicas antitumorales se perdía en la traslación de la investigación a la práctica clínica.

Hacían falta nuevos relevistas en aquella larga carrera de *ekiden*. Muchos lo intentaron, pero fueron James Allison y Tasuku Honjo quienes, tras tomar el testigo de Steven Rosenberg en California y en Kioto, respectivamente, consiguieron llevar la *tasuki* a una de sus metas en las afueras de la ciudad sueca de Estocolmo. Allí, Allison y Honjo convergieron con exquisita precisión espacial y temporal el 10 de diciembre de 2018 durante la entrega del Premio Nobel de Medicina, que ambos compartieron por su descubrimiento de la «terapia contra el cáncer mediante la inhibición de la regulación inmune negativa».

Jim Allison nació en 1948 en la pequeña ciudad tejana de Alice; su padre era médico rural y su madre un ama de casa que murió de un linfoma cuando él era todavía un niño. Desde entonces, el cáncer siempre ha estado muy presente en la biografía de Jim. Otros miembros de su familia más cercana también murieron de cáncer y él mismo ha recibido la visita sucesiva del melanoma, del cáncer de vejiga y del cáncer de próstata. Mirando la ecuación desde el otro extremo, Jim también ha estado muy vinculado a la biografía del cáncer, pues su trabajo ha abierto un camino que ha permitido curar o extender la vida de miles de pacientes oncológicos en todo el mundo. A la vista de estos datos que hacen de Jim Allison un maravilloso donador de salud y vida, resulta curioso escuchar sus razones para estudiar Biología en lugar de Medicina: «Me consideraba demasiado indisciplinado para hacerme cargo de la atención clínica diaria de los pacientes. A mí no me gustan las sinfonías, me gusta el *blues*». Jim Allison estudió en la Universidad de Texas y, tras especializarse en inmunología en diversos centros estadounidenses, puso en marcha su propio laboratorio en la Universidad de California en Berkeley con el objetivo de estudiar los mecanismos de funcionamiento de los linfocitos T. En el curso de su trabajo, sintió curiosidad por una proteína llamada CTLA-4 localizada en la superficie de las células T y a la que se le atribuía una función estimuladora de la respuesta inmunológica. Sorprendentemente, los experimentos de Allison y sus colaboradores llevaron a la conclusión opuesta: esta proteína era un auténtico freno para el sistema inmune. Jim se percató enseguida de que si lograba anular este punto de control (*checkpoint* en inglés), los linfocitos T quedarían libres de ataduras y podrían expresar todo su potencial para atacar el cáncer. La idea era sencilla y provocativa: inhibir los inhibidores del sistema inmune tendría el mismo efecto que activarlo. La forma de comprobarlo también parecía relativamente sencilla: crearon un anticuerpo capaz de bloquear la proteína CTLA-4, utilizando la misma metodología que en el caso del trastuzumab y otros *mab* para las terapias dirigidas contra el cáncer. A continuación inyectaron esos anticuerpos en ratones con cáncer y los tumores desaparecieron. El 22 de marzo de 1996, la revista *Science* recogió en sus páginas este estudio que, según se decía, inauguraba una nueva era en la oncología sobre la base de dos principios: intervenir sobre el sistema inmune en lugar de actuar sobre las células tumorales y hacerlo bloqueando los inhibidores de los puntos de control de la respuesta inmunológica.[2]

Jim Allison, sin embargo, se mostró mucho más prudente, pues sabía perfectamente que el cáncer ya se había curado muchas veces en ratones y que lo verdaderamente complejo era recorrer el trayecto que va desde las ideas en los laboratorios a las aplicaciones en los pacientes. Jim decidió emprender ese viaje de inmediato y, para ello, buscó algún tipo de apoyo externo que le permitiera explorar el potencial terapéutico de esos inhibidores de los inhibidores que había creado. La respuesta fue decepcionante por el escepticismo generalizado que encontró en las compañías farmacéuticas. La inmunoterapia estaba en horas bajas, se había convertido en un terreno maldito para la industria, pues las expectativas generadas nunca se habían transformado en algo tangible. Finalmente, una pequeña empresa llamada Medarex decidió asumir el riesgo y, en 2005, puso en marcha un ensayo clínico preliminar en un grupo de pacientes con melanoma avanzado a los que se administró el anticuerpo humanizado anti-CTLA-4 que recibe el nombre de ipilimumab. El resultado fue extraordinario; de los fríos números y las aburridas estadísticas se empezó a pasar a los nombres propios, como por ejemplo el de Sharon Belvin, una de las participantes en este ensayo inicial. Sharon recibió la primera inyección de ipilimumab en septiembre de 2005 y, al cabo de un tiempo, su melanoma diseminado por el corazón, el hígado, los pulmones y otros órganos comenzó a reducirse ostensiblemente. Un año más tarde, Sharon no tenía ni rastro del melanoma y, quince años después, sigue en ese mismo estado. A partir de ahí, el avance de la inmunoterapia ya fue más rápido y menos turbulento. Una gran compañía farmacéutica, Bristol-Myers Squibb, compró la pequeña Medarex y los derechos sobre el ipilimumab y, entonces, los ensayos clínicos con pacientes oncológicos de todo tipo experimentaron un impulso extraordinario en todo el mundo.

Mientras esto acontecía en Estados Unidos, en Japón se estaba desarrollando una historia increíblemente simétrica. El personaje principal era Tasuku Honjo, un médico e investigador nacido en 1942 en la bella e inspiradora ciudad de Kioto. Según contaba él mismo, nunca fue un buen estudiante: «No me gustaba seguir la agenda del profesor, sino ir a mi ritmo. Tampoco estudiaba mucho en casa. Prefería salir a jugar con mis amigos; pero siempre tuve mucha curiosidad e interés por aprender». Y lo demostró: tras completar la carrera de Medicina en la Universidad de Kioto, mantuvo esa curiosidad e interés por seguir aprendiendo y acudió a varios centros de Estados Unidos para ampliar su formación en inmunología. Después regresó a su país natal, trabajó en las universidades de Tokio y Osaka, y en 1982 volvió al punto de partida, la Universidad de Kioto, donde estableció su grupo de investigación. Al igual que le ocurrió a Jim Allison, el interés inicial de Tasuku Honjo no era el estudio del cáncer, sino la exploración de los mecanismos moleculares de la respuesta inmune. Avanzando un punto más en el paralelismo con Jim, Tasuku se centró en una proteína de la superficie de los linfocitos T llamada PD-1, a la que se une otra proteína presente en las células tumorales y conocida como PD-L1 (el ligando* de PD-1). Y sí, como había sucedido con la proteína CTLA-4 con la que trabajaba Allison, Honjo demostró que la proteína PD-1 se comportaba como un inhibidor de la respuesta inmune antitumoral una vez había interaccionado con su ligando PD-L1. Estábamos, por tanto, ante una variante de la misma estrategia: las células tumorales usaban una proteína (PD-L1) para activar un freno del sistema inmune (PD-1) y evitar su ataque. La etapa siguiente en el plan de trabajo de Tasuku Honjo fue exactamente la misma que había seguido Allison: desarrollar un anticuerpo anti-PD-1 (que llamó nivolumab), inyectarlo en ratones con cáncer y comprobar su funcionamiento como estimulador de linfocitos T antitumorales. De nuevo, la estrategia funcionó perfectamente, de modo que se empezaron a hacer ensayos clínicos en pacientes con melanoma avanzado a los que se trataba con nivolumab. Los resultados fueron excelentes y, en algunos casos, incluso mejores que con el ipilimumab. Finalmente, y para completar el mismo recorrido que había seguido el ipilimumab, el nivolumab comenzó a evaluarse clínicamente en pacientes con distintos tipos de cáncer.[3]

A partir de aquí, las trayectorias científicas de Allison y Honjo van prácticamente a la par. Durante años, su trabajo había discurrido en paralelo en rincones del mundo muy alejados entre sí, pero, al converger, despertó esa honda esperanza que resulta imprescindible para sostener el alma frente a las sombras que acompañan al diagnóstico de cáncer. La esperanza se extendió porque el fundamento científico de esta nueva forma de inmunoterapia basada en el bloqueo de los puntos de control del sistema inmune era fácil de explicar y muy fácil de entender: la solución estaba en el refuerzo de las defensas. El cáncer surge de nuestro interior, así que parece lógico que potenciando el sistema inmune —nuestra fuerza interior mejor organizada tengamos más opciones de vencer a los tumores malignos. Y la esperanza siguió creciendo tras la gran visibilidad adquirida por alguno de los primeros pacientes curados por estos nuevos anticuerpos, que relataron sus dramas personales con el optimismo que acompaña a las historias con finales felices. Con esta marea imparable de esperanza, popularidad y visibilidad impulsada por un trabajo original y riguroso, el esfuerzo de James Allison y Tasuku Honjo comenzó a ser reconocido en numerosos ámbitos sociales y científicos. El entrañable Jim —con su largo pelo blanco cayendo desmadejado sobre sus hombros, su aparente distancia de las pautas de la moda actual y su dominio de la armónica en los dos grupos de *blues* que lidera y que tienen nombres tan simbólicos como The Checkpoints y The Checkmates— se convirtió en un nuevo icono de la ciencia moderna. Curiosamente, y según ha contado él mismo, uno de los mejores momentos de su vida fue cuando Willie Nelson, el gran mito de la música *country* norteamericana, le invitó a subir al escenario para interpretar juntos una de sus inolvidables canciones, de las que personalmente me quedo con *Just breathe* (simplemente respira). La convergencia Allison-Honjo alcanzó su cénit cuando el rey de Suecia les hizo entrega del Premio Nobel de Medicina. Del acto ha quedado una fotografía inolvidable: Jim, con su aspecto orondo y sonrosado transmitiendo cercanía y sinceridad, posa junto a Tasuku, vestido con el traje tradicional japonés e impregnado de educación y serenidad.

Este relato de una historia tan próxima en el tiempo está teñido de optimismo y en mi mente figura como una de las escasas ocasiones en la que todas las incertidumbres que acompañan a la investigación científica parecen haberse puesto en la orientación precisa. Sin duda, el avance de la inmunoterapia ha servido para mejorar la salud de los enfermos de cáncer y, de paso, para mostrar ciertas actitudes que tal vez sirvan de modelo a algunos miembros de la confusa sociedad actual. La medicina personal y la medicina social, unidas en busca de alivio frente a la vulnerabilidad individual y a la banalidad colectiva. Llegados a este punto, resulta obligatorio preguntarnos si estamos ya ante la cura definitiva del cáncer. En mi opinión, en el momento presente y en un futuro con un horizonte todavía lejano, la respuesta es un rotundo no. Para sustentar esta negativa predicción, quizá lo mejor sea recordar algunos datos recientes.

Los ensayos clínicos con ipilimumab y nivolumab, los dos primeros anticuerpos usados como potenciadores del sistema inmune antitumoral, demostraron una notable eficacia contra el melanoma avanzado. Más del 30 % de los pacientes respondieron significativamente al tratamiento de esta enfermedad letal. Además, las respuestas fueron sorprendentemente duraderas, algo muy infrecuente en cánceres avanzados. En un análisis de casi cinco mil pacientes tratados con ipilimumab, más del 20 % sobrevivían tres años después de haber sido tratados. Asimismo, un pequeño número de pacientes con cáncer renal metastásico o con cáncer de pulmón también mostraron respuestas positivas. Sin embargo, otros tumores tan frecuentes como los cánceres de mama, de próstata o de estómago apenas mostraron sensibilidad a la inmunoterapia.[4] Por lo tanto, el avance era extraordinario, pero de momento no servía ni para todos los pacientes, ni para todos los tipos de tumores. Además, en algunos pacientes los efectos secundarios de estos inhibidores de los puntos de control inmunitarios no fueron nada desdeñables. Al eliminar los frenos de su sistema inmune, se les generó un exceso de inmunidad que condujo al desarrollo de reacciones inflamatorias graves o a enfermedades autoinmunes como la diabetes, el lupus, la artritis o el hipotiroidismo. Ante esta situación que rebaja el optimismo y nos devuelve al mundo real, se amontonan las preguntas. ¿Por qué esta forma de inmunoterapia funciona solamente en algunos tumores y en algunos pacientes? ¿Qué características tiene el melanoma que no tienen otros tumores? ¿Podemos predecir qué pacientes van a responder a los tratamientos con estos estimuladores del sistema inmune? ¿Es posible mejorar estas nuevas estrategias para tratar con éxito otros tumores? ¿Existen otras formas de inmunoterapia que puedan ser más útiles para otros tumores? Afortunadamente, comenzamos a tener respuestas para todas estas cuestiones.

La mayor vulnerabilidad del melanoma a la inmunoterapia deriva de sus especiales características biológicas y del tipo de agente mutagénico que lo ha originado: la exposición excesiva a la radiación ultravioleta. La mayoría de estos violentos y agresivos tumores acumulan un número de mutaciones muy superior al de cualquier otro tipo de cáncer. Recuerdo haber tenido la oportunidad de revisar el genoma de una paciente con melanoma que portaba cerca de trescientas mil mutaciones; sin duda, había sufrido un auténtico cataclismo molecular. Ante tal caos genómico, las células tumorales multiplican sus diferencias con respecto a las células normales del paciente y el sistema inmune, potenciado por los inhibidores de los puntos de control, encuentra más facilidades para desenmascarar a las células transformadas y destruirlas. Otros tumores causados por defectos en los mecanismos de reparación del daño genético —incluyendo los que poseen la denominada inestabilidad de microsatélites, de la que ya hemos hablado en el capítulo 9— también muestran un gran número de mutaciones y acaban por llamar la atención del sistema inmune, sobre todo si este se ha activado farmacológicamente. Entre estos tumores están algunos tipos de cáncer colorrectal, de pulmón o ginecológico, que, junto con el melanoma, son precisamente los que mejor responden a la inmunoterapia. Por el contrario, hay tumores generados e impulsados por un pequeño número de mutaciones, por lo que el sistema inmunitario no parece considerar que estas células tan poco mutadas tengan la suficiente relevancia como para poner en marcha una costosa respuesta inmune frente a ellas. Por tanto, la sensibilidad de estos tumores a los inhibidores de los puntos de control inmunitario es hasta el momento ocasional o prácticamente nula.

Lógicamente, estaría bien que pudiéramos anticipar si un paciente va a responder a la inmunoterapia, pues evitaríamos tratamientos que, además de ser muy caros, pueden provocar efectos secundarios importantes e incluso llegar a marginar otras terapias que para determinados pacientes podrían ser más eficaces. La búsqueda de estos marcadores biológicos de predicción de respuesta a la inmunoterapia ya ha comenzado, aunque los resultados son todavía muy escasos. Entre los biomarcadores usados en la actualidad, destaca la cuantificación de PD-L1 en las células tumorales, ya que asumimos que los cánceres que producen esta proteína tienen frenado el sistema inmune en este particular punto de control. Además, se puede analizar la carga mutacional total o la inestabilidad de los llamados microsatélites y asumir que los tumores que tengan elevados estos parámetros van a responder mejor a la inmunoterapia. Claramente, estos datos son insuficientes y urge avanzar en el ancestral arte de la predicción médica para que la inmunoterapia pueda progresar, lo cual nos conecta con la siguiente pregunta que nos habíamos planteado en este ámbito.

¿Cómo podemos mejorar la inmunoterapia basada en los inhibidores de los puntos de control del sistema inmunitario? La primera posibilidad que se ha explorado en este sentido es obvia y lógica: combinar los inhibidores entre sí o con otras formas de tratamiento del cáncer. El empleo conjunto de ipilimumab y nivolumab ha tenido unos resultados espectaculares: la supervivencia a los dos años de tratamiento en pacientes con melanoma ha alcanzado el 79 %. La explicación de este éxito es sencilla, ya que estos medicamentos no son redundantes, sino que actúan sobre distintos puntos de control inmunitario y, por tanto, sus efectos pueden complementarse. Lamentablemente, los daños colaterales también pueden incrementarse y la toxicidad de la combinación ipilimumab y nivolumab va a restringir severamente su empleo.[5] Estas limitaciones han estimulado el desarrollo de una nueva generación de inhibidores de puntos de control del sistema inmune en un intento de mejorar la eficiencia de los disponibles o de actuar sobre otros frenos del sistema inmune. Tras el ipilimumab y el nivolumab llegó el pembrolizumab, que enseguida tuvo notoriedad, pues se utilizó con éxito para tratar al expresidente americano Jimmy Carter de un melanoma muy avanzado con metástasis hepáticas y cerebrales. El pembrolizumab también ha empezado a usarse en cáncer de mama y en otros tumores de alta incidencia, con lo cual el espectro de aplicaciones de la inmunoterapia ha comenzado a extenderse. Y tras el pembrolizumab llaman a la puerta de los tumores el atezolizumab, el avelumab, el durvalumab y otros *mab* que demuestran que, si bien es cierto que el cáncer no descansa, la capacidad humana para desarrollar nuevas estrategias antitumorales tampoco lo hace. Por último, los inhibidores de los puntos de control han comenzado a combinarse de múltiples maneras con estrategias de quimioterapia, terapias dirigidas antitumorales y radioterapia. En cualquier caso, habrá que esperar pacientemente hasta disponer de datos sólidos derivados de estas terapias combinatorias, pues son tantos los ensayos propuestos que la mayoría de ellos tienen dificultades para incorporar el número suficiente de pacientes que permita obtener resultados significativos.

En suma, y más allá de sus actuales limitaciones, el empleo de los inhibidores de los frenos del sistema inmune siguiendo las pautas propuestas por Jim Allison y Tasuku Honjo ha representado, y va a seguir representando, un maravilloso regalo de vida para una legión creciente de pacientes oncológicos. Además, esta aproximación terapéutica ha demostrado que se puede intervenir con éxito sobre el sistema inmune para tratar el cáncer. Sobre la base de este conocimiento, podemos avanzar ya hacia la última pregunta planteada en este campo: ¿podrían funcionar otras formas de inmunoterapia que no utilicen los inhibidores de los puntos de control inmunitario? Esta pregunta adquiere una importancia especial en el contexto de aquellos tumores en los que estos inhibidores no parecen ser eficaces y que, sin embargo, necesitan con urgencia soluciones para su control o su curación. La respuesta a esta última pregunta es un resonante sí, especialmente tras la introducción de la inmunoterapia CAR-T.

Los inhibidores de los frenos del sistema inmune han tenido mucho éxito, pero en realidad son compuestos muy jóvenes y de reciente introducción en el catálogo de la inmunoterapia. Entre los artículos de este catálogo se encuentran —además de los ya citados inhibidores de los inhibidores y las citoquinas estimuladoras del sistema inmunitario— anticuerpos monoclonales, virus oncolíticos, vacunas antitumorales y células T modificadas. Los anticuerpos monoclonales tienen muchas utilidades en oncología, algunas de las cuales ya las hemos descrito. Pueden utilizarse directamente en terapias dirigidas como las basadas en el empleo del trastuzumab para el cáncer de mama o del cetuximab para el cáncer de colon. Además, los *mab* se pueden emplear para potenciar la respuesta inmune, tal como sucede con el ipilimumab, el nivolumab o el pembrolizumab, o como vehículos para transportar medicamentos quimioterapéuticos a sus correspondientes tejidos diana.

Los virus oncolíticos son virus modificados genéticamente que infectan y destruyen células tumorales sin afectar a las sanas. Un gran pionero de esta clase de virus es el ONYX-015, basado en un adenovirus causante del resfriado común, que se ha manipulado de manera que solo pueda dividirse en células deficientes en *TP53*. Este gen, al que ya hemos presentado como el guardián del genoma, es el más frecuentemente mutado en tumores humanos. En condiciones óptimas, tras inyectar ONYX-015 a un paciente cuyo cáncer tiene mutaciones en *TP53*, el virus oncolítico alcanzará el tumor, se multiplicará únicamente en las células tumorales a las que haya podido infectar y las destruirá. Entonces, los nuevos virus generados infectarán a las células tumorales adyacentes y las destruirán, y así sucesivamente hasta que el virus no encuentre más células tumorales en las que poder replicarse, lo cual significará que el tumor se ha eliminado. Esta ingeniosa estrategia no se ha introducido con facilidad en la práctica clínica, en parte debido a su baja eficiencia, ya que los virus oncolíticos son reconocidos por el sistema inmune como elementos extraños y, en consecuencia, trata de eliminarlos. Sin embargo, resultados preliminares indican que una nueva generación de virus oncolíticos puede ser de especial interés para combatir los tumores cerebrales o los cánceres de mama denominados triple-negativos, que necesitan con urgencia soluciones terapéuticas innovadoras que permitan su curación.[6]

Las vacunas antitumorales han estado presentes en el imaginario popular y en la investigación científica desde tiempos muy lejanos. La generación de vacunas contra los agentes infecciosos constituye un momento estelar en la historia de la humanidad. Jules Hoffmann —Premio Nobel de Medicina en 2011 por sus estudios sobre el sistema inmune— no se cansa de recordarnos que «las vacunas son el mayor logro de la medicina, han salvado más de mil quinientos millones de vidas humanas, así es que, hoy, no vacunar es un crimen». Estas palabras han adquirido aún más importancia con la pandemia provocada por el coronavirus. En menos de un año, la ciencia ha respondido con rapidez y eficiencia a la demanda de la sociedad y ha creado diversas vacunas que han comenzado a contener el avance de este abominable virus del miedo que tanto daño ha causado. Por eso no deja de sorprenderme que la respuesta social no haya sido de gratitud y entusiasmo como en 1955, cuando se anunció la vacuna contra la poliomielitis y se invitó a que todo el mundo saliera a la calle a celebrar este gran triunfo del conocimiento sobre la ignorancia. Las vacunas, como cualquier otro agente terapéutico, no están exentas de complicaciones y efectos secundarios que en algunos casos pueden ser graves. Sin duda, hay que poner en la balanza los pros y los contras y, en el caso de las vacunas, los expertos y la realidad nos dicen que los beneficios compensan sobradamente a los riesgos. Me gusta recordar que estos riesgos son infinitamente menores que los que hace unos mil millones de años tuvieron que asumir los organismos unicelulares cuando entendieron que, si querían avanzar en la aventura de la vida, debían formar sociedades pluricelulares y admitir que las palabras enfermedad y muerte serían ya consustanciales a ese inmenso progreso biológico que nos trajo hasta aquí. Por esa razón, hoy, como ayer y como mañana, vacunar es regalar vida y, si surgen nuevos agentes infecciosos y no tenemos vacunas para combatirlos, habrá que inventarlas, fabricarlas y administrarlas con rigor y equidad.

A la luz de estos datos, no es extraño que la vacuna contra el cáncer se haya convertido en el santo grial de la oncología. Existen dos tipos generales de vacunas contra el cáncer: las que persiguen su prevención y las que se focalizan en el tratamiento. Entre las primeras destaca la que protege frente a la infección provocada por el virus del papiloma humano, algunos de cuyos tipos causan cáncer de cuello uterino y otros tumores de creciente prevalencia como los cánceres orofaríngeos. Aunque en un principio desató una cierta controversia, hoy en día se aplica en todo el mundo y está contribuyendo a frenar la expansión del cáncer de cuello uterino en países donde su incidencia era extraordinariamente elevada. En cualquier caso, debemos recordar que solo una minoría de tumores malignos son causados por agentes infecciosos. Además, las vacunas tradicionales siempre tendrán grandes dificultades para prevenir una enfermedad tan variable y dinámica como el cáncer, en que cada caso es algo así como un experimento de la naturaleza. Por eso, los avances en este campo están centrados en las llamadas vacunas personalizadas. A diferencia de las tradicionales, con las que se trata de reforzar el sistema inmune para prevenir infecciones, esta segunda clase de vacunas tiene el objetivo de despertar y activar el sistema inmunitario para que pueda atacar las células cancerosas.

La primera vacuna aprobada de este tipo fue diseñada para activar los linfocitos T citotóxicos de pacientes con cáncer de próstata, pero su eficacia es bastante baja. La verdadera personalización de estas vacunas ha llegado con la combinación de las estrategias de secuenciación de genomas con métodos inmunológicos e informáticos. El objetivo es identificar aquellas mutaciones en el genoma de las células tumorales que den lugar a fragmentos de proteínas (péptidos) con el máximo poder antigénico, es decir, con el mayor potencial de inducir una respuesta inmune. A partir de estos péptidos se puede formular la vacuna e inyectarla junto con estimuladores del sistema inmune en pacientes con cáncer. La estrategia es compleja y muy costosa, pues implica fabricar una o varias vacunas para cada paciente. Sin embargo, los prometedores resultados obtenidos por el grupo de Steven Rosenberg en pacientes con cáncer de mama metastásico tratadas con estas vacunas demuestran que el esfuerzo merece la pena y debe proseguir sin descanso.[7]

Este largo capítulo en torno a las grandes esperanzas depositadas en la inmunoterapia para tratar el cáncer se cierra con la discusión sobre otra aproximación terapéutica de enorme potencial, las células CAR-T, que ya ha comenzado a dar excelentes resultados. La inmunoterapia CAR-T fue desarrollada por Carl June en 1996, cuando dejó de lado sus estudios sobre el sida para concentrarse en el cáncer porque a su mujer se le había diagnosticado un grave tumor maligno. A partir de entonces, dedicó toda su energía al desarrollo de nuevas estrategias antitumorales. Tamaño esfuerzo no sirvió para curar a su mujer, pero quince años más tarde pudo salvar la vida de Emily Whitehead —una niña que sufría leucemia linfoblástica aguda en fase terminal— mediante el empleo de los propios linfocitos T de Emily, pero modificados genéticamente para que detectaran sus células leucémicas y las atacaran solamente a ellas.

La terapia CAR-T se puede adaptar al tratamiento de distintos tumores de la sangre modificando los linfocitos T de forma que reconozcan a las proteínas específicas que presentan en su superficie las diferentes células tumorales. Así, la terapia CAR-T anti-CD19 se utiliza para tratar la leucemia linfoblástica aguda y algunos linfomas no Hodgkin de tipo B, mientras que la terapia CAR-T anti-CD30 se emplea contra el linfoma de Hodgkin y linfomas no Hodgkin de tipo T. Como otras terapias antitumorales, la inmunoterapia CAR-T también produce efectos secundarios que pueden llegar a ser graves y se ha descrito algún caso aislado de resistencia a su efecto. Independientemente de cuáles sean sus inconvenientes, la terapia CAR-T es ya una realidad y, de hecho, España ha sido uno de los primeros países que ha aprobado el empleo de esta terapia en el sistema público de salud para casos de leucemias y linfomas de células B que hayan sido refractarios a otros tratamientos. Además, ya se ha comenzado a explorar la introducción de estas células inmunes modificadas con el bisturí molecular CRISPR/Cas9 en el tratamiento de algunos tumores sólidos y los resultados preliminares permiten mirar con esperanza hacia el futuro.[8] De nuevo, el talento y perseverancia de unos pocos va a ofrecer salud y vida a muchos seres humanos.

Y hasta aquí llega la larga carrera *ekiden* de la inmunoterapia, cuyo primer relevo comenzó en Italia a cargo de Peregrino Laziosi, que pasó la *tasuki* a William Coley y este a Steven Rosenberg, que a su vez la dividió en dos mitades para cederla a Jim Allison y a Tasuku Honjo, quienes finalmente llegaron a la meta situada en el norte del mundo. Allí juntaron de nuevo las dos partes del testigo de tela, y por ello fueron muy celebrados y recibieron grandes honores. Sin duda, estos nombres son solo una muestra de los muchos que con su esfuerzo sostenido durante décadas han conseguido convertir en realidad el sueño de usar la fuerza interior inmunológica para luchar contra el cáncer. La carrera no ha terminado, solo acaba de empezar. Habrá nuevas ediciones en las que harán falta jóvenes y motivados relevistas que afronten las debilidades de esta fuerza invisible que descansa activamente en nuestras células y fluye vigorosamente por nuestra sangre. Hay muchos pacientes esperando que sus tumores sean eliminados o controlados; la inmunoterapia ha llegado para quedarse y prestar su ayuda a la cirugía, la radioterapia y la quimioterapia en la siempre difícil tarea de sostener el edificio de la salud de los pacientes con cáncer. Estos cuatro pilares son importantes, decisivos, inexcusables, no se pueden obviar ni en el nombre de la seudociencia, ni en el de la ignorancia. Pero ¿hay algo más que podamos hacer para intentar evitar ser clientes tempranos o inesperados de estas cuatro disciplinas? El siguiente capítulo ofrecerá algunas respuestas a esta cuestión y hará también hincapié en la importancia de la alimentación en el contexto del cáncer.

CAPÍTULO 13

Prevenir para vivir

Nutrición y prevención del cáncer

«Nadie esperaba ya una noticia así, pero esta vez parecía que iba en serio. Lo que comenzó siendo un rumor, acabó por concretarse en una avalancha de mensajes que fluían por todos los canales posibles de comunicación. La joven y enigmática presidenta de la primera Cumbre Mundial del Cambio Oncológico estaba a punto de anunciar un descubrimiento capital en la historia de la humanidad. En las últimas décadas, el cáncer había continuado su avance imparable por todos los rincones habitados de la Tierra. Cada cierto tiempo, los nuevos e influyentes gurús tecno-optimistas nos recordaban que el cáncer se iba a erradicar al día siguiente o al siguiente del siguiente. Nadie ofrecía datos concretos, solo generalidades y vaguedades que la sociedad asumía sin preguntar mucho; al fin y al cabo, esta era una predicción positiva y había ya un cierto cansancio de los llamados profetas del catastrofismo. Algunos futuristas, los más osados, adornaban su discurso grandilocuente con la técnica del *name dropping*, deslizando nombres de conocidos científicos y palabras complejas terminadas en -ib o en -ab, que les otorgaban un leve barniz de credibilidad. Sin embargo, la dura realidad se imponía: la epidemia del cáncer se estaba extendiendo. Solo en 2045 —el muy publicitado año de la consecución de la inmortalidad humana—, más de diez millones de seres humanos habían muerto de cáncer. En todas las familias del planeta había casos de cáncer; muchos se curarían o se harían crónicos, pero otros se cobrarían vidas demasiado pronto, con demasiados sueños todavía pendientes de cumplir y de compartir. Este distópico escenario —más o menos asumido— es el que acabó desatando una nueva y singular revolución social.

»Siguiendo la estela de los activistas contra el cambio climático, algunos jóvenes que ya habían sentido muy de cerca la vulnerabilidad humana creyeron que había llegado el momento de mirar al futuro y emprender una acción global para hacer frente a la amenaza del cáncer. Además de su juventud, todos tenían algo importante en común: habían superado la mortal enfermedad gracias al progreso científico. Estos primeros impulsores de la revolución oncológica habían padecido algún tipo de cáncer pediátrico y, al final, se habían curado. Tenían, pues, la confianza, el conocimiento y la autoridad que otorga la experiencia —algo que no solo se obtiene con la edad— para afrontar esta aventura científica y social. Tras unos comienzos indecisos —porque los que ni hacen ni dejan hacer siempre encuentran argumentos para bloquear o destruir a quienes se enfrentan a la pasividad—, los ingenuos oncoactivistas habían logrado aglutinar a un buen número de científicos especializados en las diversas disciplinas que se ocupan del cáncer. Además de su talento, estos investigadores también compartían algo muy importante: habían demostrado su completa independencia de los poderes económicos y políticos. Atrás quedaron los tiempos en que la industria del tabaco subvencionó a prestigiosos médicos americanos para desacreditar la idea de que fumar provoca cáncer, o cuando las empresas multinacionales productoras de refrescos edulcorados sufragaron las investigaciones que concluyeron que estas bebidas podían provocar caries, pero no enfermedades graves.

»Con matemática precisión, María O-washi, la austera presidenta de la cumbre oncológica, compareció a la hora anunciada ante una multitud de medios internacionales de comunicación y, en un perfecto inglés, se dirigió con voz pausada al mundo entero. Tras una breve introducción para recordar la relevancia médica, social y económica del problema del cáncer, agradeció a los expertos que durante meses habían dedicado su tiempo y sus conocimientos a un trabajo de investigación que había llegado a una impactante conclusión que ella misma iba a desvelar. Sus palabras eran suaves pero firmes y con ellas fue construyendo unas frases breves, sencillas y carentes de términos técnicos. La intención era obvia: quería llegar a una audiencia tan universal como la propia enfermedad:

> »El Consejo Científico para el Cambio Oncológico puede asegurar y asegura que a partir del próximo año empezarán a decrecer los casos de cáncer hasta quedar reducidos a menos del 50 % de los que existen en la actualidad. Las claves para lograr implementar este trascendental avance científico y social son las siguientes: **1) nutrición:** moderar la ingesta de alimentos, practicar la restricción calórica, evitar la obesidad, aumentar el consumo de frutas y verduras, reducir el consumo de carne roja y no tomar alimentos ultraprocesados ni bebidas azucaradas; **2) ejercicio físico:** practicar un mínimo de treinta minutos diarios de actividad física moderada; y **3) antitoxicidad:** minimizar la ingesta de agentes tóxicos como el alcohol, no fumar nunca, no abusar de la exposición al sol y evitar cualquier posible fuente de toxicidad, incluida la producida por los propios humanos. Muchas gracias por su atención. Si tienen alguna pregunta, estoy a su disposición.

»La audiencia quedó desconcertada. Nadie decía nada. Se miraban unos a otros en silencio, pero con expresión de perplejidad o de disconformidad. Al final, un conocido periodista que había cubierto todo tipo de acontecimientos, desde dramáticos conflictos bélicos hasta masivas protestas sociales, se atrevió a preguntar: "¿Eso es todo?". La joven presidenta esbozó una sonrisa y, con la sinceridad y candidez de sus pocos años, contestó: "Así es. ¿Le parece a usted poco?”. El periodista replicó: “Pero si esto ya lo sabemos todos desde hace décadas, incluso antes de que usted naciera”. La presidenta sonrió de nuevo: “Y si lo saben, ¿por qué no lo aplican? Les recuerdo que ya pasó algo similar con el cambio climático. Todos sabían que había que tomar medidas urgentes para reducir el calentamiento global, pero hasta que no se levantó una revolución social no se empezaron a cumplir las normas”.»

Este sencillo relato no es más que una provocación intelectual. Podemos datarlo de manera simbólica en el 2046, pero en realidad es completamente atemporal, porque es algo histórico, actual y, al mismo tiempo, futurista. En efecto, si viajamos atrás en el tiempo, podemos encontrar documentos de hace muchos años en los que se proponían las mismas medidas de prevención del cáncer que las anunciadas por nuestra imaginaria presidenta de la Cumbre Mundial del Cambio Oncológico. Sin embargo, pasan los años, y hasta las décadas, y estas medidas apenas se implementan. En general, se siguen tomando como meras sugerencias y la sociedad en su conjunto no se siente concernida por cuestiones tan obvias como el abandono del hábito de fumar, la mejora de nuestra alimentación o la adopción de unos compromisos mínimos para el mantenimiento de nuestra salud. En el momento actual, cuando muchos creen que tenemos el poder o la obligación de controlar todo lo que nos rodea —desde los peores desastres naturales a las más graves enfermedades—, la prevención sigue siendo la mejor estrategia frente al cáncer.

Ni las técnicas más modernas que hemos discutido en capítulos precedentes, como la inmunoterapia o las terapias personalizadas basadas en el desciframiento del genoma, ni los equipos más sofisticados de cirugía robótica o radioterapia de alta precisión pueden salvar tantas vidas como la prevención del cáncer, cuando se siguen unas pautas tan sencillas como las mencionadas anteriormente. Además, si miramos al futuro, los datos apuntan a que la situación no va a mejorar sustancialmente, ya que las medidas preventivas que retrasan o reducen considerablemente los casos de cáncer no acaban de asumirse. Curiosamente, los cardiólogos sí que lograron concienciar a la sociedad de la importancia de adoptar ciertas medidas que disminuyen de manera sustancial la incidencia de las enfermedades cardiovasculares. Implantar algo parecido en el ámbito de la oncología no debería estar fuera del alcance de la sociedad contemporánea y no debemos escatimar esfuerzos para conseguirlo.

Mi propuesta particular en este sentido es, simplemente, el compromiso total con la educación. Si a la sociedad en su conjunto, y especialmente a los más jóvenes, se les explicara con claridad y sin adorno alguno qué es el cáncer, cuál es su origen, cómo se puede prevenir, qué casos se pueden curar y, sobre todo, por qué hay tumores todavía incurables, creo que la responsabilidad personal aumentaría. Como en los libros anteriores de esta trilogía sobre la vulnerabilidad humana, escribí el texto de este manuscrito en mi mente antes de hacerlo en un ordenador. Los primeros capítulos imaginarios surgieron en los primeros meses de 2019, mientras vivía y trabajaba en París. Allí, en un extraordinario ambiente de investigación científica, pude comprobar que muchos jóvenes fumaban, algo que me resultó frustrante e incomprensible. Sin duda, la libertad de escoger nuestra forma de conducirnos es incuestionable (siempre que no pongamos en riesgo la vida de los demás, como ha ocurrido en la pandemia de la COVID-19); pero sigo pensando que, con mayor educación sobre cuestiones cruciales, usando palabras cercanas y sin abusar del cientificismo, la idea aquí repetida una y otra vez de comenzar a corresponsabilizarnos de nuestra salud se troca en una necesidad y, al mismo tiempo, en una obligación. La sostenibilidad de los sistemas públicos de salud solo será posible si potenciamos la labor incansable de todos esos médicos de atención primaria que dedican su vida a velar por el bienestar de los ciudadanos, e impulsamos el trabajo sin sosiego de todas aquellas entidades y asociaciones que

—como la Asociación Española Contra el Cáncer (AECC)* o sus equivalentes en otros países— practican el compromiso social frente a esta enfermedad. La prevención del cáncer puede servir como termómetro para medir el avance de todas esas nuevas ideas que aspiran a mejorar el compromiso personal con nuestra propia salud. Las tres grandes vías de actuación en este sentido son la nutrición, el ejercicio y la antitoxicidad. Veamos de qué manera pueden reducir el riesgo de padecer cáncer.

Nutrición. Oscar Wilde, un gran provocador, estuvo muy acertado cuando dijo: «No soporto a la gente que no se toma en serio la comida». La alimentación ha sido siempre un aspecto crucial en la evolución de la especie humana. Además de su palmaria influencia como condición primera para la supervivencia y de su papel como motor de las migraciones y adaptaciones al medio, la comida ha adquirido una dimensión adicional gracias a la evolución cultural. Los grandes lenguajes de la vida, como el genoma, el epigenoma, el metagenoma, el proteoma y el metaboloma, se ven condicionados y modificados por la alimentación, aunque no es algo que suceda única y exclusivamente en los humanos. Sin embargo, nuestra especie ha avanzado en solitario hacia la construcción de nuevos lenguajes culturales que interaccionan con los lenguajes biológicos y determinan nuestras formas de relacionarnos con el entorno social. En el ámbito de la alimentación, Ferran Adrià —visionario y creativo cocinero molecular— ha expresado esta idea con hermosas palabras: «La cocina es un lenguaje mediante el cual se puede expresar armonía, felicidad, belleza, poesía, complejidad, magia, humor, provocación y cultura». Si aceptamos esta definición, no parece muy arriesgado considerar que la buena alimentación es decisiva no solo para mantener un estado nutricional adecuado, sino para prevenir enfermedades como el cáncer que nos arrebatan la armonía molecular y nos cuestan la vida. ¿Es posible? Sí, sin duda. ¿Cómo? No hay una única respuesta.

Hoy resulta difícil ofrecer recomendaciones universales para prevenir el cáncer mediante la alimentación, pero, a mi juicio, el principal problema es que las dietas —y, en particular, las llamadas dietas anticáncer— son tan diversas y ofrecen propuestas tan antagónicas que acaban por perder credibilidad. El pensamiento popular termina por asumir, no sin razón, que la nutrición genera siempre confusión: lo que antes era malo, de pronto es bueno, y lo que era bueno, ahora no se debe comer. Quizá el mejor ejemplo en este sentido sea el de las grasas, que durante décadas fueron consideradas responsables de todos los males, desde la obesidad hasta el cáncer. Las pruebas incontestables sobre los nefastos efectos en la salud de los azúcares refinados introducidos masivamente por la industria alimentaria —especialmente el jarabe de maíz con alto contenido en fructosa— han liberado a las grasas de una pequeña parte de su leyenda negra. Además, han puesto de relieve su papel positivo en la nutrición, incluso el de ácidos grasos poliinsaturados como los ahora llamados omega 3. Un importante estudio realizado con 135.335 individuos ha demostrado que la ingesta elevada de carbohidratos está asociada a un mayor riesgo de mortalidad, mientras que el consumo de grasas no muestra semejante riesgo; es más, tiene un ligero efecto protector.[1]

Con el mismo valor que Jonathan Swift atribuyó al primer humano que se atrevió a comer una ostra, vamos a navegar ahora por las complejas dietas que podrían ayudar a prevenir el cáncer. En los mares y océanos dietéticos abundan las controversias y hasta las descalificaciones entre los defensores de las distintas tendencias, cuando lo que está en juego es mucho más importante que los «egos revueltos» de unos y otros.[2] La dieta mediterránea, basada en el consumo de frutas, verduras, cereales, frutos secos y legumbres, la ingesta moderada de pescado y aceite de oliva, y un escaso consumo de carne roja o procesada y de productos lácteos, ha recibido gran atención porque puede reducir el riesgo de padecer ciertos tumores, especialmente el cáncer colorrectal. De la misma manera, las dietas vegetarianas o veganas, que excluyen el consumo de carne o de cualquier producto animal, respectivamente, parecen ofrecer resultados positivos en la prevención de algunos cánceres, aunque los informes disponibles muestran datos discordantes. Muy distinta es la dieta paleolítica, que trata de imitar las costumbres alimentarias de nuestros ancestros antes de que se produjera la gran revolución que trajo a nuestras vidas la agricultura. Esta dieta —rica en carne, huevos, frutas y verduras, deficiente en sal y carente de productos lácteos, cereales y azúcares refinados— también ha dado resultados positivos en algunos casos, pero los estudios epidemiológicos son todavía preliminares y bastante limitados. En los últimos tiempos, la dieta cetogénica —rica en grasas, pobre en hidratos de carbono y moderada en proteínas— ha adquirido un notable protagonismo social y mediático en diversos ámbitos, incluido el oncológico. Esta dieta tiene un fundamento bioquímico muy lógico, ya que su fuente de energía son las grasas y no los carbohidratos. Esto hace que se reduzcan los niveles de insulina y que los ácidos grasos se conviertan en cuerpos cetónicos, los cuales suministran energía al cerebro y el corazón, pero también a tejidos como los músculos. La dieta cetogénica es prometedora en el caso de las enfermedades neurológicas y puede ser muy útil para ciertos casos de obesidad, pero las pruebas sobre su empleo para la prevención del cáncer son todavía muy escasas.[3]

Estas dietas son las que actualmente suscitan mayor interés médico y epidemiológico con respecto a la prevención del cáncer, pero su popularidad es minúscula comparada con la de los suplementos dietéticos, habitantes de un mundo extraño plagado de dudas y contradicciones y alimentado por una industria de proporciones gigantescas. Palabras como antioxidante o destoxificante han pasado al lenguaje cotidiano y a los mensajes publicitarios relacionados con la nutrición. La ecuación con la que resumo esta cuestión es muy sencilla: suplementos = precaución. La oferta actual de suplementos dietéticos es muy abundante y abarca desde los macronutrientes y micronutrientes (batidos proteicos, fibra, vitaminas, minerales...) que se obtienen de los alimentos hasta compuestos sin valor nutritivo, pero con una actividad bioquímica que podría tener un efecto antitumoral. La lista de estos compuestos es interminable e incluye los flavonoides, presentes en las verduras, las frutas, los cereales y el chocolate; las catequinas del té verde; el licopeno de los tomates; el resveratrol de las uvas; los isotiocianatos de la coliflor; el sulforafano del brócoli; los alisulfuros de los ajos, los puerros y las cebollas; los inhibidores de proteasas presentes en las legumbres; la genisteína de la soja; la curcumina de la cúrcuma; la capsaicina de los pimientos picantes, etcétera. A ellos tenemos que sumar la oferta exponencial de probióticos* —microorganismos vivos (bacterias y levaduras) con beneficios potenciales para la salud— que, tras colonizar las estanterías de parafarmacias y tiendas naturistas, han comenzado a extenderse por los supermercados y por muchos hogares, sin que apenas haya control sobre tales productos.

Mis principales reparos al empleo incontrolado y masivo de los suplementos dietéticos para la prevención del cáncer son de dos clases. El primero es muy general y deriva del propio proceso de fabricación, ya que la industria que los elabora no tiene los mismos requerimientos y controles que la industria farmacéutica, por lo que la seguridad y la eficiencia de los productos ofertados por una y otra son muy dispares. Así, algunos suplementos útiles y bien contrastados conviven con muchos otros en que lo único realmente valioso es la publicidad creada para su comercialización. Distinguir unos de otros no es nada fácil, ni siquiera para los expertos. El segundo de mis reparos es la falta de datos científicos concluyentes sobre la mayoría de los compuestos que se venden como suplementos anticáncer, una caracterización a todas luces exagerada y no avalada por prueba alguna. Más preocupante si cabe es el hecho de que estudios muy recientes avalan la idea de que algunos de estos productos —entre los cuales encontramos hasta antioxidantes— no solo no disminuyen el riesgo de cáncer, sino que en dosis elevadas favorecen su desarrollo o progresión.[4] Ante esta situación, mi opinión particular y mi propia práctica personal se basa en la idea de obtener siempre la fibra, las vitaminas, los minerales y los antioxidantes de una amplia variedad de alimentos naturales integrales, algo que por ahora es mucho más seguro y más barato que la adquisición de suplementos cuyo origen y propiedades pueden generar dudas razonables.

Por último, este incierto recorrido por los caminos de la nutrición como estrategia de prevención del cáncer nos lleva al ayuno, un destino ciertamente paradójico que es también objeto de debate. Los ayunos nos introducen en la tradición, ya que durante milenios han formado parte de los rituales de muchos grupos religiosos, incluyendo a los musulmanes, los judíos, los cristianos, los hindúes y los budistas, cada uno de ellos con su forma particular de interpretarlos. El estudio de los cambios bioquímicos y fisiológicos que provoca el ayuno ha revitalizado esta práctica ancestral, pues se ha demostrado que cumple un papel esencial en el desarrollo de respuestas celulares adaptativas o protectoras como la autofagia* y la hormesis.* Estos procesos endógenos reprograman el metabolismo, reducen el estrés oxidativo y la inflamación, optimizan la obtención de energía de los nutrientes, disminuyen la obesidad y promueven la salud y la longevidad. Ante esta colección de efectos positivos surge la curiosa e inevitable pregunta de si el ayuno puede ser verdaderamente la mejor dieta para prevenir el cáncer.

En humanos, el ayuno se define como el acto de abstenerse total o parcialmente de comer y beber durante un periodo de tiempo determinado, que puede oscilar entre doce horas diarias y, en los casos más extremos, dos o tres semanas, lo cual no es mucho en realidad si lo comparamos con los cuatro o cinco meses que puede pasar un bello y elegante pingüino rey sin comer un solo pez. Hoy en día, los practicantes de la abstinencia alimentaria como estrategia para mejorar la salud tienden al ayuno intermitente, en el cual se alternan jornadas de ingesta y ayuno o se concentra la privación alimentaria en dos días de la semana. El ayuno de doce horas seguido de una única comida diaria es también habitual entre los aficionados a estas prácticas alimentarias. Hace unos pocos meses, los actores Elsa Pataky y Chris Hemsworth declararon públicamente que ellos también realizaban ayunos intermitentes y, a raíz de esta declaración, fueron ridiculizados en las redes sociales, pese a que su propuesta tiene un claro soporte científico. De hecho, en ratones con elevadas probabilidades de contraer cáncer, el ayuno en días alternos provoca una reducción importante de los linfomas, mientras que el ayuno de un día por semana disminuye o retrasa la aparición de otros tipos de tumor. Respecto a su relevancia en humanos, y de manera análoga a lo que sucede en otras intervenciones nutricionales, todavía no hay estudios suficientes que nos permitan hacer una recomendación firme de las bondades del ayuno para la prevención del cáncer.[5]

Nunca he investigado directamente en el campo de la nutrición, pero, apoyándome en mis más de cuarenta años de formación bioquímica y en nuestros propios trabajos sobre la influencia del metabolismo y el microbioma en el envejecimiento y en el cáncer mismo, he reflexionado con frecuencia sobre las limitaciones de cualquier dieta en lo que respecta a la prevención tumoral. En primer lugar, los patrones nutricionales humanos son muy diversos, por lo que la adopción de enfoques dietéticos reduccionistas —que analizan la relación existente entre el riesgo de padecer cáncer y el consumo de unos alimentos concretos o de alguno de sus componentes— es manifiestamente insuficiente. Tampoco hay que olvidar que la nutrición es solo uno de los términos de la ecuación de la prevención del cáncer, por lo que cualquier intervención en este sentido debería considerar muchos otros factores de riesgo, desde la historia familiar a los hábitos de vida. Además, los tumores son entidades biológicas muy complejas que se desarrollan en los ecosistemas de unos individuos en concreto, con características genéticas únicas. Por ello, las estrategias de prevención serán muy distintas según el tipo de tumor y las variantes genómicas de cada persona. El desarrollo de disciplinas como la nutrigenómica y la nutrigenética, que basan sus recomendaciones nutricionales en el bagaje genético de cada individuo, puede abrir nuevos caminos en este sentido. Por último, la creciente información sobre la relación entre el microbioma intestinal y el riesgo de cáncer hace que, en la actualidad, cualquier dieta en la que no se contemplen sus efectos sobre la microbiota me provoque una cierta desconfianza. No olvidemos que comemos no solo para alimentar a nuestras células, sino para nutrir a los billones de bacterias intestinales que nos habitan y cuya salud está directamente relacionada con la nuestra.

El avance del conocimiento de la verdadera importancia y aplicabilidad de las dietas alimentarias para prevenir el cáncer pasa necesariamente por entender cuáles son los mecanismos moleculares que determinan su posible utilidad. El impacto de las dietas en el riesgo de padecer cáncer se puede establecer por su influencia en procesos biológicos que a menudo están interconectados, como la inflamación, el estrés oxidativo, el desequilibrio metabólico, la disfunción mitocondrial, la disrupción hormonal, la resistencia a la insulina, los desajustes de los relojes biológicos, los cambios epigenéticos, o las alteraciones en el microbioma intestinal denominadas disbiosis.* La dieta perfecta debería actuar sobre todos estos mecanismos para evitar minimizar sus efectos nocivos sobre las células y reducir el riesgo de desarrollar tumores malignos.

Recientemente se han creado varios índices para cuantificar el impacto de las distintas dietas en la mayoría de los mecanismos que favorecen el cáncer. Por ejemplo, en el caso de la inflamación —uno de los factores que estimulan el desarrollo de muchos tumores—, la aplicación de estos índices ha corroborado que las dietas ricas en alimentos que favorecen la inflamación están claramente relacionadas con numerosos tipos de cánceres. En cambio, las dietas mediterránea, vegetariana y paleolítica tienen unos índices inflamatorios muy bajos, ya que incorporan alimentos capaces de bloquear la respuesta inflamatoria, lo cual podría explicar sus efectos prometedores en la prevención de algunos tumores. La dieta cetogénica puede llegar a tener un efecto antitumoral valiéndose de otros procesos, como por ejemplo la reprogramación del metabolismo para evitar los efectos negativos del exceso de azúcares o la interferencia en la producción de agentes oxidantes que dañan el genoma humano. La dieta mediterránea también posee un excelente índice antioxidante, lo cual representa un valor adicional para cualquier forma de nutrición que ayude a prevenir el cáncer. La influencia de todas estas dietas en la salud del microbioma intestinal no ha sido todavía muy estudiada, pero los datos disponibles acerca de la dieta mediterránea indican que esta favorece el desarrollo de una microbiota saludable, en la cual abundan las especies bacterianas que producen metabolitos antiinflamatorios y antioxidantes.

Curiosamente, los estudios del microbioma de los hadza —una tribu de cazadores recolectores que vive en Tanzania y cuyo estilo de vida y alimentación sigue siendo semejante al de las comunidades paleolíticas— han demostrado que conservan una elevada diversidad en su flora bacteriana, que además sigue un ritmo estacional predecible. Algunas especies de bacterias desaparecen por completo de su microbioma intestinal para después reaparecer, lo cual es un reflejo de los cambios experimentados en la dieta de los hadza según los alimentos disponibles en cada estación. Estas alteraciones tan profundas en la composición de la flora bacteriana no son nada frecuentes entre los habitantes de las sociedades industrializadas, cuyo microbioma es menos diverso y menos plástico. Esa misma diversidad podría explicar la relativa protección de los hadza frente a enfermedades como el cáncer y las alteraciones metabólicas, que forman parte del escenario patológico cotidiano de quienes no vivimos cerca del Serengueti. Por lo tanto, en el microbioma, los términos *diversidad* y *plasticidad* son sinónimos de salud, lo cual nos indica, una vez más, que debemos perseverar en el cuidado de nuestros queridos microbios simbiontes.[6]

Por último, es importante tener presente que todas las dietas que hemos expuesto en relación con el cáncer han de ser valoradas en un contexto más amplio, atendiendo a consideraciones ajenas a la simple relevancia nutricional. Porque no solo importa lo que comemos o lo que dejamos de comer, sino cuándo y en qué cantidad comemos, cómo preparamos los alimentos, con quién los compartimos y cómo integramos la comida con otros hábitos de vida. A todos estos factores que hacen que las dietas tengan efectos variables en cada persona, habría que sumar los componentes sensoriales de todas ellas, cuyo valor no se puede minimizar en un tiempo como el actual, en el que no sobran las oportunidades de disfrutar de las cosas compartidas cotidianamente con nuestros semejantes. Los valores nutricionales, sociales y sensoriales de las dietas mantienen, por tanto, un estrecho vínculo y crean un estado de bienestar molecular que refuerza el sistema inmune y otros mecanismos de respuesta al estrés y puede contribuir a reducir el riesgo de padecer un tumor.

En suma, al mismo tiempo que saludamos la aparición de una medicina personalizada que ya ha progresado en la oncología merced al empleo de terapias específicas frente a las diferentes mutaciones tumorales, deberíamos pensar en Giuseppe Arcimboldo y avanzar hacia una nutrición personalizada. Arcimboldo —un brillante pintor renacentista que anticipó el surrealismo— realizó una serie de retratos humanos a partir de frutas, plantas y flores combinadas en formas imaginativas para lograr que se asemejasen a los personajes retratados, entre los cuales estaba, por ejemplo, Rodolfo II: «Mira la manzana, mira el melocotón, cómo se me ofrecen en ambas mejillas redondos y llenos de vida. Fíjate en mis ojos, de color cereza uno, el otro de color de mora. No te dejes engañar, es mi cara».

Puede que la nutrición personalizada o de precisión parezca algo muy lejano o tan extravagante como los retratos de Arcimboldo, pero podría llegar a convertirse en una herramienta clave para prevenir el cáncer y el resto de los males que son reflejo de nuestra propia vulnerabilidad, desde la disbiosis a los eclipses de alma. La implementación de la nutrición de precisión requerirá de nuevas herramientas como la metabolómica, para identificar los biomarcadores que nos ayuden a la detección precoz de los cambios metabólicos en respuesta a las distintas dietas en pacientes con cáncer. Si la vida de cada uno de nosotros es una obra de arte improbable y única, en la que somos a la vez artistas y protagonistas, la alimentación que contribuye a sostenerla debería ser también una obra de arte cotidiana y compleja, en cuya creación deberíamos involucrarnos al máximo: somos artistas de nuestra vida y de nuestra dieta.

Hasta que estos avances no se hayan concretado y no nos hayamos convencido de que debemos ser los artistas y protagonistas de nuestra propia nutrición, tendremos que limitarnos a seguir las pocas recomendaciones que pueden extraerse del metaanálisis de la amplia colección de datos científicos de que disponemos actualmente. También podemos seguir las sugerencias de poetas moleculares como García Lorca, que nos recuerda que «los niños comen / pan moreno / y rica luna», y avala así el valor dietético de lo sano, lo sencillo y lo imaginario; o como Pedro Mairal, que elogia las virtudes de frutas tan asequibles como el melocotón: «Morder el verano, / morder el sol entero / por 1,80 el kilo». Frida Kahlo también nos ha legado una alegoría de la fruta en su vibrante cuadro *Viva la vida*. Curiosamente, Frida cogió por última vez sus pinceles una semana antes de morir y, sobre la pulpa escarlata de una de las sandías del cuadro, escribió el título de la obra y su propio nombre; después, se preparó para apagar sus genes y viajar al silencio del mundo.

Integrando todas las informaciones aportadas por la ciencia y la epidemiología, y a las cuales se suman las ofrecidas por la literatura y el arte, podemos concluir que la dieta para disminuir el riesgo de cáncer debe ser baja en calorías, ya que de este modo se reduce el estrés oxidativo y las reacciones inflamatorias; debe ser, también, rica en verduras, frutas y legumbres, ya que todos estos alimentos aportan macronutrientes (como la fibra vegetal) y micronutrientes (vitaminas, selenio, zinc...) con propiedades antitumorales. Además, hay que minimizar la ingesta de carne roja —porque el consumo excesivo va asociado al cáncer gástrico—; reducir al máximo las grasas saturadas, especialmente las derivadas del aceite de palma, que pueden estimular la progresión del cáncer; y suprimir todas las bebidas azucaradas y los alimentos ultraprocesados, pues su alto contenido en azúcares, sal y aditivos los convierte en un apetitoso bocado para las células transformadas. Por último, sea cual sea la dieta escogida, en ningún caso debe traer consigo sobrepeso u obesidad, esa emperatriz de tantos males que antaño era privilegio de los más ricos y hoy representa un castigo para los más pobres de un mundo cada vez más rico, condenados a esa nueva combinación de hambre y obesidad que surge de la malnutrición.[7] Esta es una conclusión que no genera controversia. Más de mil estudios epidemiológicos han confirmado que existe una asociación significativa entre la obesidad —que se podría equiparar con una inflamación crónica del organismo— y el riesgo de desarrollar cánceres como los de hígado, colon, esófago y riñón.[8]

Recapitulando lo aprendido en nuestro arriesgado periplo por los mares y océanos dietéticos, llegamos a la conclusión de que una nutrición adecuada es siempre decisiva para reducir el riesgo de padecer cáncer. Sin embargo, debemos tener muy presente que cualquier medida nutricional con posibles efectos antitumorales ha de complementarse al menos con otras dos estrategias: la práctica regular de ejercicio físico moderado y la evitación de una exposición crónica a agentes o sustancias tóxicas.

Ejercicio físico. El triunfo de las máquinas inauguró la era del sedentarismo. La industrialización comenzó liberando a nuestra especie de muchos trabajos extenuantes o rutinarios que se llevaban a cabo en los campos y las fábricas. Después llegó a las ciudades, donde los automóviles, los ascensores y las escaleras mecánicas se convirtieron en elementos comunes e indispensables de la vida cotidiana. Más tarde, la mecanización se instaló en nuestros puestos de trabajo, de manera que la mayoría de los empleos actuales consisten en sentarse en una silla más o menos cómoda y encender primero un ordenador. Después consumimos energía deslizando un ratón inalámbrico por una alfombrilla plástica con un leve movimiento manual o recorriendo con los dedos un teclado QWERTY, o QWERTZ si estamos Alemania, o AZERTY si vivimos en Francia o en Bélgica, o Dvorak si somos seguidores de Steve Wozniak, el cofundador de Apple junto a Steve Jobs.[9] Por último, los automatismos se infiltraron en nuestros hogares en forma de batidoras, exprimidores, aspiradoras, mandos a distancia, tabletas, teléfonos móviles o robots de cocina, y acabaron convirtiéndose en protagonistas centrales de nuestra vida cotidiana. El tiempo decidirá si seremos finalmente reemplazados por esos robots que tanto nos ayudan ahora en las tareas domésticas, mientras que nosotros, arrellanados en nuestro sofá, avanzamos decididamente hacia el sedentarismo más radical.

Los estudios epidemiológicos han demostrado que la inactividad física es un factor de riesgo fundamental para numerosas enfermedades, incluyendo el cáncer. Según las últimas recomendaciones de la Organización Mundial de la Salud, los adultos con edades comprendidas entre los 18 y los 64 años deberían practicar por lo menos quince minutos diarios de ejercicio físico intenso, o treinta minutos de actividad moderada. Desafortunadamente, más de la mitad de los adultos norteamericanos, alrededor del 50 % de los adultos europeos y un porcentaje similar de las personas residentes en grandes ciudades asiáticas incumplen estos requisitos mínimos de actividad física. ¿Por qué el sedentarismo incrementa el riesgo de cáncer? Numerosos estudios han demostrado ya que la inactividad crónica contribuye a estimular muchos de los mecanismos que favorecen el desarrollo de tumores malignos, incluyendo las reacciones oxidativas e inflamatorias, los cambios metabólicos y hormonales o las disfunciones mitocondriales. Asimismo, la falta de ejercicio contribuye a reducir la eficacia de ciertas reacciones defensivas y protectoras frente al cáncer, como por ejemplo la autofagia o la respuesta inmunológica. Además, el sedentarismo cambia nuestro ecosistema microbiano y termina provocando disbiosis e hiperpermeabilidad intestinal, dos de los procesos que contribuyen al desarrollo de ciertos cánceres.[10]

En suma, hay que vencer la pereza y caminar, correr, nadar, jugar, saltar, bailar y hasta reír, ese maravilloso logro evolutivo humano que nos permite poner en marcha doce músculos (otros dicen que treinta) y desenredar, así, muchos nudos y aliviar la trascendencia de muchos miedos. Todo vale para desalojar de nuestros cuerpos elementos negativos para la salud y avanzar en estilos de vida que disminuyan nuestras probabilidades de desarrollar tumores malignos.

Intoxicación crónica. Además de la adopción de una nutrición adecuada y la práctica regular de ejercicio físico, en la prevención del cáncer intervienen otros factores. De hecho, muchos casos de cáncer se podrían prevenir evitando la exposición a agentes tóxicos. Son de una diversidad enorme y de ahí que podamos hablar de intoxicación ambiental, industrial, ocupacional, alimentaria, personal y hasta emocional. Las posibilidades de intervenir sobre cada una de estas formas de toxicidad con potencial tumoral son muy distintas. En algunos casos, somos consumidores pasivos o ignorantes de los agentes tóxicos, mientras que en otras ocasiones asumimos voluntariamente el riesgo que conllevan. La contaminación del aire con productos liberados por las chimeneas y los tubos de escape de nuestras casas y automóviles, o la liberación masiva a la atmósfera de productos tóxicos industriales son amenazas importantes para la salud de la Tierra y de quienes en ella habitamos. Resulta increíble que, pese a los contundentes datos que nos presentan una y otra vez los epidemiólogos, todavía existan negacionistas de la corrupción del medioambiente. La contaminación atmosférica producida por los gases o las partículas finas dispersas por el aire que respiramos está directamente relacionada con daños genómicos o epigenómicos en nuestras células. Estas alteraciones moleculares pueden causar cáncer de pulmón o inducir procesos inflamatorios que provocan enfermedades pulmonares y, a largo plazo, favorecen el desarrollo de otros tipos de tumores malignos.

Además de estos agentes carcinógenos de origen ambiental e industrial, cuyo control demanda ya medidas globales a todas luces inexcusables, existen otros agentes nocivos que provocan cáncer ocupacional y que hoy siguen siendo responsables de la muerte de muchos miles de seres humanos, cuando sería posible prevenir tales clases de cáncer. El cáncer escrotal de los deshollinadores londinenses, descrito en 1775, fue el primer ejemplo de cáncer ocupacional registrado históricamente. Su estudio no solo sirvió para erradicarlo prácticamente por completo a base de medidas preventivas, higiénicas y sociales, sino que además contribuyó a perfilar algunas de las claves del origen del cáncer. Desde entonces se ha producido un avance incuestionable en la prevención de otros tipos de cáncer ocupacional, por ejemplo, los que afectan a carpinteros, pintores, mineros o zapateros. Sin embargo, sorprende y causa enorme tristeza que en nuestra avanzada sociedad todavía haya trabajadores que deban exponerse a agentes carcinógenos tan potentes como las fibras de amianto, que provocan formas tan agresivas de cáncer de pulmón como el mesotelioma maligno.

Algunos alimentos contienen agentes tóxicos que proceden de la polución medioambiental (como los metales pesados) o son generados por contaminación microbiana durante los procesos de fabricación, almacenamiento o distribución del propio producto. Entre estos agentes destacan las aflatoxinas, unas sustancias de origen fúngico que surgen en cereales y frutos secos almacenados en condiciones deficientes y que tienen un potente efecto carcinogénico sobre el hígado. Los hidrocarburos aromáticos policíclicos y las aminas aromáticas heterocíclicas son compuestos con un notable protagonismo en el siniestro colectivo de inductores de cáncer de esófago, estómago y colon. Estas toxinas se encuentran en alimentos cultivados en zonas con una elevada polución ambiental, pero también se forman en las carnes y pescados ahumados o preparados a la brasa. Por último, compuestos nitrosos como las nitrosaminas —que son generadas por la reacción de las aminas alimentarias con el nitrito sódico, un aditivo que se suele emplear para preservar carnes curadas o ultraprocesadas— tienen un notable potencial carcinogénico sobre las células del tracto gastrointestinal, por lo que conviene limitar o eliminar estas carnes de nuestra dieta.

La industria alimentaria también utiliza con contundente perseverancia una colección creciente de vocablos terminados en -ante: pensemos, por ejemplo, en los saborizantes, edulcorantes, aromatizantes, conservantes, colorantes, espumantes y gelificantes que se emplean para mejorar el sabor, la conservación, el aspecto o la textura de los alimentos. Los estudios clínicos y epidemiológicos han puesto de manifiesto que la mayoría de estos aditivos no son agentes tumorigénicos de gran potencia, aunque no debemos olvidar que los azúcares añadidos a las bebidas refrescantes y a los alimentos ultraprocesados tienen efectos nocivos sobre nuestra salud. De todas formas, no podemos descartar que alguno de estos aditivos pueda tener efectos tumorales a largo plazo. Algo parecido sucede con la amenaza creciente que supone para los seres humanos la ingestión de todos esos microplásticos que nadan o bucean sin ser vistos en las tranquilas aguas de una botella. Por último, pero no menos importante, el empleo de cantidades masivas de fertilizantes, herbicidas, fungicidas y pesticidas para mejorar el rendimiento de las cosechas hace que muchas veces queden incorporados a la cadena alimentaria y que, por tanto, nos produzcan los daños genómicos, epigenómicos o metagenómicos que pueden transportarnos a la ruta del cáncer.

En cualquier caso, ninguno de los agentes tóxicos mencionados tiene tanta importancia como esos hábitos de vida escogidos de manera personal pero que acaban convirtiéndose en adicciones difíciles de superar porque someten nuestra voluntad a una perversa extorsión. A la cabeza de todos ellos se encuentran el tabaquismo y el alcoholismo, dos hábitos que ejercen una gran influencia en el riesgo de desarrollar cáncer y sobre los que en teoría podemos intervenir de una manera sencilla: basta con eliminarlos de nuestras vidas. Los primeros indicios que señalaban al consumo de tabaco como causante del cáncer de pulmón se remontan al trabajo pionero de John Hill, de 1761. Desde entonces, esta hipótesis fue sufriendo todo tipo de críticas y menoscabos para conseguir su descrédito, mientras las tabacaleras seguían lucrándose con el mal ajeno. Hoy, cuando ya nadie se atreve a discutir la triste ligazón entre el tabaco y el cáncer, la colaboración de destacados científicos del pasado en aquella infame labor negacionista nos causa vergüenza. También nos abochorna que un hábito que atenta directamente contra la salud y provoca cada año muchos miles de muertos por cáncer de pulmón siga teniendo tanto predicamento social.

Análogamente, más del 10 % de los cánceres que se diagnostican en España se deben al consumo excesivo de alcohol, y lo mismo sucede en muchos otros países, que registran cifras similares o incluso mayores. Los estudios epidemiológicos no dejan lugar a dudas: el alcohol aumenta el riesgo de padecer cánceres de boca, faringe, laringe, esófago, hígado, colon, mama y próstata, y es muy probable que provoque la transformación maligna de células pancreáticas y gástricas. Ante eso, ya no queda nada por decir; solo podemos apelar, una vez más, a la responsabilidad individual, familiar y social. La toxicidad crónica que infligimos a nuestro cuerpo con el consumo de tabaco y alcohol no solo nos daña a nosotros, sino que trasciende nuestro entorno más cercano y se proyecta sobre la sociedad, que debe destinar los siempre escasos recursos públicos —tanto económicos como humanos— para afrontar un problema de costes elevados, pero de fácil solución, al menos en el plano particular.

Tras esta exposición podemos entender mejor las conclusiones científicas de aquella primera (e imaginaria) Cumbre Mundial del Cambio Oncológico y las recomendaciones generales planteadas por su joven presidenta, que a todos sorprendieron y a muchos indignaron por su aparente simplicidad. Sin embargo, mientras escucho la conmovedora música de Mozart en su *Concierto para piano n.º 21* o la emocionada voz de Rosalía cantando *Me quedo contigo*, me doy cuenta de que esta reflexión sobre la prevención del cáncer quedaría incompleta si no abordásemos el posible efecto tumoral de dos nuevas formas de toxicidad que son cada vez más importantes para nuestra especie: el estrés emocional y la toxicidad fieramente humana.

Siempre pensé que el siglo XXI sería el del triunfo del conocimiento y de la ilustración, de cuya mano vendrían la justicia social y el disfrute personal. Me equivoqué. No tenemos aún la suficiente perspectiva, ya que solo han transcurrido las dos primeras décadas del siglo, pero todo indica que son tiempos difíciles para la armonía molecular. La sociedad parece estar crónicamente enfadada y crispada, pero también desilusionada, decepcionada y desorientada. Los contadores oficiales de los niveles de felicidad (imponente palabra) o de alegría (su hermana menor) entre los miembros de nuestra especie se mantienen estables y, por el momento, no hay en ellos motivo de alarma. Sin embargo, mientras escribo percibo con nitidez el ruido del mundo y el ruido de la vida, la mía y la de otros. Aquí y allá, en Europa, en Asia, en América, las calles se llenan de gente, fundamentalmente jóvenes, que expresan cosas muy diversas pero que tal vez pueden resumirse en una sola palabra: insatisfacción. Insatisfacción con el mundo que les ha tocado vivir. Este ruido del mundo se mezcla con el ruido de la vida y somos muchos, desde luego muchos más de los que aparecen en las estadísticas, los que acabamos dialogando con la oscuridad y entrando en eclipses de alma. Durante las charlas de presentación del libro *La vida en cuatro letras*, tuve oportunidad de conocer a muchas personas que se acercaron a mí para compartir de forma tan breve como intensa sus propios eclipses. Apelando a esa condición de científico que todavía creo poseer, tomé notas, pasé revista a las causas de tanta depresión disimulada o manifiesta y, al final, llegué a una sorprendente conclusión. La ansiedad que observamos hoy en día tiene unos cuantos elementos en común: la pérdida de personas queridas, la falta de un *ikigai** o propósito vital cotidiano y, cada vez más, la toxicidad generada por aquellas personas que, desde cerca o desde lejos, son capaces de destruir la vida de otros de una manera tan sencilla y tan impune que causa pavor.

Fue en ese momento cuando me planteé una provocativa cuestión: ¿pueden el estrés emocional o la toxicidad de origen humano llegar a aumentar el riesgo de padecer cáncer? La literatura científica al respecto no es muy consistente: existen tanto estudios que avalan esta posibilidad como investigaciones que la contradicen. Hipócrates siempre pensó que la melancolía era un estado de ánimo que predisponía al cáncer y esta idea se mantuvo hasta bien avanzado el siglo XX. De hecho, el afamado psiquiatra y psicoanalista Wilhelm Reich atribuyó el cáncer bucal de su colega Sigmund Freud al continuo martillear de su mandíbula, un movimiento que, según él, sería reflejo de la profunda tensión que le provocaban sus represiones emocionales. La búsqueda de culpables externos para los males propios es muy natural en los humanos, pero Reich que, además consideraba que el cáncer era producto de lo que él llamaba «orgones negativos», no pareció dar mucha importancia al hecho de que Freud era un fumador compulsivo que podía llegar a consumir más de veinte puros diarios, una pasión que no abandonó hasta exhalar su último y muy intoxicado aliento.

En el otro extremo, guardo en la memoria casos muy significativos y muy cercanos de personas que sufrieron un devastador estrés emocional y, tiempo después, desarrollaron tumores malignos que resultaron ser fatales. El pensamiento científico más ortodoxo no aceptaría fácilmente la existencia de una relación causal entre estos hechos correlativos. De acuerdo con ello, sería harto improbable que un grave disgusto o un intoxicador humano tuvieran el potencial suficiente para causar mutaciones en el ADN que provoquen la transformación celular. Sin embargo, hoy en día sabemos que, si bien el cáncer es obra de un cúmulo de daños genéticos, este proceso mutacional va acompañado de numerosos factores adicionales. Entre ellos están los cambios epigenéticos que activan oncogenes o silencian supresores tumorales, un microbioma plástico y dinámico que puede estar provisto de elementos con propiedades tumorales, una inestabilidad genética estimulada por los cambios producidos en los sistemas de reparación del genoma, una reprogramación metabólica y hormonal inducida por factores que pueden parecer sutiles y un entorno permisivo en el plano celular, incluyendo todas aquellas células del sistema inmune que han sido incapaces de detectar y eliminar las células transformadas.

Esta realidad bioquímica y funcional ofrece a una célula transformada múltiples oportunidades de encontrar el estímulo suficiente para progresar en sus anhelos egoístas, inmortalizadores y viajeros. Por ello, mi opinión particular —todavía con poco soporte experimental— es que el estrés emocional puede incrementar el riesgo de cáncer en ciertas circunstancias. Su mecanismo de actuación sería como una especie de cromotripsis del alma que afectaría no solo al cerebro sino a todos los órganos del cuerpo. En términos moleculares, es ya bien conocido que los estados de estrés o ansiedad aumentan los niveles de cortisol, una hormona que provoca una supresión general del sistema inmunitario y que afecta a algunas otras estrategias endógenas de respuesta al estrés celular. Esta conjunción de alteraciones acabaría creando en las células un microentorno permisivo que incrementaría el riesgo de desarrollar cáncer.

Por último, podemos también discutir brevemente si la situación emocional de un paciente oncológico puede influir en el tratamiento del cáncer o, avanzando un paso más, si una actitud positiva natural o activada por algún sistema de refuerzo psicológico puede curar el cáncer. A mi juicio, y conforme a mi experiencia, una vez que se ha recibido el diagnóstico y se han iniciado los tratamientos contra el cáncer, es muy recomendable recibir apoyo psicológico profesional y acompañarlo de actividades como el yoga y la meditación, o de cambios en el estilo de vida que ayuden a recobrar el equilibrio emocional, ya que es una situación que suele generar una profunda inquietud y mucha ansiedad. El bienestar emocional contribuirá a rebajar los niveles de cortisol, a reducir los factores inflamatorios y a reforzar el sistema inmune y el resto de los mecanismos de defensa celular, con lo cual se crea una situación de bienestar molecular que puede ser de ayuda para la eficacia del tratamiento oncológico. Pero lo que nunca podemos llegar a creer es que unas sesiones de yoga, de meditación o de sanación espiritual van a curarnos de un cáncer. Salvo situaciones absolutamente excepcionales, por el momento, eso solo lo puede hacer la medicina oncológica y no en todos los casos. Finalmente, hay que ser también muy prudentes para no exagerar la positividad que los pacientes oncológicos se ven obligados a asumir porque por todos los lados les llegan mensajes de que esta es la actitud que hay que tomar. Cuando el cáncer acude a nuestro cuerpo, nunca es bienvenido, nadie lo desea y todos queremos alejarlo para siempre. Escuchar una y otra vez que esta o aquella figura pública han vencido el cáncer o superado un tumor maligno transmite subliminalmente la idea de que esas personas se han curado porque han sabido elaborar y mantener un pensamiento positivo mientras luchaban contra la enfermedad. No es cierto; en la vida y en la enfermedad es mejor la esperanza que la desesperanza, pero para curar un cáncer no basta con desearlo: hacen falta medicamentos y tratamientos cuyo desarrollo ha exigido años de dedicación y esfuerzo a muchas personas. Nunca habrá soluciones simples para problemas biológicos tan complejos como el cáncer, un mal que todavía presenta obstáculos formidables para su mejor conocimiento.

Termina aquí la exposición sobre las distintas formas de prevenir el cáncer. Sin duda, la propia naturaleza de la enfermedad lleva implícita la idea de que, aunque se llegaran a implementar todas las estrategias posibles para disminuir el riesgo de padecer cáncer, nunca será posible prevenir todos los tumores malignos. No podemos olvidar que algunas de las mutaciones que han provocado un cáncer, pueden haber sido obra de errores estocásticos producidos en los mecanismos de copia y reparación del material genético, pues estos mecanismos son siempre imperfectos. Sabemos que todavía no ha llegado el mágico momento —vaticinado por Michel Houellebecq en su brillante e insolente novela *Las partículas elementales*— en que los biólogos moleculares serán capaces de reescribir nuestro código genético para que no mute y podamos vivir en perfecta armonía entre nosotros y con el mundo en general. Mientras esperamos que esto suceda, lo único que podemos hacer es reconocer que todas esas mutaciones replicativas que se producen durante la copia del genoma hacen que el concepto de azar esté muy presente en la oncología. Todos tenemos en mente a alguna persona que padeció cáncer a pesar de haber seguido siempre todas las medidas de prevención. En el lado opuesto estarían las personas que nunca tuvieron cáncer y que murieron a una edad avanzada tras haberse saltado sistemáticamente la inmensa mayoría de las recomendaciones médicas para evitar semejante mal. El componente del azar es muy difícil de cuantificar y los estudios que han intentado hacerlo, como los llevados a cabo por el grupo del oncólogo americano Bert Vogelstein, han sido ampliamente contestados. Estos investigadores concluyeron que la gran mayoría de los casos de cáncer no se pueden prevenir fácilmente, pues serían el resultado de lo que definen literalmente como «mala suerte». La interpretación inadecuada de esta conclusión por parte de algunos medios provocó una gran alarma, pues se llegó a decir que, si el cáncer era una cuestión de mala fortuna, las medidas de prevención no servirían para nada. Tras los acalorados debates mantenidos sobre el asunto, más centrados en cuestiones estadísticas y estilísticas que en la realidad de la enfermedad, hoy en día se ha llegado a un cierto equilibrio entre las posturas defendidas por unos y otros, pues, al final, la relevancia de las medidas preventivas ha quedado validada e incluso fortalecida.[11]

En resumen, prevenir para vivir, otro sencillo mantra que conviene repetirse. Dejemos que penetre de manera natural en nuestra mente y en nuestra vida, pero sin perder de vista que prevenir no es impedir. De la misma manera que somos conscientes de que la imprecisa ciencia de la prevención no puede eliminar el cáncer, también es bien sabido que no podemos medir con un mínimo de precisión ni la mala ni la buena suerte, ni intervenir sobre ellas, como tampoco podemos medir con exactitud la intensidad de nuestros sentimientos hacia otras personas. Sin embargo, podemos contar con rigor el número total de seres humanos que, independientemente de si han seguido o no las medidas preventivas, han acabado por desarrollar un tumor maligno. Sin duda, estos cálculos podemos efectuarlos en nuestro entorno más próximo, pero también tenemos a nuestra disposición las cifras de fallecimientos por cáncer de nuestra ciudad, de nuestra provincia, de nuestro país y hasta del mundo entero. Ante esta fría avalancha numérica, bajo la cual se ocultan personas con nombres y apellidos concretos, cabe preguntarse —tal como hacen ya muchos pacientes o sus familias— si las mismas medidas que contribuyen a la prevención del cáncer pueden también utilizarse para curar la enfermedad una vez que se ha manifestado en un paciente. La respuesta a una cuestión tan importante como esta debe ser categórica, pues ante la imposibilidad de que la medicina actual llegue a curar todos los tumores malignos, han comenzado a proliferar propuestas alternativas que giran en torno a supuestas estrategias nutricionales, destoxificantes o emocionales que pretenden curar el cáncer definitivamente.

Tanto en lo personal como en lo científico, he sido educado para evitar aceptar sin más ni más cualquier clase de dogma. Me gusta recordar a mis alumnos que el principio central de la biología molecular (la información genética fluye del ADN al ARN y de este a las proteínas) fue cuestionado y finalmente demolido por la fuerza de la experimentación. Posteriormente, siguieron el mismo camino la inmensa mayoría de los pronunciamientos categóricos sobre cuestiones relativas a los mecanismos que hacen posible la vida. Tarde o temprano se acaba encontrando algún ser vivo o algún proceso que no siguen la norma y que nos obligan a reformular teorías o a readaptar hipótesis. Nada mejor para ilustrarlo que el reciente descubrimiento de que los micro-ARN y otros ARN no codificantes son piezas esenciales en el complejo mecano de la regulación biológica, tanto en un organismo sano como en uno enfermo, incluso el afectado por el cáncer.[12] Cuando pienso en ellos, siento verdadera vergüenza, pues durante más de dos décadas fui capaz de explicar en clase los mecanismos de regulación de la actividad de los genes sin necesidad de mencionar la existencia y funciones de los varios miles de los entonces desconocidos genes que codifican a estos minúsculos ARN. Podría añadir muchos otros ejemplos que ratifican mi idea de que, en ciertas áreas de la vida, tal vez en todas, y desde luego en la investigación, existen muy pocas certezas. Sin embargo, la ausencia de verdades absolutas o las limitaciones actuales de la ciencia y de la medicina no pueden utilizarse para enmascarar las falsedades o las posverdades.

Hoy por hoy, y basándome en mis más de cuarenta años de estudio e investigación de las claves de la vida y las enfermedades, la conclusión a la que llego es que ninguna dieta puede curar el cáncer. En párrafos anteriores hemos expuesto que los factores nutricionales —en conjunción con diversos agentes mutagénicos— desempeñan un papel importante en la formación de algunos tumores. Además, parece claro que las estrategias dietéticas pueden influir en algunas etapas de la evolución del cáncer. La propia enfermedad y los agresivos tratamientos pautados para combatirla incrementan el riesgo de desnutrición hasta llegar en algunos casos a la caquexia tumoral, caracterizada por la aparición de una grave anorexia y una profunda astenia, que acaba con la vida de un significativo porcentaje de los pacientes con tumores avanzados. Por eso, no solo es sensato sino más bien obligatorio que los enfermos de cáncer sean objeto de un seguimiento cercano por parte de nutricionistas expertos que evalúen sus necesidades dietéticas junto con los oncólogos que los atienden.

Entre las estrategias dietéticas que pueden actuar como adyuvantes de la radioterapia o la quimioterapia, se han descrito efectos positivos en las dietas vegetarianas o en las propuestas de restricción calórica aplicadas a modelos preclínicos de cáncer de distintos tipos y a pacientes con cáncer de mama. A la vista de los buenos resultados obtenidos en modelos animales con tumores malignos, algunos centros oncológicos han empezado también a servirse del ayuno intermitente durante el tratamiento quimioterápico. Análogamente, las dietas cetogénicas también están ganando terreno como complementos nutricionales que pueden emplearse durante el tratamiento del cáncer, especialmente en tumores cerebrales y colorrectales. De todas formas, como cada tipo de tumor tiene sus propios cambios metabólicos y sus requerimientos nutricionales, siempre resultará muy difícil encontrar dietas antitumorales de aplicación general. De momento, solo se pueden ofrecer unas recomendaciones básicas, como por ejemplo la disminución controlada de la ingesta de azúcares como la glucosa o de aminoácidos como la glutamina, ambos consumidos con especial avidez por las células tumorales, lo cual les crea una clara dependencia y una grave vulnerabilidad.[13] El tiempo dirá si estas estrategias pueden ser válidas para mejorar en alguna medida el tratamiento de ciertos cánceres; pero lo que no pueden hacer hoy por hoy estas dietas es curar por sí solas el cáncer sin el apoyo de algún tratamiento o medida adicional, sea cirugía, radioterapia, quimioterapia o inmunoterapia.

Tampoco pueden hacerlo las actividades físicas fuera de lo común, ni las tecnologías de nombre rimbombante y dudoso fundamento, ni las intervenciones emocionales, ni las invocaciones sobrenaturales. Algunas de estas aproximaciones pueden ser beneficiosas, balsámicas, reparadoras, estimulantes, esperanzadoras y hasta complementarias a la medicina, pero no pueden ni deben reemplazarla. Si lo hicieran y en verdad funcionaran, dejarían de ser lo que hoy son y pasarían a un estadio superior de verdadera medicina. Para ello solo pedimos que sean intervenciones reproducibles, generalizables y accesibles, y no meras coincidencias, exageraciones o simples invenciones.

No deja de sorprenderme que las mal llamadas medicinas alternativas sigan teniendo tanto impacto en el área oncológica, cuando se han erradicado de muchos otros ámbitos médicos. El cáncer surge de la inevitable vulnerabilidad de nuestras moléculas, pero a su vez genera otras vulnerabilidades, sobre todo las emocionales, que podrían ser evitables o, al menos, manejables. He conocido muchos casos de pacientes con cáncer que, pese a su formación científica, han probado todo tipo de alternativas seudocientíficas. Algunos eran amigos de mi propio entorno; de otros, como el famoso Steve Jobs, tuve conocimiento porque sus historias han salido a la luz pública. Pero no he encontrado un solo paciente oncológico en quien las supuestas medicinas alternativas hayan funcionado de manera eficiente y verificable para curar lo que la medicina científica no había logrado sanar. Tampoco he tenido la fortuna de conocer algún caso de los que hemos dado en llamar tumores de san Peregrino —esas remisiones aparentemente espontáneas de cánceres, habitualmente asociadas a infecciones—, en los que algo tan natural como la respuesta inmune de la persona parece haber contribuido a su curación.

Aprendamos todo lo posible de estos curiosos casos, como ya hace la oncología con los respondedores excepcionales* a los tratamientos antitumorales, pero no los utilicemos como excusa para otorgar universalidad a lo que no la tiene. Pese a sus fracasos, sus limitaciones y sus inconsistencias, no nos queda otra opción que seguir confiando en la ciencia y en la medicina. Estas son las únicas disciplinas que se enfrentan directamente al núcleo del cáncer: un grupo de células renegadas y traidoras que, después de sufrir múltiples daños moleculares, se transforman en entidades egoístas, inmortales y viajeras, y nos hacen sentir con intensidad y cercanía la vulnerabilidad humana.

CAPÍTULO 14

Ante mí, el infinito

El futuro del cáncer

Desde que supe que para viajar al infinito solo se precisa un leve movimiento de los párpados, son muchos los kilómetros que he recorrido transitando por un camino que siempre es distinto. Las páginas anteriores recogen el relato de uno de estos viajes, un viaje de conocimiento al centro del cáncer, esa enfermedad que tiene un lejano principio y cuyo final tampoco parece cercano. Este periplo celular y molecular ha sido tan singular como mi número favorito, el número de Champernowne, que también busca el infinito porque contiene todos los números naturales posibles.[1] Las autopistas por las que he viajado para alcanzar el centro del cáncer no son ni de éter, ni de agua, ni de tierra, ni de asfalto; están construidas con cuatro sencillos compuestos químicos llamados nucleótidos que generan el material más valioso del multiverso conocido, el ADN. En este particular viaje al corazón del Gran Mal, el infinito tampoco está cerca porque según las guías de los autoestopistas —sean o no galácticos— hay que recorrer al menos nueve millones de sinuosos kilómetros para completarlo y comprenderlo. Esta colosal distancia es una mera aproximación a la longitud total de ADN que poseemos en el interior de nuestro cuerpo y que equivale a unos veintitrés viajes desde el planeta de los genes hasta la cara oculta de la Luna.

Ya en el infinito, el silencio de la soledad me anima a pensar que la vida desafía una y otra vez a la imaginación: un defecto sutil, una letra cambiada, apenas un pequeño bache en este interminable verso de asfalto nucleotídico, es suficiente para que todo el edificio biológico se derrumbe. Esta es la insoportable gravedad del ser, de nuestra manera molecular de ser; pero esta es, a la vez, la maravillosa levedad de estar vivo. Para no olvidarlo, me repito en voz alta que —dada nuestra imperfección, nuestra complejidad y nuestra vulnerabilidad— lo milagroso es vivir, lo asombroso es no tener cáncer, disbiosis o cualquier otra enfermedad de las muchas que existen en el catálogo de los males del mundo.

Suena *Lucha de gigantes* en mi nave escritora y al fin entiendo en qué consiste el miedo a la enormidad de la eternidad, cuando hay una bestia corriendo detrás. Pienso en lo que he aprendido viajando al centro del Gran Mal y recuerdo a Adán, a quien nunca conocí, pero al que nunca he olvidado. El recuerdo de Adán me acerca a Tino, con su gorro de lana; a Paco, con su conmovedora bondad; a Paula, con su delicada energía azul; y a Cristina, Rubén, Aroa, Mario y Amaury, con sus miradas ingenuas y sus vidas todavía por vivir. Después veo que se acercan algunos de mis tíos y de mis primos, y también algunos amigos del pueblo con los que compartí el incomparable tiempo en que se aprende a leer y a escribir; y más allá se incorporan María José, Ibón, Sara, Samuel, Armando, José María, Faustino, Haydée, Antonio, Cristina, Laura, Marisol, Adolfo, José, Elisa, Carles, Pepe, Marina, Kathleen, Manolo, Chesús, Ian, Gabi... y una larga lista de seres maravillosos a los que sí que conocí y a los que tampoco he olvidado. Todos sois bienvenidos a mi particular Jardín de la Memoria, porque allí «de las tristezas haremos humo».[2] A mi auxilio acuden la voz de cristal de Barbara y la sentida poesía de Miquel Martí i Pol, siempre prestas a ayudarme a «combinar palabras, palabras que me justifiquen. Tengo el atardecer y tengo palabras duras como *ausencia*, *oscuridad* y *soledad*. Tengo palabras urgentes. Tengo una niebla fina en el fondo de los ojos.

Tengo silencios y un oscuro deseo de vivir... No hay tiempo para borradores, hay que escribir la vida en limpio, sin esperar prodigios, con una letra clara».

Comienzo mi escritura en limpio, las palabras van compareciendo una a una, lentamente, como si sus sílabas llovieran gota a gota: vida, organismo, célula, genoma, imperfección, azar, mutación, inestabilidad, evolución, transformación, traición, egoísmo, inmortalidad, migración, invasión, colonización, cáncer, metástasis, incertidumbre, miedo, cirugía, radioterapia, quimioterapia, especificidad, inmunoterapia, esperanza y vida.

Con estas pocas palabras, construyo mi relato. Salgo de la vida y vuelvo a la vida. Cierro así un círculo con palabras que me justifican, porque cuentan lo que he aprendido en el viaje al centro de una enfermedad de seis letras escrita con el alfabeto de cuatro letras de la propia vida. Sé que justificarse no es suficiente. Me doy cuenta de que debo buscar nuevas palabras, palabras urgentes, porque cada día la niebla fina sigue ocupando el fondo de muchos ojos; porque, aunque tenga silencios y eclipses, conozco bien en qué consiste el oscuro deseo de vivir; y, sobre todo, porque no espero más prodigios que los que puedan surgir del talento y el trabajo de un puñado de personas, que no sabemos quiénes son porque «no conocemos ni siquiera el nombre de esos científicos que mañana nos salvarán la vida»[3]. Amplío el círculo para intentar acomodar unos cuantos términos adicionales en la ecuación del Gran Mal: prevención, nutrición, ejercicio, antitoxicidad, secuenciación, epigenoma, metagenoma, proteoma, metaboloma, datos, algoritmos, integración, predisposición, predicción, cribado, consejo, tratamiento, personalización, cronificación, curación y vulnerabilidad.

Miro con calma esta colección de palabras, o tal vez ellas me miran a mí como si fueran «la joven de la perla»,[4] a quien no sabes si la miras tú o es ella quien te mira cuando estás frente a su imagen pintada con palindrómica luz azul de lapislázuli. Son palabras grandes y palabras pequeñas, palabras complejas que piden explicaciones y palabras sencillas que las ofrecen. Tras observar y escuchar todos estos vocablos, asumo que la ecuación circular del cáncer escrita con menos de cincuenta palabras está incompleta, igual que lo está la fórmula de la felicidad descrita en *La vida en cuatro letras*, o la ecuación de la longevidad dibujada en *El sueño del tiempo*. Completarla requerirá tiempo, mucho tiempo y, aunque yo ya no lo veré, espero que sea algo menos que el empleado por la evolución biológica para construir las criaturas pluricelulares que hace millones de años sembraron las primeras semillas del cáncer. Desde entonces, los seres vivos —ya fueran moscas o gusanos, tortugas o serpientes, medusas o ballenas, mujeres u hombres— apenas han hecho otra cosa que asumir la existencia de las imperfecciones y las traiciones celulares, y esperar con paciencia, con infinita paciencia, a que la misma evolución que les otorgó estas deficiencias inventara diversas formas de protegerlos frente a ellas.

Poco a poco, gen a gen, los genomas de todos estos organismos fueron completando las colecciones de herramientas precisas para reparar los daños mutacionales o para defenderse de sus invasores, los que vienen de fuera y los que surgen de dentro. Después, un largo después, la bella estructura helicoidal del ADN proporcionó el marco conceptual para que esta misteriosa enfermedad pudiera tener una lógica molecular que abriría el camino a su comprensión y hasta a su curación.

La inteligencia humana comenzó a desvelar los secretos del cáncer y los primeros términos de su ecuación empezaron a definirse. El Gran Mal es una enfermedad de células y de genes, de mutaciones y de transformaciones, de evolución y de adaptación, y surge por la acumulación de daños en los lenguajes de la vida y tras la creación de microentornos celulares sumamente permisivos con la imperfección. Muchos de estos daños ocurren solo en algunas letras de las más de tres mil millones que componen el asombroso mensaje genómico que existe en los billones de células de nuestro cuerpo. Además, los lenguajes que dialogan continuamente con el ambiente —como el epigenoma o el metagenoma— contribuyen a su propia manera y con sus propias alteraciones al desarrollo de los tumores. El origen de los daños causantes del cáncer es tan diverso como los efectos que provocan: herencia, microorganismos, radiaciones, intoxicaciones y, también, imperfecciones, las que usó como excusa la propia evolución para bajarnos de la noria de la aparente banalidad bacteriana y ofrecernos otros modos de vida.

Tuvimos que pagar un elevado precio por lograr la imperfección. Quedamos en manos de los confusos dioses menores que entretienen su eternidad jugando con el azar, esa entidad que dicen que no existe, pero que se aprovecha de nuestras deficiencias e insuficiencias biológicas para arrastrarnos al envejecimiento y al cáncer. Hoy sabemos que las células dañadas de una u otra manera, o de varias maneras, o de todas las maneras, se transforman en profundidad, evolucionan eficazmente y se adaptan incansablemente hasta convertirse en esas entidades egoístas, inmortales y viajeras que pretenden destruir el organismo a cuyo correcto funcionamiento deberían servir. Para culminar su suicida ambición, las células tumorales recuperan su atávico instinto de crecer sin control, corrompen los circuitos de proliferación y muerte celular, promueven la supervivencia, la angiogénesis y la movilidad, reprograman el metabolismo, confunden a nuestros relojes, eluden el sistema inmune, usurpan la respuesta inflamatoria y generan una inestabilidad genómica que alimenta su evolución y facilita su adaptación a los entornos hostiles.

El avance del conocimiento y de la medicina comenzó a regalar salud y vida a los pacientes con cáncer. Con el tiempo, las duras palabras utilizadas en los inicios —cortar, quemar y envenenar— fueron reemplazadas por operar, radiar y tratar, y luego ampliadas por expresiones como cirugía robótica, radioterapia de precisión, quimioterapia dirigida, terapia personalizada e inmunoterapia antitumoral. Con todas ellas hemos viajado muy lejos y por distintos itinerarios hasta alcanzar alguno de los muchos infinitos de Cantor: de la incertidumbre a la esperanza, del caos a la armonía, de la muerte a la vida. La recompensa de estos viajes de conocimiento ha sido extraordinaria, pese a que algunos parecen ignorarlo. Hoy, muchos tumores malignos se pueden curar. Cáncer y muerte no son vocablos equivalentes en la ecuación de la vida. No lo olvidemos. Otros cánceres se pueden mantener como enfermedades crónicas que nos acompañan un tiempo o incluso todo el tiempo, pero no nos roban la vida ni con urgencia, ni con vehemencia. No lo olvidemos tampoco. La balanza del cáncer se va inclinando lentamente hacia el lado de la vida. Es gratificante. Pero no suficiente. Hay muchos pacientes y muchas familias que siguen esperando respuestas. Hay tumores que se diagnostican demasiado tarde, otros son refractarios a las terapias disponibles y algunos se despiertan de nuevo cuando ya parecían dormidos para siempre. Hay territorios inexplorados en los que todavía tiene cabida la advertencia «*hic sunt dracons*», dragones que adquieren la forma de procesos y mecanismos tumorales que deben descubrirse y comprenderse. Hay que diseñar nuevos métodos y nuevas brújulas que nos guíen en el viaje hacia esos nuevos infinitos.

En un futuro que ya llama a la puerta —al amparo del progreso de la medicina personalizada y en estrecha colaboración con las técnicas de inteligencia artificial*— la oncología abrazará el dataísmo.* Se acumularán datos y más datos. Datos celulares, moleculares, clínicos y ambientales relativos a cada paciente. Datos generados con nuevas técnicas de imagen, con biosensores, con biopsias líquidas y con plataformas de lectura e interpretación de los distintos lenguajes ómicos. La integración y análisis de todos estos datos almacenados en densas historias clínicas en formato electrónico nos permitirá afrontar los grandes retos que todavía presenta el cáncer —diagnóstico temprano, heterogeneidad tumoral, evolución clonal y resistencia a los fármacos— que acaban por provocar las infames metástasis.[5] Habrá que perder el miedo a navegar entre datos: nuevos algoritmos nos ayudarán. Habrá que pasar de los datos a los fármacos: nuevas técnicas nos impulsarán. Las farmacias hospitalarias ampliarán su oferta con paneles génicos para identificar los genes conductores de cada cáncer de cada paciente; con células reprogramadas, genoeditadas e inmunopotenciadas para enfrentarse a los tumores; con virus modificados genéticamente; con sustancias antitumorales encapsuladas en nanopartículas diseñadas para transportarlas al lugar preciso; y, finalmente, con largas colecciones de *ibs* y *abs*, surgidos de la imaginación de los científicos para atacar tanto las francas debilidades como la prodigiosa adaptabilidad de las células malignas en su viaje a la inmortalidad, paradójico viaje porque, si tiene éxito, les costará la vida.

El panorama terapéutico en oncología es estimulante en lo global. Basta pensar que la investigación oncológica no se ha detenido ni en el año en que un pequeño coronavirus se convirtió en el dueño del tiempo del mundo. Reconforta saber que, en 2020, las agencias reguladoras aprobaron más de treinta nuevos medicamentos para el tratamiento del cáncer.[6] Las nuevas aproximaciones a esta enfermedad —las que ya se están introduciendo y las que vendrán después, cuando se superen algunas de las barreras científicas, médicas y tecnológicas que aún existen— son muy diversas en sus planteamientos teóricos, en su potencial de aplicación y en su calendario de implementación en la práctica clínica. Sin embargo, todas ellas tienen un objetivo común: desalojar a los últimos dragones de los mapas del cáncer y regalar tiempo, salud y vida a los millones de pacientes que cada año se incorporan al censo de la malignidad. Aliviados por esta mirada optimista, no debemos obviar que también hay espacio y tiempo para las sombras proyectadas por la luz del progreso.

Las sombras, como la luz, buscan las grietas por las que poder penetrar. La primera de ellas es la abrumadora complejidad clínica y biológica del cáncer. No la olvidemos, no la minimicemos. Esta enfermedad se nos muestra en sus muchas caras, por lo que también hacen falta muchas caras, muchos ojos y muchas mentes de expertos en ámbitos diferentes para recoger, integrar e interpretar las mareas de datos y, después, escoger los tratamientos más adecuados, evaluar su eficiencia y anticipar las resistencias. Habrá que difuminar las barreras de las especialidades y aumentar el diálogo entre los especialistas; la necesidad ayudará. Además, los algoritmos oncológicos exhiben todavía grandes grietas y dejan un amplio espacio a la incertidumbre en cuanto a su capacidad de predecir las firmas genómicas etiológicas, las variantes genéticas de predisposición, las diferencias entre mutaciones conductoras y pasajeras, las terapias combinadas más adecuadas y la aparición de recurrencias. Los errores cometidos por el algoritmo más avanzado en este sentido (Watson-Oncology, IBM) —que recomendó tratamientos inadecuados para algunos cánceres— son una prueba de que la mirada humana sigue siendo imprescindible en la medicina. Por otra parte, no debe olvidarse que los nuevos elixires antitumorales son caros —a menudo increíblemente caros— y su incorporación a la rutina clínica es ya un gran reto para los sistemas de salud. Esta realidad actual promete agravarse en el futuro y nos obliga a reflexionar sobre la posible aparición de nuevas formas de discriminación social, no solo basadas en factores económicos sino en los frutos del conocimiento.

La discriminación genotípica derivada de la presencia de genes o variantes génicas de predisposición al cáncer, sumada a la debilidad de los conceptos de confidencialidad e intimidad —a menudo asesinados por los actuales usos sociales— pueden causar un daño tan difícil de cuantificar como el dolor que provoca la propia enfermedad. Habrá que revisar los códigos éticos humanos y desarrollar algoritmos de ética para robots que impidan que la oncología personalizada acabe siendo despersonalizada y que la inteligencia artificial desaloje sin pudor a la inteligencia natural humana. La educación ayudará. La educación también evitará que ningún paciente oncológico resulte afectado a la vez por el cáncer y por la seudociencia. Aprendí de mis maestros que en biología y en medicina no hay dogmas inviolables; aprendí de la poesía que es «imposible con nubes estrechar hasta el fondo un cuerpo»;[7] y aprendí de la ciencia y de la experiencia que es imposible curar el cáncer con nubes, tengan forma de remedios fútiles o de palabras vacías.

Todas estas sombras alejan el infinito de la pretendida y publicitada erradicación del cáncer. Sorprendentemente, hay una forma sencilla de acercar de nuevo ese infinito si atendemos a la preservación de la salud en lugar de prestarnos a ser usuarios tempranos de los elixires oncológicos, de los nuevos o de los de siempre. Hay que recordarlo, una y otra vez. Ninguno de estos costosos tratamientos, ni ninguna de las sofisticadas tecnologías disponibles salvará más vidas que la aceptación de normas tan sencillas como comer menos y mejor, hacer ejercicio, protegerse del sol, dejar de fumar y alejarse de cualquier foco de toxicidad. Recuperemos nuestra sintonía con la naturaleza, cambiemos algunos rituales sociales y evitemos la interferencia voluntaria en una biología que hemos tardado más de tres mil millones de años en optimizar. Completemos estas medidas tan sencillas, y que dependen solo de nosotros, con otras basadas en la participación en los programas de detección precoz de diversos cánceres (colon, mama, útero, próstata...). Oiremos así la voz del *kogarashi*, el viento frío japonés que avisa de la llegada del invierno, y, cuando se aproxime el mal, nos encontrará preparados.

Y tras este viaje a los diversos infinitos relacionados con el cáncer, volvemos a la realidad. En ella, el Gran Mal ha sido capaz de poner en cuestión la invulnerabilidad que algunos pretenden asignar a la sociedad actual. Los inmortalistas, los hiperperfeccionistas, los tecnooptimistas y los sobreinformados vaticinan que, debido a los avances en el conocimiento, el cáncer pronto dejará de ser una amenaza para nuestras vidas y acabará por erradicarse. Lamentablemente, no puedo estar de acuerdo con estas opiniones, pese a que lo desearía fervientemente. La ciencia ha sido capaz de asombrarnos muchas veces y de acercarnos a las fronteras de lo imposible, lo hizo en el pasado y lo seguirá haciendo en el futuro. El gran problema del cáncer es que es algo imposible de erradicar porque forma parte de nuestra propia esencia biológica y deriva de los riesgos que asumimos todos los seres pluricelulares durante nuestras respectivas aventuras evolutivas. El cáncer tiene futuro. Llegó hace muchos millones de años para quedarse. Tarde o temprano, probablemente tarde, las medidas preventivas conseguirán reducir sustancialmente los casos de cáncer, la ciencia descubrirá brillantes e insospechadas estrategias antitumorales y la medicina curará o cronificará la mayoría de los casos de cáncer. Pero el cáncer seguirá nutriéndose del azar y de la imperfección, de la entropía que mueve el universo entero y del inevitable ruido biológico asociado al paso del tiempo. Cada fracaso terapéutico, cada muerte de un paciente con cáncer seguirán siendo un recordatorio de nuestra ignorancia, de nuestra arrogancia y de nuestra impotencia, y a la vez un estímulo para tratar de mejorar y superar nuestras humanas limitaciones.

Aceptemos la existencia real o imaginaria del azar, la entropía, la imperfección y el tiempo, asumamos la perseverancia del cáncer para instalarse en nuestras vidas y avancemos de manera conjunta y coordinada en todas las direcciones posibles —educación, concienciación, aceptación, prevención, investigación, traslación e intervención— para enfrentarnos a la tormenta tumoral. «Y una vez que la tormenta termine, no recordarás cómo lo lograste, cómo sobreviviste. Ni siquiera estarás seguro de si la tormenta ha terminado realmente. Aunque una cosa sí es segura: cuando salgas de esa tormenta, no serás la misma persona que entró en ella. De eso se trata la tormenta.»[8] Hay pocas tormentas tan perfectas como las causadas por el cáncer y, sin duda, cuando se sale de la enfermedad, nadie es la misma persona que antes de sufrirla, al igual que yo mismo tampoco soy la misma persona que era antes de comenzar a escribir esta trilogía sobre la vulnerabilidad humana que llega ahora a su fin.

EPÍLOGO

Egoístas, inmortales y viajeras es el libro que cierra una trilogía escrita con el afán de reflexionar sobre la vulnerabilidad humana, en un tiempo en el que este concepto ya parecía superado por nuestra especie porque, según nos decían, caminábamos hacia un futuro en el que las enfermedades iban a ser poco más que un molesto inconveniente de la vida cotidiana.

El primer libro de esta trilogía, *La vida en cuatro letras*, nos enseñó las claves moleculares de la vida, de la enfermedad y de la felicidad. Aprendimos a interpretar los distintos lenguajes biológicos, sus utilidades y sus debilidades, y concluimos que somos imperfectos y vulnerables. Después, *El sueño del tiempo* nos acercó al análisis de la que muchos consideran nuestra principal vulnerabilidad, el envejecimiento celular causado por el paso del tiempo. Presentamos nuestras ideas acerca de esta magnitud física que algunos sabios dicen que no existe y es solo una construcción mental, pero que condiciona cada instante de nuestras vidas. Discutimos las posibilidades de controlar el tiempo del mundo y el tiempo de la vida, y propusimos que, pese a todos los avances sociales y científicos, el envejecimiento tiene futuro. Nuestra vulnerabilidad ante el paso del tiempo permanecerá y seguiremos envejeciendo. Somos mortales y lo seguiremos siendo. Curiosamente, el despertar de *El sueño del tiempo* coincidió con la llegada de la pandemia causada por el coronavirus SARS-CoV2, esa minúscula entidad que carece de vida independiente y cuyas escuetas instrucciones vitales se escriben con menos de treinta mil letras nucleotídicas. Este dramático acontecimiento confirmó de manera muy dolorosa la Gran Verdad de la vulnerabilidad, a la vez que desnudó nuestras más humanas debilidades, incluyendo las económicas, las sociales y las políticas. Finalmente, *Egoístas, inmortales y viajeras* nos ha acercado al cáncer, la enfermedad humana que nos hace sentir la vulnerabilidad de una manera más intensa y más cercana. El libro reconstruye la biografía del cáncer para ayudarnos a comprender que el Gran Mal no es un suceso reciente en la Gran Historia del mundo, sino que es mucho más viejo que nuestra propia especie. Una vez revisada la lógica biológica del cáncer y sus claves, resulta incuestionable que esta enfermedad surge de la inevitable vulnerabilidad de nuestras moléculas, que a su vez genera otras vulnerabilidades, incluyendo las emocionales. Cierro así «con indecisa pluma»[1] este círculo emocional y vuelvo desde la enfermedad a la vida, convencido de que somos vulnerables y lo seguiremos siendo.

La mágica voz de Silvia Pérez Cruz me recuerda la falsa invulnerabilidad de la felicidad y me devuelve al momento en el que esta trilogía comenzó a dibujarse en mi imaginación. Ese inolvidable instante surgió cuando, tras sufrir una grave intoxicación por *Homo sapiens*, perdí mi *ikigai*, mi propósito en la vida. La escritura del primer libro me situó en la ruta de la recuperación emocional, pero el eclipse de alma volvió a visitarme. Más tarde, la escritura de los dos libros restantes de la trilogía me ayudó nuevamente a sobrevivir y a entender que el propósito de la vida no es otro que la propia vida. Durante este tiempo he sentido más que nunca que la soledad, la literatura, la música, la pintura y la observación de la vida son instrumentos de emoción masiva. He asumido que «eso que tú me das, es mucho más de lo que pido». He comprobado que algunas palabras, algunos silencios y algunos rayos de sol tienen un efecto profundamente transformador sobre el alma humana. He percibido con intensidad la lluvia, todas las lluvias, la que traen las lágrimas, las nubes y las estrellas. Finalmente, he confirmado que «vivir es fácil con los ojos cerrados».

En la oscuridad emocional, apenas iluminada sucesivamente por las perseidas, las gemínidas y las cuadrántidas, he entendido que —en la melancolía como en el cáncer— hay cosas que no se pueden evitar, por mucho equilibrio zen y espíritu positivo que pongamos en juego. Así, mientras busco un nuevo *ikigai*, me sostengo en el *shoganai*, una palabra que nos enseña a admitir que, queramos o no, nos guste o no, la vida es así. La perversa intoxicación humana me llevó al abismo, pero no me destruyó. Me enseñó los límites de mi vulnerabilidad y de mi sensibilidad, pero no me rendí. Me robó el *ikigai*, pero me regaló el *shoganai*. Tres años, tres meses y tres libros después de mi eclipse, me pregunto en voz muy baja si el altísimo precio pagado por aprender esta lección sobre la condición humana habrá merecido la pena. Cierro los ojos, acepto mi fragilidad y prosigo la eterna búsqueda de mis catorce días de plena felicidad.

Esto es lo que aprendí en mi viaje al infinito: sí, la vida es así; pero, pese a todo, es lo mejor que tenemos, no lo olvidemos. El resto es entropía.

GALERÍA DE ARTE

El vol de la libèl·lula davant del sol, Joan Miró (introducción)
El árbol de la vida, Gustav Klimt (capítulo 1)
Melancolía, Lucas Cranach (capítulo 1)
Te faaturuma o *La melancolía*, Paul Gauguin (capítulo 1)
Lectura en el salón de madame Geoffrin, Charles G. Lemonnier (capítulo 2)
La extracción de la piedra de la locura, El Bosco (capítulo 3)
Miniaturas, Matrakçi Nasuh (capítulo 4)
Muerte y vida, Gustav Klimt (capítulo 5)
Expedición de Xu Fu en busca del elixir de la inmortalidad, Utagawa Kuniyoshi (capítulo 5)
¿De dónde venimos? ¿Quiénes somos? ¿Adónde vamos?, Paul Gauguin (capítulo 6)
Puerto de Valparaíso, Johann Moritz Rugendas (capítulo 6)
Saigō Takamori in the retreat from Shiroyama castle, Ukiyo Toshimitsu (capítulo 7)
Blind men exploring an elephant, Katsushika Hokusai (capítulo 8)
La coronación de Napoleón, Jacques-Louis David (capítulo 9)
The race to clone BRCA1 (*Science*), Mary-Claire King (capítulo 9)
Guernica, Pablo Picasso (capítulo 10)
Golconda, René Magritte (capítulo 11)
Dear data, Giorgia Lupi y Stefanie Posavec (capítulo 11)
La misa de Bolsena, Rafael Sanzio (capítulo 12)

Retrato de Rodolfo II, Giuseppe Arcimboldo (capítulo 13)
Viva la vida, Frida Kahlo (capítulo 13)
La joven de la perla, Johannes Vermeer (capítulo 14)

BANDA SONORA

Concierto para piano n.º 23, adagio, Wolfgang Amadeus Mozart (introducción)
Tree of life / Albero della vita, Roberto Cacciapaglia (capítulo 1)
Negras sombras, Luz Casal (capítulo 1)
Dinossauros, Dingo Bells (capítulo 2)
La estatua del Jardín Botánico, Radio Futura (capítulo 3)
In Paradisum, Gabriel Fauré (capítulo 3)
Se me olvidó otra vez, Maná (capítulo 3)
Stay alive, José González (capítulo 3)
Heart beats slow, Angus & Julia Stone (capítulo 4)
Atmostra III, Cedric Baravaglio (capítulo 4)
Cold little heart, Michael Kiwanuka (capítulo 4)
Danse macabre, opus 40, Camille Saint-Säens (capítulo 5)
Copenhague, Vetusta Morla (capítulo 6)
La conquista del paraíso, Vangelis (capítulo 6)
La misión, Ennio Morricone (capítulo 6)
Salve Regina, Domenico Scarlatti (capítulo 6)
The last samurai, a way of life, Hans Zimmer (capítulo 7)
Conciertos para oboe, Johann Sebastian Bach (capítulo 8)
Heroica, sinfonía n.º 3, Ludwig van Beethoven (capítulo 9)
Claro de luna, Claude Debussy (capítulo 9)
Go solo, Tom Rosenthal (capítulo 10)
Neige, Eric Satie (capítulo 11)

The Alien, Manchester Orchestra (capítulo 12)
Just breathe, Willie Nelson (capítulo 12)
Concierto para piano n.º 21, Wolfgang Amadeus Mozart (capítulo 13)
Me quedo contigo, Rosalía (capítulo 13)
Lucha de gigantes, Antonio Vega (capítulo 14)
Dis, quand reviendras-tu?, Barbara (capítulo 14)
Mañana, Silvia Pérez Cruz (epílogo)
Strawberry fields forever, The Beatles (epílogo)

CARTELERA DE CINE

Parásitos, Bong Joon-ho (capítulo 1)
1917, Sam Mendes (capítulo 2)
The Knick, Steven Soderbergh (capítulo 3)
Mi vida sin mí, Isabel Coixet (capítulo 4)
La vida inmortal de Henrietta Lacks, George C. Wolf (capítulo 5)
Tierras de penumbra (*Shadowlands*), Richard Attenborough (capítulo 5)
La misión (*The mission*), Roland Joffé (capítulo 6)
El club de los poetas muertos (*Dead poets society*), Peter Weir (capítulo 8)
Cadena perpetua (*The Shawshank redemption*), Frank Darabont (capítulo 8)
Pena de muerte (*Dead man walking*), Tim Robbins (capítulo 8)
Vacaciones en Roma (*Roman holiday*), William Wyler (capítulo 9)
Desayuno con diamantes (*Breakfast at Tiffany's*), Blake Edwards (capítulo 9)
La llegada (*The arrival*), Denis Villeneuve (capítulo 11)
Eso que tú me das: última charla con Pau Donés, Jordi Évole (epílogo)
Vivir es fácil con los ojos cerrados, David Trueba (epílogo)

NOTAS

Introducción

1. La auténtica enciclopedia del cáncer es el libro titulado *Cancer: Principles & Practice of Oncology* (**V. T. DeVita, T. S. Lawrence y S. A. Rosenberg, [eds.]**, Lippincott Williams & Wilkins, undécima edición, 2018), que recoge todos los aspectos que uno pueda imaginar acerca de esta enfermedad. El volumen —comúnmente conocido como **DeVita**— es una biblia para especialistas en los distintos ámbitos de la oncología, pero los lectores más curiosos podrán encontrar en él respuestas rigurosas a cuestiones complejas. En un ámbito más cercano a la divulgación, *El emperador de todos los males,* escrito por **Siddhartha Mukherjee** (Barcelona, Debate, 2014), es un relato extraordinario y accesible de la biografía del cáncer desde sus orígenes hasta la época actual. Sin embargo, desaconsejo encarecidamente la consulta en internet de cuestiones básicas o clínicas relacionadas con las enfermedades oncológicas, pues muy a menudo la información que se proporciona es confusa, incorrecta o no está debidamente contrastada. En cambio, las páginas web de las sociedades médicas y científicas, como la **Sociedad Española de Oncología Médica** (SEOM, <www.seom.org>) o la **Asociación Española de Investigación en Cáncer** (ASEICA, <www.aseica.es>) (por citar dos ejemplos de distintos campos), ofrecen el rigor necesario para consultas concretas. Asimismo, la **Asociación Española contra el Cáncer** (AECC, <www.

aecc.es>) desarrolla desde hace décadas una labor ejemplar de información y apoyo a los pacientes oncológicos y a sus familias.

2. Los trabajos de nuestro laboratorio en torno al descubrimiento y análisis funcional de más de **sesenta nuevos genes humanos codificantes de proteasas asociadas al cáncer** se encuentran compilados en el sitio web <www.degradome.uniovi.es>. La definición del **degradoma** está recogida en López-Otín y Overall, «Protease degradomics, a new challenge for proteomics», *Nature Rev. Mol. Cell Biol.*, vol. 3, 2002, págs. 509-519.

3. La novela *De ratones y hombres,* de **John Steinbeck** (Barcelona, Edhasa, 2009), es una extraordinaria oda a la amistad, retratada a través de las duras peripecias vitales de George Milton y Lennie Small, dos trabajadores de los típicos ranchos americanos, que viajan por California durante la época de la Gran Depresión. John Steinbeck recibió el Premio Nobel de Literatura en 1962, el mismo año en que Jim Watson y Francis Crick recogieron el Nobel de Química por su descubrimiento de la estructura en doble hélice del ADN.

1. En el principio la vida

1. La **música de las esferas** es un término introducido por los antiguos filósofos griegos para describir una música perfecta, aunque imperceptible para nuestros sentidos, que es emitida por los cuerpos celestes.

2. La expresión «el triunfo de la simbiosis» se refiere a un acontecimiento evolutivo importantísimo que provocó la incorporación de bacterias en las primitivas células eucarióticas. Estas bacterias, que hoy llamamos **mitocondrias**, quedaron encerradas para siempre en las células de los organismos pluricelulares, pero mantuvieron su propio material genético. El ADN mitocondrial es una doble hélice circular formada por 16.569 pares de nucleótidos. La función principal de las mitocondrias es la producción de la energía precisa para la supervivencia y sus alteraciones causan enfermedades graves. Algunos de los trabajos que revisan las características funcionales y patológicas de las mitocondrias en el cáncer son: Yapa *et al.*, «Mitochondrial dynamics in health and disease», *FEBS Lett.*, 2021, doi: 10.1002/1873-3468.14077; Zong et *al.,* «Mitochondria and cancer», *Mol. Cell,* vol. 61,

2016, págs. 667-676; Bueno *et al.,* «Mitochondrial inhibition: A treatment strategy in cancer?», *Curr. Oncol. Rep.*, vol. 23, 2021, pág. 49; Valcárcel-Jiménez *et al.*, «Mitochondrial metabolism: Yin and yang for tumor progression», *Trends Endocrinol. Metab.,* vol. 28, 2017, págs. 748-757; Sica *et al.*, «Oxidative phosphorylation as a potential therapeutic target for cancer therapy», *Int. J. Cancer,* vol. 146, 2020, págs. 10-17.

3. La excelente tesis doctoral de **Fanny Hernández Brotons,** *The experience of cancer illness* (Madrid, Universidad Carlos III, 2017), recoge numerosos datos de interés sobre la historia del cáncer y analiza de manera brillante el cambio experimentado en la percepción social y emocional de esta enfermedad —especialmente en España— a lo largo del tiempo.

2. Una historia interminable

1. El artículo en el que se describen las primeras claves sobre el **origen de los genes del cáncer** es Stehelin *et al.*, «DNA related to the transforming gene(s) of avian sarcoma viruses is present in normal avian DNA», *Nature*, vol. 260, 1976, págs. 170-173. Este trabajo condujo a la merecida concesión del Premio Nobel de Medicina de 1989 a los norteamericanos Michael Bishop y Harold Varmus. La exclusión del investigador francés Dominique Stehelin, que había jugado un papel crucial en el descubrimiento premiado, generó una notable controversia y provocó una queja oficial del Gobierno francés al Comité del Nobel.

2. Los trabajos de los laboratorios de M. Barbacid, R. Weinberg y G. Cooper que condujeron a la identificación del **primer oncogén humano** a partir de células de cáncer de vejiga se recogen en Santos *et al.*, «T24 human bladder carcinoma oncogene is an activated form of the normal human homologue of BALB- and Harvey-MSV transforming genes», *Nature*, vol. 298, 1982, págs. 343-347; Parada *et al.*, «Human EJ bladder carcinoma oncogene is homologue of Harvey sarcoma virus ras gene», *Nature*, vol. 297, 1982, págs. 474-478; y Der *et al.*, «Transforming genes of human bladder and lung carcinoma cell lines are homologous to the ras genes of Harvey and Kirsten sarcoma viruses», *Proc. Natl. Acad. Sci. USA*, vol. 79, 1982, págs. 3637-3640.

3. Los artículos enumerados a continuación describen cómo una sencilla **mutación en un solo protooncogén** puede ser suficiente para provocar la transformación oncogénica: Reddy *et al.*, «A point mutation is responsible for the acquisition of transforming properties by the T24 human bladder carcinoma oncogene», *Nature*, vol. 300, 1982, págs. 149-152; Tabin *et al.*, «Mechanism of activation of a human oncogene», *Nature*, vol. 300, 1982, págs. 143-149; y Taparowsky *et al.*, «Activation of the T24 bladder carcinoma transforming gene is linked to a single amino acid change», *Nature*, vol. 300, 1982, págs. 762-765.

4. El trabajo del grupo de Robert Weinberg sobre los **genes supresores de tumores,** basado en las observaciones previas de Alfred Knudson, permitió descubrir que el gen *RB* (retinoblastoma) era el primer gen humano implicado en la supresión del cáncer. Véanse Friend *et al.*, «Deletions of a DNA sequence in retinoblastomas and mesenchymal tumors: Organization of the sequence and its encoded protein», *Proc. Natl. Acad. Sci. USA*, vol. 84, 1987, págs. 9059-9063; y Weinberg, R. A., «The retinoblastoma protein and cell cycle control», *Cell,* vol. 81, 1995, págs. 323-330.

5. El artículo siguiente revisa de manera amplia y rigurosa tanto las funciones biológicas como la relevancia oncológica del **gen** *TP53,* conocido como el **guardián del genoma**: Levine, A. J., «p53: 800 million years of evolution and 40 years of discovery», *Nat. Rev. Cancer,* vol. 20, 2020, págs. 471-480.

6. Para profundizar en el estudio de los **curiosos casos de tumores contagiosos**, véanse Arakawa *et al.*, «Vaginal transmission of cancer from mothers with cervical cancer to infants», *N. Engl. J. Med.*, vol. 384, 2021, págs. 42-50; Patton *et al.,* «A transmissible cancer shifts from emergence to endemism in Tasmanian devils», *Science,* vol. 370, 2020, págs. eabb9772; Baez-Ortega *et al.,* «Somatic evolution and global expansion of an ancient transmissible cancer lineage», *Science,* vol. 365, 2019, págs. eaau9923; y Metzger *et al.,* «Horizontal transmission of clonal cancer cells causes leukemia in soft-shell clams», *Cell*, vol. 161, 2015, págs. 255-263.

3. Cortar, quemar, envenenar

1. ***La extracción de la piedra de la locura*** fue pintada alrededor del año 1500 por el gran artista holandés Jheronimus van Aken (**El Bosco**). Este pequeño óleo sobre tabla, cargado de símbolos y alegorías, forma parte de un amplio conjunto de grabados satíricos realizados en la época medieval por muchos pintores de los Países Bajos. Desde 1839 se expone en el Museo del Prado. Algunos historiadores han sugerido que durante la elaboración de esta obra, El Bosco pudo haber contado con la colaboración de alguno de sus discípulos.

2. La biografía titulada ***María Sklodowska-Curie: ella misma*** (Madrid, Palabra, 2018), escrita por Belén Yuste y Sonnia L. Rivas-Caballero, refleja de manera excelente la vida personal y la carrera científica de Marie Skłodowska, incluyendo los trabajos que condujeron al desarrollo de la **radioterapia** para el tratamiento del cáncer.

3. El catálogo de animales que utilizan **remedios naturales** para aliviar sus problemas de salud es muy amplio. Entre ellos destacan las imponentes águilas arpías, que usan plantas aromáticas para alejar de sus nidos a los mosquitos; los bellísimos guacamayos azules, que ingieren arcilla para facilitar la digestión, y los osos, que se purgan de parásitos tras la hibernación a base de ingerir plantas con potentes efectos antiparasitarios. Véase <https://www.ecoticias.com/naturaleza/111678/10-animales-saben-curarse-solos>.

4. Los artículos siguientes permiten ampliar información acerca de la relevancia del **taxol** y sus derivados para el tratamiento del cáncer: Mosca *et al.,* «Taxanes in cancer treatment: Activity, chemoresistance and its overcoming», *Drug Resist. Updat.,* vol. 54, 2021, pág. 100742; y Gallego-Jara *et al.,* «A compressive review about taxol: History and future challenges», *Molecules,* vol. 25, 2020, pág. 5986.

5. La idea de que **todo encuentro casual es una cita largamente acordada** deriva del siguiente texto de *El Aleph* de **Jorge Luis Borges**: «Todos los hechos que pueden ocurrirle a un hombre, desde el instante de su nacimiento hasta el de su muerte, han sido prefijados por él. Así, toda negligencia es deliberada, todo casual encuentro una cita, toda humillación una penitencia, todo fracaso una misteriosa victoria, toda muerte un suicidio».

4. Creced y multiplicaos

1. Friedrich Nietzsche postuló que el **altruismo** es una mera construcción mental que ha supuesto un obstáculo decisivo para el progreso humano. Por el contrario, Matthieu Ricard, un bioquímico francés convertido en monje budista y presentado como el hombre más feliz del mundo, sostiene que la benevolencia, la solidaridad y el altruismo generan un profundo bienestar emocional.

2. **Las translocaciones oncogénicas** son muy frecuentes en leucemias y linfomas, pero también se pueden encontrar en tumores sólidos. Por ejemplo, en los cánceres de próstata se detecta habitualmente el reordenamiento *TMPRSS2-ETS*, mientras que en algunos casos de cáncer de pulmón tiene lugar la fusión *EML4-ALK*.

3. El gen codificante de la proteína p16 —un inhibidor del ciclo celular— es un ejemplo muy ilustrativo de **inactivación por metilación** de su promotor. Además, este gen puede quedar inactivo por cualquiera de los otros mecanismos descritos y contribuir al desarrollo de tumores tan diferentes como los melanomas, los gliomas, el cáncer de páncreas o el cáncer de laringe.

5. No matarás, no morirás

1. La historia de las **células HeLa** y sus implicaciones para la investigación oncológica se recoge con gran detalle en el magnífico libro *La vida inmortal de Henrietta Lacks,* de Rebecca Skloot (Barcelona, Planeta, 2011).

2. **Alexis Carrel** fue un médico e investigador francés que realizó importantes contribuciones en el campo de la cirugía vascular, que le valieron el Premio Nobel de Medicina de 1912. Posteriormente, su trabajo derivó hacia la exploración de las incipientes técnicas de cultivo de tejidos, con las cuales se pretendía desarrollar órganos completamente nuevos y progresar hacia la **inmortalidad física**. Sus ideas eugenistas e inmortalistas le hicieron perder rigor científico en sus trabajos experimentales; de ahí que sus conclusiones en el campo de los cultivos celulares fueron finalmente desechadas.

3. La revista ***Time*** afirmó en la portada y en las páginas interiores del número del 21 de febrero de 2011 que, **en el año 2045, el hombre**

sería inmortal. Las razones para lanzar esta impactante y a mi juicio imprudente aseveración se basaban en las opiniones de influyentes tecnólogos y futurólogos que llevaban muchos años anunciando que los ordenadores superarían en inteligencia a los humanos. Según sus vaticinios, cuando esto suceda, nuestra especie sufrirá una transformación tan profunda que será capaz de vencer la enfermedad, el dolor, el envejecimiento y hasta la muerte. Recomiendo leer un artículo muy interesante de Ernesto Baltar que lleva por título **«El poshumanismo en la UCI de la realidad»**, en el cual se argumenta con elegante brillantez contra estas tecnooptimistas presunciones. Véase <https://telos.fundaciontelefonica.com/telos-114-analisis-baltar-el-poshumanismo-en-la-uci-de-la-realidad/>.

4. El trabajo experimental en el que se describe por primera vez el fenómeno de la **senescencia celular** se puede encontrar en Hayflick y Moorhead, «The serial cultivation of human diploid cell strains», *Exp. Cell Res.*, vol. 25, 1961, págs. 585-621.

5. El descubrimiento de la **telomerasa** se describe en Greider y Blackburn, «The telomere terminal transferase of Tetrahymena is a ribonucleoprotein enzyme with two kinds of primer specificity», *Cell*, vol. 51, 1987, págs. 887-898. Se puede encontrar una revisión de lo que esta misma enzima implica para el cáncer y el envejecimiento en Blackburn *et al.*, «Human telomere biology: A contributory and interactive factor in aging, disease risks, and protection», *Science*, vol. 350, 2015, págs. 1193-1198.

6. La película ***Tierras de penumbra,*** interpretada por Anthony Hopkins, recrea la vida del escritor británico C. S. Lewis. Siguiendo el relato biográfico narrado por él mismo en *Una pena en observación*, la película describe la lenta transformación de su vida desde que conoce a una brillante y activa mujer americana hasta que a ella le diagnostican un cáncer. Desde ese momento las emociones se multiplican y el profundo dolor experimentado por Lewis le hace cuestionarse todo lo que hasta entonces había sido sólido e inamovible para él.

7. La frase «y al día siguiente no murió nadie» está tomada de la novela de José Saramago ***Las intermitencias de la muerte***. Este libro narra la sorprendente situación acontecida en un país sin nombre en el que la **muerte** decide suspender su labor cotidiana y la gente deja de morir. Esto desató en principio una euforia extraordinaria, pero pronto se impusieron la realidad y el caos, y la sociedad entendió que

esa perturbación tan extrema del orden natural traía consigo graves males.

6. Viajar hasta llegar al final

1. Para obtener más información sobre la **formación de las metástasis** y las posibilidades actuales de intervenir sobre este proceso, véase Ganesh y Massagué, «Targeting metastatic cancer», *Nat. Med.*, vol. 27, 2021, págs. 34-44.

2. En los artículos siguientes se revisan las **alteraciones genéticas y epigenéticas que acumulan las células metastásicas** en el curso de la invasión y colonización del organismo: Khan *et al.,* «An overview of genetic mutations and epigenetic signatures in the course of pancreatic cancer progression. Targeting metastatic cancer», *Cancer Metastasis Rev.*, vol. 40, 2021, págs. 245-272; y Morgan *et al.,* «The genomic landscape of breast cancer brain metastases: A systematic review», *Lancet Oncol.*, vol. 22, 2021, págs. e7-e17.

3. La idea de que algunas variantes genéticas pueden influir en la **posibilidad de generar metástasis** tras la formación de un tumor maligno se discute en Hunter*, K.,* «The role of individual inheritance in tumor progression and metastasis», *J. Mol. Med.*, vol. 93, 2015, págs. 719-725.

4. Los **pilares moleculares y celulares de la salud** se definen en López-Otín y Kroemer*,* «Hallmarks of health», *Cell*, vol. 184, 2021, págs. 33-63. El primero de ellos es la compartimentalización espacial, algo fundamental para evitar las metástasis.

5. El artículo siguiente, escrito por miembros de nuestro laboratorio, demuestra que algunas de las **proteasas relevantes para la metástasis,** como por ejemplo la colagenasa-3 (MMP13), no son producidas por las células tumorales, sino por células sanas situadas junto a ellas que responden a las señales producidas por el tumor: Schnack Nielsen *et al.*, «Collagenase-3 expression in breast myofibroblasts as a molecular marker of transition of ductal carcinoma in situ lesions to invasive ductal carcinomas», *Cancer Res.*, vol. 61, 2001, págs. 7091-7100.

6. Entre los numerosos factores autocrinos que favorecen la **movilidad celular** y contribuyen a la formación de metástasis podemos

destacar el factor de crecimiento de hepatocitos, la autotaxina y el factor de crecimiento insulínico tipo II. Entre los paracrinos sobresalen el factor de crecimiento insulínico tipo I, la interleuquina-8, la histamina y la quimioquina SDF-1. Además, hay que tener en cuenta que los componentes de la matriz celular (tales como la fibronectina, la laminina y el colágeno tipo IV) estimulan la movilidad de las células cancerígenas cuando las moléculas se encuentran inmovilizadas en la matriz extracelular, pero también al quedar liberadas de ella por la acción de las proteasas tumorales. La degradación de la matriz extracelular sumada a la locomoción de las células invasivas potencia sobremanera la progresión de las metástasis.

7. Se puede encontrar una explicación más detallada sobre el proceso de **transición epitelio-mesénquima** (EMT, por sus siglas en inglés) utilizado por las células tumorales para la generación de metástasis en Nieto *et al.*, «EMT 2016», *Cell,* vol. 166, 2016, págs. 21-45; Brabletz *et al.*, «EMT in cancer», *Nat. Rev. Cancer,* vol. 18, 2018, págs. 128-134; y Yang *et al.*, «Guidelines and definitions for research on epithelial-mesenchymal transition», *Nat. Rev. Mol. Cell. Biol.,* vol. 21, 2020, págs. 341-352.

8. La formación del **nicho premetastásico** permite a las células tumorales favorecer la futura acomodación de las células metastásicas. Con este fin, las células tumorales producen proteínas que, tras alcanzar el torrente sanguíneo, movilizan a las células hematopoyéticas y las incitan a desplazarse hasta el lugar donde puedan crear un entorno favorable para la futura acomodación de las células metastásicas. Para obtener más información sobre el proceso de formación del **nicho premetastásico,** véase Peinado *et al.*, «Pre-metastatic niches: Organ-specific homes for metastases», *Nat. Rev. Cancer*, vol. 17, 2017, págs. 302-317.

7. El hijo del samurái

1. La **generación de ratones transgénicos** está basada en un método que hace posible que el gen que intenta añadirse a la dotación genética del organismo receptor (llamado *transgén*) se sitúe junto a un elemento regulador conocido como *promotor* que dirige su expresión a los tejidos de interés. El ADN resultante se microinyecta en el pro-

núcleo masculino de los óvulos recién fecundados, que después son implantados en los oviductos de hembras seudopreñadas. El ADN microinyectado se integrará al azar en el genoma y se transmitirá a la descendencia del animal desarrollado a partir del óvulo microinyectado. Dependiendo del tipo de promotor utilizado, el transgén podrá expresarse en todas las células del ratón o solo en los tejidos que deseemos. También podemos controlar la expresión del transgén en el tiempo, de manera que se exprese únicamente en etapas concretas de la vida del animal, por ejemplo, una vez que ha alcanzado la edad adulta, y de esta manera se evitan los problemas que pueda ocasionar la expresión excesiva de un gen durante el desarrollo embrionario.

2. El primer paso del proceso de **generación de ratones** ***knockout*** consiste en la eliminación de una de las dos copias del gen de interés en las células embrionarias. Para ello, se elabora un vector director que contiene secuencias de ADN idénticas a las del gen que se desea eliminar, pero con una parte esencial para la funcionalidad reemplazada por un marcador (por ejemplo, un gen de resistencia celular a un antibiótico) que permita la detección de las células en las que se ha producido la modificación pretendida. Cuando este vector es introducido en las células embrionarias, en algunas de ellas se producirá un fenómeno conocido como recombinación homóloga que provocará el reemplazamiento de una porción del gen diana por el marcador de selección. Las pocas células en las que se haya producido este fenómeno darán lugar a clones que podrán ser seleccionados en presencia del antibiótico en cuestión, cultivados in vitro e incorporados a un embrión huésped. Así, se obtendrán ratones quiméricos que derivan tanto del embrión huésped como de las células *stem* modificadas *in vitro*. Si alguno de ellos tiene células germinales procedentes de las embrionarias exógenas, el cruce con ratones normales permitirá obtener animales heterocigotos carentes de una copia funcional del gen de interés. Finalmente, cruzando estos animales heterocigotos entre sí se obtendrán animales homocigotos, con las dos copias mutadas.

3. Los siguientes trabajos de nuestro laboratorio ilustran la importancia de generar **ratones modificados genéticamente para el estudio de las claves del cáncer** y de sus relaciones con el proceso de envejecimiento: Balbín *et al.*, «Loss of collagenase-2 confers increased skin tumor susceptibility to male mice», *Nature Genet.*, vol. 35, 2003, págs. 252-257; Valera *et al.*, «Accelerated aging in mice deficient in

Zmpste24 protease is linked to p53 signaling activation», *Nature*, vol. 437, 2005, págs. 564-568; Gutiérrez-Fernández *et al.,* «Matrix metalloproteinase-8 functions as a metastasis suppressor through modulation of tumor cell adhesion and invasion», *Cancer Res.,* vol. 68, 2008, págs. 2755-2763; Osorio *et al.,* «Splicing-directed therapy in a new mouse model of human accelerated aging», *Science Transl. Med.,* vol. 3, 2011, págs. 106ra107; Fanjul-Fernández *et al.,* «Matrix metalloproteinase Mmp-1a is dispensable for normal growth and fertility in mice and promotes lung cancer progression by modulating inflammatory responses», *J. Biol. Chem.*, vol. 288, 2013, págs. 14647-14656; De la Rosa *et al.,* «Prelamin A causes progeria through cell-extrinsic mechanisms and prevents cancer invasion», *Nature Commun.*, vol. 4, 2013, pág. 2268; Quirós *et al.,* «ATP-dependent Lon protease controls tumor bioenergetics by reprogramming mitochondrial activity», *Cell Rep.,* vol 8, 2014, págs. 542-556; Osorio *et al.,* «Loss of the proteostasis factor AIRAPL causes myeloid transformation by deregulating IGF-1 signaling», *Nature Med.,* vol. 22, 2016, págs. 91-96; y Fraile *et al.,* «USP39 deubiquitinase is essential for KRAS oncogene-driven cancer», *J. Biol. Chem.,* vol. 292, 2017, págs. 4164-4175.

4. Para ampliar la información sobre los métodos de edición génica basados en la **tecnología CRISPR-Cas9** y sus aplicaciones médicas, incluyendo las relacionadas con el cáncer, veánse Doudna y Charpentier, «Genome editing: The new frontier of genome engineering with CRISPR-Cas9», *Science,* vol. 346, 2014, pág. 1258096; Doudna, J. A., «The promise and challenge of therapeutic genome editing», *Nature,* vol. 578, 2020, págs. 229-236; Derry, W. B., «CRISPR: development of a technology and its applications», *FEBS J.*, vol. 288, 2021, págs. 358-359; y Zhang *et al.,* «CRISPR technology: The engine that drives cancer therapy», *Biomed. Pharmacother.,* vol. 133, 2021, pág. 111007.

5. Los experimentos del laboratorio de Robert Weinberg que demostraron que se podían **transformar células normales en células tumorales** introduciendo ciertas alteraciones génicas se han descrito en Hahn *et al.,* «Creation of human tumour cells with defined genetic elements», *Nature,* vol. 400, 1999, págs. 464-468.

6. Algunos de los artículos que resumen la importancia de las **células CAR-T** (linfocitos T con receptor de antígenos quimérico) para el tratamiento del cáncer son: Gotti *et al.,* «Cancer immunotherapy

using chimeric antigen receptor expressing T-cells: Present and future needs of clinical cancer centers», *Front. Immunol.*, vol. 11, 2020, pág. 565236; Mostafa, Y., «CAR-T therapy, the end of a chapter or the beginning of a new one?», *Cancers (Basel),* vol. 13, 2021, pág. 853; y Toulouie *et al.*, «Chimeric antigen receptor T-cell immunotherapy in breast cancer: Development and challenges», *J. Cancer,* vol. 12, 2021, págs. 1212-1219.

7. La relevancia de los **cultivos de organoides tumorales** en el estudio del cáncer y en el desarrollo de tratamientos personalizados se expone en Costales-Carrera *et al.,* «Comparative study of organoids from patient-derived normal and tumor colon and rectal tissue», *Cancers (Basel)*, vol. 12, 2020, pág. 2302; Kim *et al.,* «Human organoids: model systems for human biology and medicine», *Nat. Rev. Mol. Cell. Biol.,* vol. 21, 2020, págs. 571-584; y Tuveson y Clevers, «Cancer modeling meets human organoid technology», *Science*, vol. 364, 2019, págs. 952-955.

8. La esencia del mal

1. Los dos artículos siguientes, escritos por Hanahan y Weinberg, supusieron una transformación radical en la manera de estudiar el cáncer: «Hallmarks of cancer», *Cell,* vol. 100, 2001, págs. 57-70; y «Hallmarks of cancer: The next generation», *Cell,* vol. 144, 2011, págs. 646-674.

2. El artículo que describe la importancia del **diálogo molecular entre las quinasas y las proteasas** para la progresión del cáncer es López-Otín y Hunter, «The regulatory crosstalk between kinases and proteases in cancer», *Nature Rev. Cancer,* vol. 10, 2010, págs. 278-292.

3. En el artículo siguiente se describe el **descubrimiento de las tirosín-quinasas**, enzimas alteradas con frecuencia en el cáncer y dianas terapéuticas fundamentales para el tratamiento de esta enfermedad: Williams, R., «Tony Hunter: kinase king», *J. Cell. Biol.,* vol. 181, 2008, págs. 572-573.

4. Las células dañadas reciben estímulos moleculares que las instan **al suicidio por apoptosis**. Estas señales de muerte son canalizadas por distintas rutas bioquímicas. La vía extrínseca de la apoptosis se activa tras la unión de los factores solubles a los llamados receptores

de muerte celular, entre los cuales destacan los receptores del factor de necrosis tumoral. La vía intrínseca o mitocondrial se desencadena por un aumento del estrés celular, por daños en el genoma o por incrementos en la concentración de calcio intracelular o de radicales libres en las mitocondrias. Los factores apoptóticos promueven la expresión del gen supresor tumoral *TP53*, que a su vez estimula la producción de las proteínas proapoptóticas de la familia Bcl2. Ambas rutas convergen en la activación de unas proteasas llamadas caspasas que contribuyen a destruir las células dañadas y evitar que sigan dividiéndose. Para ampliar el conocimiento sobre los mecanismos de muerte celular, véase Galluzzi *et al.*, «Molecular mechanisms of cell death», *Cell Death Differ.,* vol. 25, 2018, págs. 486-541.

5. Para más información sobre los mecanismos de la **dormancia**, la **quiescencia, la hibernación o la persistencia de las células tumorales,** véanse Risson *et al.,* «The current paradigm and challenges ahead for the dormancy of disseminated tumor cells», *Nat. Cancer*, vol. 1, 2020, págs. 672-680; Shen *et al.*, «Persistent cancer cells: The deadly survivors», *Cell,* vol. 183, 2020, págs. 860-874; y Rehman *et al.,* «Colorectal cancer cells enter a diapause-like DTP state to survive chemotherapy», *Cell,* vol. 184, 2021, págs. 226-242.

6. La relevancia del proceso de **inmunoedición** para evitar la respuesta inmune antitumoral se explica en Desai *et al.,* «Therapeutic applications of the cancer immunoediting hypothesis», *Semin. Cancer Biol.,* 2021, S1044-579X(21)00052-3.

9. La herencia del mal

1. A continuación se citan dos artículos en los que se describe la implicación del gen *CDH1* en el **cáncer gástrico hereditario,** un tumor maligno que padecieron **Napoleón Bonaparte** y algunos otros miembros de su familia: Gamble *et al.,* «Hereditary diffuse gastric cancer syndrome and the role of CDH1: A review», *JAMA Surg.*, 2021, doi: 10.1001/jamasurg.2020.6155; y Pilonis *et al.*, «Hereditary diffuse gastric cancer: Approaches to screening, surveillance, and treatment», *Annu. Rev. Med.,* vol. 72, 2021, págs. 263-280.

2. **Ludwig van Beethoven** había dedicado la ***Heroica*** a Napoleón, pero cuando este se coronó a sí mismo y se proclamó emperador de

Francia, el genial compositor quedó profundamente decepcionado y quitó el nombre de Napoleón del título de la partitura. El título que finalmente le dio Beethoven a esta composición fue *Sinfonía heroica, compuesta para festejar el recuerdo de un gran hombre*. Se la dedicó al príncipe Joseph Franz von Lobkowitz, un gran amante de la música.

3. El artículo en el que se describen las primeras **claves de los cánceres hereditarios** es Knudson, A. G., «Mutation and cancer: Statistical study of retinoblastoma», *Proc. Natl. Acad. Sci. USA*, vol. 68, 1971, págs. 820-823. Es importante resaltar que siguiendo el modelo de Knudson, en los síndromes de cáncer familiar causados por daños en genes supresores de tumores, la predisposición al cáncer se transmite de forma dominante, mientras que el desarrollo del tumor maligno tiene lugar de manera recesiva, ya que es preciso que se dañen los dos alelos del mismo gen para que finalmente se produzca el cáncer. Por el contrario, los oncogenes funcionan de manera dominante tanto en la predisposición al cáncer como en su posterior desarrollo, por lo que la herencia de un alelo mutado es suficiente para la generación del tumor maligno.

4. Entre las **funciones bioquímicas de las proteínas cuyas mutaciones predisponen al cáncer familiar** se encuentran los receptores transmembrana (RET, MET, PTCH, KIT); la modulación de la señalización celular (HRAS, APC, NF1, NF2, PTEN); los factores de transcripción génica (TP53, RB1, WT1); la regulación del ciclo celular (CDK4, P16); y, sobre todo, las actividades implicadas en el mantenimiento y reparación de la integridad genética (BRCA1, BRCA2, MSH2, MLH1, PMS1, PMS2, ATM, XPB, XPD, BLM, FANCA, FANCC).

5. Además de *BRCA1* y *BRCA2*, hay otros **genes cuyas mutaciones predisponen al cáncer de mama** en un número relativamente pequeño de familias con cáncer de mama familiar. Entre estos genes cabe mencionar *TP53*, *PTEN*, *LKB1*, *CDKN2A*, *RAD51C*, *CDH1*, *ATM*, *CHK2*, *PALB2*, *RAD50* y *BRIP1*, que en conjunto darían cuenta de aproximadamente un 10 % de los casos de cáncer de mama hereditarios. Para obtener información adicional sobre esta importante cuestión, véase Breast Cancer Association Consortium, «Breast cancer risk genes, association analysis in more than 113,000 women», *N. Engl. J. Med.*, vol. 384, 2021, págs. 428-439.

6. Se puede encontrar una excelente **guía clínica** sobre los **cánce-**

res hereditarios de mama y ovario en González-Santiago *et al.,* «SEOM clinical guidelines in hereditary breast and ovarian cancer (2019)», *Clin. Transl. Oncol.,* vol. 22, 2020, págs. 193-200.

10. Regalos de vida

1. La formación del **cromosoma de Filadelfia** implica que una parte del gen *BCR* del cromosoma 22 se fusiona con otra del gen *ABL* del cromosoma 9 y se genera un gen híbrido *BCR-ABL,* que presenta propiedades de ambos genes. La porción de *BCR* otorga al conjunto la capacidad de expresarse continuamente, mientras que la parte de *ABL* permite producir una proteína tirosín-quinasa híbrida que no existe en las células normales. De ahí surgió la idea de diseñar inhibidores que pudieran bloquear la actividad de esta proteín-quinasa híbrida en pacientes con **leucemia mieloide crónica**.

2. En los artículos siguientes se revisa la historia del **imatinib** como ejemplo del éxito de las **terapias dirigidas en el cáncer**: Druker, B. J., «Translation of the Philadelphia chromosome into therapy for CML», *Blood,* vol. 112, 2008, págs. 4808-4817; y Soverini *et al.*, «Chronic myeloid leukemia: The paradigm of targeting oncogenic tyrosine kinase signaling and counteracting resistance for successful cancer therapy», *Mol. Cancer,* vol. 17, 2018, pág. 49.

3. La eficiencia del **imatinib** —originalmente diseñado para tratar la leucemia mieloide crónica— y de otros inhibidores de tirosín-quinasas frente a los **tumores del estroma gastrointestinal (GIST)** se revisa en Pilco-Janeta *et al.*, «Emerging drugs for the treatment of gastrointestinal stromal tumors», *Expert Opin. Emerg. Drugs,* vol. 10, 2021, págs. 1-10.

4. Para obtener información adicional sobre el desarrollo de nuevos inhibidores que permiten superar la **resistencia al imatinib** en pacientes con leucemia mieloide crónica véase Braun *et al.,* «Response and resistance to BCR-ABL1-targeted therapies», *Cancer Cell*, vol. 37, 2020, págs. 530-542.

5. A continuación se citan dos artículos que describen la introducción y situación actual del **HER2 como diana terapéutica** en cánceres de mama: Slamon *et al.*, «Use of chemotherapy plus a monoclonal antibody against HER2 for metastatic breast cancer that ove-

rexpresses HER2», *N. Engl. J. Med.*, vol. 344, 2001, págs. 783-792; y Peddi y Slamon, «Frontiers in HER2-positive breast cancer in 2020», *Curr. Opin. Obstet. Gynecol.,* vol. 33, 2021, págs. 48-52.

6. El hecho de que la enfermedad de pacientes con cáncer de mama metastásico positivo para el **receptor HER2** pueda progresar tras el tratamiento con trastuzumab ha impulsado la búsqueda de **nuevos anticuerpos monoclonales e inhibidores** de este receptor. Los siguientes artículos describen los efectos terapéuticos de algunos de estos nuevos fármacos: Murthy *et al.*, «Tucatinib, trastuzumab, and capecitabine for HER2-positive metastatic breast cancer», *N. Engl. J. Med.*, vol. 382, 2020, págs. 597-609; Hurvitz *et al.,* «Neoadjuvant trastuzumab, pertuzumab, and chemotherapy versus trastuzumab emtansine plus pertuzumab in patients with HER2-positive breast cancer (KRISTINE): A randomised, open-label, multicentre, phase 3 trial», *Lancet Oncol.,* vol. 19, 2018, págs. 115-126; y Xu *et al.*, «Pyrotinib plus capecitabine versus lapatinib plus capecitabine for the treatment of HER2-positive metastatic breast cancer (PHOEBE): A multicentre, open-label, randomised, controlled, phase 3 trial», *Lancet Oncol.*, vol. 22, 2021, págs. 351-360.

7. En la actualidad disponemos de numerosas **terapias dirigidas contra el cáncer**. La gran mayoría están basadas en inhibidores sintetizados químicamente (medicamentos con nombres terminados en *ib*) o en anticuerpos monoclonales humanizados producidos por técnicas de ingeniería genética (medicamentos con nombres terminados en *ab*). En este enlace del Instituto Nacional del Cáncer de Estados Unidos (NCI) se pueden encontrar terapias dirigidas frente a distintos tipos de tumores: <https://www.cancer.gov/about-cancer/treatment/types/targeted-therapies/targeted-therapies-fact-sheet>. Las **dianas de estos nuevos medicamentos** son muy diversas e incluyen cualquier molécula que se exprese diferencialmente en células normales y tumorales, y que pueda ser accesible farmacológicamente de forma específica. Un reciente catálogo de las dianas oncológicas actuales y de aquellas que pueden convertirse pronto en objeto de intervención terapéutica se puede encontrar en el excelente artículo de Hahn *et al.*, «An expanded universe of cancer targets», *Cell,* vol. 184, 2021, págs. 1142-1155. En él se abordan no solo las **dianas intrínsecas** a las células tumorales, sino también las **dianas extrínsecas**, incluyendo los distintos componentes del microentorno tumoral.

11. Orden en el caos

1. El trabajo del grupo de Bert Vogelstein que demuestra cómo **se acumulan las mutaciones durante la evolución histopatológica del cáncer colorrectal** se explica en Vogelstein *et al.*, «Genetic alterations during colorectal-tumor development», *N. Engl. J. Med.*, vol. 319, 1988, págs. 525-532.

2. La referencia completa del primer trabajo que abordó la **secuenciación del genoma de un tumor maligno** es Ley *et al.*, «DNA sequencing of a cytogenetically normal acute myeloid leukaemia», *Nature*, vol. 456, 2008, págs. 66-72.

3. Los siguientes artículos ofrecen información adicional sobre las **técnicas de «secuenciación masiva y paralela de nueva generación»**, que han permitido el desciframiento de los **genomas del cáncer**: Samuels *et al.*, «The Cancer Genome», en V. T. DeVita, T. S. Lawrence y S. A. Rosenberg (eds.), *Cancer: Principles & Practice of Oncology*, capítulo 1, Lippincott Williams & Wilkins, 2018; Tan *et al.*, «Application of next-generation sequencing to improve cancer management: A review of the clinical effectiveness and cost-effectiveness», *Clin. Genet.*, vol. 93, 2018, págs. 533-544; Jones *et al.*, «The utility of next-generation sequencing in advanced breast and gynecologic cancers», *Am. J. Clin. Pathol.*, 2021, aqaa256; Ramkissoon y Montgomery, «Applications of next-generation sequencing in hematologic malignancies», *Hum. Immunol.*, 2021, S0198-8859(21) 00046-X. Para ampliar la información sobre las innovadoras **técnicas de secuenciación de genomas de célula única**, véanse Pfisterer *et al.*, «Single-cell sequencing in translational cancer research and challenges to meet clinical diagnostic needs», *Genes Chromosomes Cancer*, 2021, doi: 10.1002/gcc.22944; Lim *et al.*, «Advancing cancer research and medicine with single-cell genomics», *Cancer Cell*, vol. 37, 2020, págs. 456-470; y Rozenblatt-Rosen *et al.*, «The human tumor atlas network: Charting tumor transitions across space and time at single-cell resolution», *Cell*, vol. 181, 2020, págs. 236-249.

4. Este artículo, a cuya concepción y elaboración contribuyó ampliamente nuestro laboratorio de la Universidad de Oviedo, define las bases y la estrategia de la primera **iniciativa global para el estudio de los genomas del cáncer**: The International Cancer Genome Consor-

tium, «International network of cancer genome projects», *Nature,* vol. 464, 2010, págs. 993-998.

5. El artículo que recoge los datos generales obtenidos en el desciframiento del **genoma de la leucemia linfática crónica** es Puente *et al.,* «Non-coding recurrent mutations in chronic lymphocytic leukaemia», *Nature,* vol. 526, 2015, págs. 519-524. Para más información, véase Puente y López-Otín, «The evolutionary biography of chronic lymphocytic leukemia», *Nature Genet.,* vol. 45, 2013, págs. 229-231.

6. La cita sobre la **lingüista Louise Banks** se refiere a la protagonista de la película *La llegada* (*The arrival*), dirigida por Denis Villeneuve e interpretada por Amy Adams. En ella se relata la llegada a la Tierra de doce gigantescas naves alienígenas que se instalan en diversos puntos del planeta con un objetivo desconocido. El Gobierno de los Estados Unidos encarga a la gran experta en lingüística Louise Banks que intente comunicarse con los visitantes y trate de **descifrar el hipotético mensaje que los extraterrestres desean transmitir a la humanidad**. La idea de que los genomas pueden portar mensajes de otras civilizaciones fue propuesta por los bioquímicos japoneses Hiromitsu Yokoo y Tairo Oshima en un artículo publicado en 1979 en la revista *Icarus* (vol. 38, págs. 148-153), a la sazón dirigida por Carl Sagan. El artículo se titulaba «Is bacteriophage ϕX174 DNA a message from an extraterrestrial intelligence», pero tras el desciframiento y análisis exhaustivo del genoma de este bacteriófago, no se encontró ninguna prueba de la existencia de esos mensajes ocultos. Pero si alguna civilización extraterrestre examina algún día el genoma de la bacteria *Mycoplasma mycoides* JCVI-syn1.0, creado mediante biología sintética por Craig Venter y sus colaboradores, encontrará en su secuencia «marcas de agua» con el nombre de los 46 científicos contribuyentes y varias citas del escritor irlandés James Joyce. Véase Hutchison *et al.,* «Design and synthesis of a minimal bacterial genome», *Science,* vol. 351, 2016, pág. aad6253.

7. A continuación figuran algunos de los artículos que recogen el descubrimiento y análisis funcional en nuestro laboratorio de **genes recurrentemente mutados en la leucemia linfática crónica**: Puente *et al.,* «Whole-genome sequencing identifies recurrent mutations in chronic lymphocytic leukemia», *Nature,* vol. 475, 2011, págs. 101-105; Quesada *et al.,* «Exome sequencing identifies recurrent mutations of the splicing factor SF3B1 gene in chronic lymphocytic leuke-

mia», *Nature Genet.*, vol. 44, 2012, págs. 47-52; Ramsay *et al.,* «POT1 mutations cause telomere dysfunction in chronic lymphocytic leukemia», *Nature Genet.*, vol. 45, 2013, págs. 526-530; Rodríguez *et al.,* «Mutations in CHD2 cause defective association with active chromatin in chronic lymphocytic leukemia», *Blood,* vol. 126, 2015, págs. 195-202; Bretones *et al.,* «Altered patterns of global protein synthesis and translational fidelity in RPS15-mutated chronic lymphocytic leukemia», *Blood,* vol. 132, 2018, págs. 2375-2388. Un excelente artículo del laboratorio de Nuria López-Bigas compendia **los genes conductores del cáncer** que se han identificado en los distintos proyectos de secuenciación del genoma de pacientes con esta enfermedad: Martínez-Jiménez *et al.*, «A compendium of mutational cancer driver genes», *Nat. Rev. Cancer,* vol. 20, 2020, págs. 555-572.

8. La importancia de estudiar las **regiones no codificantes del genoma** para entender algunas claves del cáncer se recoge en Valdés-Mas *et al.*, «Chronic lymphocytic leukemia: Looking into the dark side of the genome», *Cell Death Differ.*, vol. 23, 2016, págs. 7-9; y Rheinbay *et al.,* «Analyses of non-coding somatic drivers in 2,658 cancer whole genomes», *Nature*, vol. 578, 2020, págs. 102-111.

9. Los siguientes artículos recogen los estudios de los múltiples **cambios epigenéticos** encontrados en la leucemia linfática crónica: Kulis *et al.,* «Epigenetic analysis detects widespread gene-body DNA hypomethylation in chronic lymphocytic leukemia», *Nature Genet.,* vol. 44, 2012, págs. 1236-1242; y Beekman *et al.,* «The reference epigenome and regulatory chromatin landscape of chronic lymphocytic leukemia», *Nature Med.*, vol. 24, 2018, págs. 868-880. Para ampliar la información sobre la importancia de la **epigenética en el estudio y tratamiento del cáncer,** véanse Roberti *et al.,* «Epigenetics in cancer therapy and nanomedicine», *Clin. Epigenetics,* vol. 11, 2019, pág. 81; Berdasco y Esteller, «Clinical epigenetics: seizing opportunities for translation», *Nat. Rev. Genet.,* vol. 20, 2019, págs. 109-127.

10. A continuación figuran algunos de los últimos trabajos sobre la influencia de la **microbiota intestinal en el desarrollo del cáncer y en la respuesta a sus tratamientos**: Sepich-Poore *et al.,* «The microbiome and human cancer», *Science,* vol. 371, 2021, pág. eabc4552; Bullman *et al.,* «Analysis of Fusobacterium persistence and antibiotic response in colorectal cancer», *Science,* vol. 358, 2017, págs. 1443-1448; Zitvogel *et al.,* «The microbiome in cancer immunotherapy:

Diagnostic tools and therapeutic strategies», *Science,* vol. 359, 2018, págs. 1366-1370; Daillère *et al.,* «Trial watch: the gut microbiota as a tool to boost the clinical efficacy of anticancer immunotherapy», *Oncoimmunology,* vol. 9, 2020, pág. 1774298.

11. Para más información sobre el reciente hallazgo en el **microbioma intestinal de componentes protumorales y antitumorales**, véanse Pleguezuelos-Manzano *et al.,* «Mutational signature in colorectal cancer caused by genotoxic pks+ E. coli», *Nature*, vol. 580, 2020, págs. 269-273; y Fluckiger *et al.,* «Cross-reactivity between tumor MHC class I-restricted antigens and an enterococcal bacteriophage», *Science,* vol. 369, 2020, págs. 936-942.

12. Los primeros datos, todavía preliminares, acerca de la presencia de un **microbioma tumoral** cuya composición depende del tipo de cáncer y de las características de los pacientes se encuentran en Nejman *et al.,* «The human tumor microbiome is composed of tumor type-specific intracellular bacteria», *Science,* vol. 368, 2020, págs. 973-980.

13. Para más información sobre las **huellas o cicatrices que dejan en los genomas los agentes mutagénicos,** véanse Alexandrov *et al.,* «Signatures of mutational processes in human cancer», *Nature,* vol. 500, 2013, págs. 415-421; y Kucab *et al.,* «A compendium of mutational signatures of environmental agents», *Cell,* vol., 177, 2019, págs. 821-836.

14. El artículo siguiente describe el **análisis integrado de los genomas tumorales completos de 2.658 pacientes** y sus correspondientes genomas normales: ICGC/TCGA Pan-cancer analysis of whole genomes consortium, «Pan-cancer analysis of whole genomes», *Nature,* vol. 578, 2020, págs. 82-93. Se examinaron tumores de 38 tipos distintos y en cada uno de ellos se encontraron cuatro o cinco mutaciones conductoras del proceso tumoral. Sin embargo, en el 5 % de los casos analizados no se pudo encontrar ningún gen conductor del cáncer, lo cual indica que, pese a la ingente labor realizada, todavía hay mucho trabajo por hacer. Para más información sobre la **realidad clínica actual** del estudio de los genomas del cáncer, véase Chakravarty y Solit, «Clinical cancer genomic profiling», *Nat. Rev. Genetics*, 2021, pág. s41576-021-00338-8.

15. A continuación aparecen algunas de las contribuciones al proyecto Pan-Cancer en las que se recogen **alteraciones estructurales**

de largo alcance presentes en los genomas tumorales: Cortés-Ciriano *et al.*, «Comprehensive analysis of chromothripsis in 2,658 human cancers using whole-genome sequencing», *Nat. Genet.,* vol. 52, 2020, págs. 331-341; y Rodríguez-Martín *et al.*, «Pan-cancer analysis of whole genomes identifies driver rearrangements promoted by LINE-1 retrotransposition», *Nat. Genet.,* vol. 52, 2020, págs. 306-319.

16. Aquí se encuentran trabajos que reflejan la relevancia de las denominadas **biopsias líquidas** en la detección y análisis del **ADN tumoral circulante**; mediante esta aproximación se pueden anticipar los cambios genéticos y epigenéticos asociados a la progresión del cáncer: Kagawa *et al.,* «Combined analysis of concordance between liquid and tumor tissue biopsies for RAS mutations in colorectal cancer with a single metastasis site: The METABEAM study», *Clin. Cancer Res.,* 2021, doi: 10.1158/1078-0432.CCR-20-3677; Rodríguez-Casanova *et al.,* «Epigenetic landscape of liquid biopsy in colorectal cancer», *Front. Cell Dev. Biol.*, 2021, doi: 10.3389/fcell.2021.622459; e Ignatiadis *et al.,* «Liquid biopsy enters the clinic: Implementation issues and future challenges», *Nat. Rev. Clin. Oncol.,* 2021, doi: 10.1038/s41571-020-00457-x.

17. Se puede encontrar un estudio de las **mutaciones pasajeras** detectadas en un gran número de genomas de pacientes con cáncer en Kumar *et al.,* «Passenger mutations in more than 2,500 cancer genomes: Overall molecular functional impact and consequences», *Cell,* vol. 180, 2020, págs. 306-319.

18. He aquí un par de artículos que describen las **mutaciones en tejidos normales**: Martincorena, I., «Seeds of cancer in normal skin», *Nature,* vol. 586, 2020, págs. 504-506; y Moore *et al.*, «The mutational landscape of normal human endometrial epithelium», *Nature,* vol. 580, 2020, págs. 640-646.

19. Para más información sobre la importancia del **microentorno tumoral en el desarrollo del cáncer**, véanse Nik-Zainal y Hall, «Cellular survival over genomic perfection», *Science,* vol. 366, 2019, págs. 802-803; y Balmain, A., «The critical roles of somatic mutations and environmental tumor-promoting agents in cancer risk», *Nat. Genet.,* vol. 52, 2020, págs. 1139-1143.

20. Los artículos siguientes muestran ejemplos de la utilización de los procesos de **adicción no-oncogénica** y **letalidad sintética** para el desarrollo de nuevas estrategias antitumorales: Chang *et al.,* «Targe-

ting non-oncogene addiction for cancer therapy», *Biomolecules*, vol. 11, 2020, pág. 129; y Patel *et al.,* «Exploiting synthetic lethality to target BRCA1/2-deficient tumors: Where we stand», *Oncogene*, 2021, doi: 10.1038/ s41388-021-01744-2.

21. Los modelos de **ensayos clínicos denominados *basket*** (en cesta) se basan en la incorporación de pacientes que no se seleccionan por el origen y tipo de tumor, sino en función de los perfiles moleculares de sus tumores. Por el contrario, en un estudio tipo ***umbrella* (paraguas)** se analizan pacientes con un solo tipo de tumor y, en función del resultado genético de cada uno de ellos, se trata de instaurar una terapia dirigida a sus alteraciones concretas.

12. La fuerza interior

1. El trabajo en el que se demuestra por primera vez que **la potenciación farmacológica del sistema inmunitario** podría constituir una importante terapia contra el cáncer es Rosenberg *et al.,* «Observations on the systemic administration of autologous lymphokine-activated killer cells and recombinant interleukin-2 to patients with metastatic cancer», *N. Engl. J. Med.*, vol. 313, 1985, págs. 1485-1492.

2. El primer artículo que describe el bloqueo de los **inhibidores de los puntos de control del sistema inmune** como estrategia antitumoral es Leach *et al.,* «Enhancement of antitumor immunity by CTLA-4 blockade», *Science,* vol. 271, 1996, págs. 1734-1736.

3. Los siguientes trabajos del laboratorio de Tasuku Honjo abrieron el camino a la introducción de **inhibidores de PD-1** como elementos clave de la **inmunoterapia contra el cáncer**: Iwai *et al.*, «Involvement of PD-L1 on tumor cells in the escape from host immune system and tumor immunotherapy by PD-L1 blockade», *Proc. Natl. Acad. Sci. USA*, vol. 99, 2002, págs. 12293-12297; y Hamanishi *et al.*, «Safety and antitumor activity of anti-PD-1 antibody, nivolumab, in patients with platinum-resistant ovarian cancer», *J. Clin. Oncol.,* vol. 33, 2015, págs. 4015-4022.

4. En los siguientes artículos se describe la gran **relevancia de la inmunoterapia del cáncer en la práctica clínica**, especialmente en los casos de melanoma maligno: Wolchok *et al.,* «Nivolumab plus ipilimumab in advanced melanoma», *N. Engl. J. Med.*, vol. 369, 2013,

págs. 122-133; Snyder *et al.,* «Genetic basis for clinical response to CTLA-4 blockade in melanoma», *N. Engl. J. Med.*, vol. 371, 2014, págs. 2189-2199; Leonardi *et al.,* «Cutaneous melanoma and the immunotherapy revolution», *Int. J. Oncol.*, vol. 57, 2020, págs. 609-618; y Salas-Benito et *al.,* «Paradigms on immunotherapy combinations with chemotherapy», *Cancer Discov.*, 2021, doi: 10.1158/2159-8290. CD-20-1312.

5. Las **limitaciones de la inmunoterapia actual** se debaten en Agostinetto *et al.*, «Cardiotoxicity of immune checkpoint inhibitors: A systematic review and meta-analysis of randomised clinical trials», *Eur. J. Cancer*, vol. 148, 2021, págs. 76-91; y Walsh y Dougan, «Checkpoint blockade toxicities: insights into autoimmunity and treatment», *Semin. Immunol.*, 2021, Mar 14:101473.

6. La **aplicación clínica de los virus oncolíticos como agentes antitumorales** ha sido escasa porque pueden ser destruidos por el sistema inmune. Curiosamente, de las crisis surgen nuevas oportunidades, y esto es lo que ha sucedido con los virus oncolíticos. La desventaja del posible ataque del sistema inmune se ha transformado en oportunidad cuando han sido combinados con los inhibidores de los frenos inmunitarios. En efecto, la llegada del virus al tumor alerta al sistema inmune y trata de destruirlo, pero lo que empieza siendo una respuesta contra el virus se convierte en colaboración con el sistema inmune al generarse señales moleculares que indican a los linfocitos la localización exacta del tumor al que deben atacar. Además, esta ayuda aumenta aún más por la acción de los propios inhibidores de los frenos del sistema inmunitario. Para más información sobre el empleo de **virus oncolíticos** para el **tratamiento de tumores cerebrales o cánceres de mama triple-negativos,** véanse García-Moure *et al.,* «Delta-24-RGD, an oncolytic adenovirus, increases survival and promotes proinflammatory immune landscape remodeling in models of AT/RT and CNS-PNET», *Clin. Cancer Res.*, vol. 27, 2021, págs. 1807-1820; Soliman *et al.,* «A phase I trial of talimogene laherparepvec in combination with neoadjuvant chemotherapy for the treatment of nonmetastatic triple-negative breast cancer», *Clin. Cancer Res.*, vol. 27, 2021, págs. 1012-1018.

7. La combinación de las estrategias de secuenciación de genomas con métodos inmunológicos e informáticos ha permitido avanzar en la generación de **vacunas personalizadas contra el cáncer**. Véase

Tran *et al.,* «Immunogenicity of somatic mutations in human gastrointestinal cancers», *Science*, vol. 350, 2015, págs. 1387-1390. Una revisión muy reciente sobre las vacunas antitumorales se puede encontrar en Saxena *et al.,* «Therapeutic cancer vaccines», *Nat. Rev. Cancer*, vol. 21, 2021, págs. 360-378.

8. Para más información sobre el diseño y las aplicaciones de **terapias antitumorales basadas en células CAR-T,** véanse Cruz-Ramos y García-Foncillas, «CAR-T cell and Personalized Medicine», *Adv. Exp. Med. Biol.,* vol. 1168, 2019, págs. 131-145; Cerrano *et al.,* «The advent of CAR T-cell therapy for lymphoproliferative neoplasms: Integrating research into clinical practice», *Front. Immunol.,* vol. 11, 2020, pág. 88; y Qu *et al.,* «Chimeric antigen receptor (CAR)-T-cell therapy in non-small-cell lung cancer (NSCLC): Current status and future perspectives», *Cancer Immunol. Immunother.*, vol. 70, 2021, págs. 619-631.

13. Prevenir para vivir

1. El estudio epidemiológico que ha revelado que la **ingesta elevada de carbohidratos se asocia a un mayor riesgo de mortalidad**, mientras que el **consumo de grasas no muestra esta tendencia** se describe en Dehghan *et al.,* «Associations of fats and carbohydrate intake with cardiovascular disease and mortality in 18 countries from five continents (PURE): A prospective cohort study», *Lancet,* vol. 390, 2017, págs. 2050-2062. Para más información sobre esta cuestión véase Ludwig *et al.,* «Dietary fat: From foe to friend?», *Science,* vol. 362, 2018, págs. 764-770.

2. Pese al contexto en el que se inserta, la expresión «egos revueltos» no tiene ningún sentido nutricional. Está tomada del título de un libro de Juan Cruz en el que retrata el lado más frágil y emotivo de un selecto grupo de escritores de las últimas décadas.

3. Los siguientes artículos muestran los resultados de la **dieta cetogénica** (rica en grasas, pobre en hidratos de carbono y moderada en proteínas) **en el ámbito oncológico.** Los datos disponibles son muy heterogéneos y la evidencia sobre los beneficios de esta dieta para la prevención o el tratamiento del cáncer es todavía insuficiente. Dierge *et al.,* «Cancer diets for cancer patients: Lessons from mouse studies

and new insights from the study of fatty acid metabolism in tumors», *Biochimie,* vol. 178, 2020, págs. 56-68; Thomas y Veznedaroglu, «Ketogenic diet for malignant gliomas: A review», *Curr. Nutr. Rep.*, vol. 9, 2020, págs. 258-263; y Klement *et al.,* «Ketogenic diets in medical oncology: A systematic review with focus on clinical outcomes», *Med. Oncol.,* vol. 37, 2020, pág. 14.

4. A continuación se mencionan varios artículos que avalan la idea de que los **antioxidantes tomados en dosis elevadas pueden favorecer el desarrollo o la progresión del cáncer**: Le Gal *et al.*, «Antioxidants can increase melanoma metastasis in mice», *Sci. Transl. Med.,* 2015 Oct 7;7(308):308re8; Wiel *et al.,* «BACH1 stabilization by antioxidants stimulates lung cancer metastasis», *Cell,* vol. 178, 2019, págs. 330-345; y Zou *et al.,* «Antioxidants promote intestinal tumor progression in mice», *Antioxidants (Basel),* vol. 10, 2021, pág. 241. En el siguiente artículo se ha realizado un metaanálisis de catorce ensayos clínicos con un total de 170.525 participantes en los cuales se estudiaba el valor de los **antioxidantes en la prevención del cáncer gastrointestinal**: Forman y Altman, «Vitamins to prevent cancer: Supplementary problems», *Lancet,* vol. 364, 2004, págs. 1193-1194.

5. Entre los trabajos que han estudiado la posible influencia del **ayuno** en la **prevención o el tratamiento del cáncer**, cabe citar: Caffa *et al.,* «Fasting-mimicking diet and hormone therapy induce breast cancer regression», *Nature,* vol. 583, 2020, págs. 620-624; Icard *et al.,* «Metabolic strategies for inhibiting cancer development», *Adv. Nutr.,* 2021, nmaa174; Zhao *et al.,* «The role and its mechanism of intermittent fasting in tumors: Friend or foe?», *Cancer Biol. Med.,* vol. 18, 2021, págs. 63-73; Brandhorst, S., «Fasting and fasting-mimicking diets for chemotherapy augmentation», *Geroscience,* 2021, doi: 10.1007/s11357-020-00317-7; Alidadi *et al.,* «The effect of caloric restriction and fasting on cancer», *Semin. Cancer Biol.,* 2020, S1044-579X(20)30200-5; y De Groot *et al.,* «Fasting mimicking diet as an adjunct to neoadjuvant chemotherapy for breast cancer in the multicentre randomized phase 2 DIRECT trial. Dutch Breast Cancer Research Group (BOOG)», *Nat. Commun.,* vol. 11, 2020, pág. 3083. Pese a los prometedores resultados obtenidos en modelos celulares y animales, no contamos todavía con estudios suficientes en enfermos de cáncer para poder recomendar el empleo del ayuno en los tratamientos oncológicos. Véase Vernieri *et al.,* «Fasting-mimicking diet

plus chemotherapy in breast cancer treatment», *Nat. Commun.*, vol. 11, 2020, pág. 4274.

6. Para más información sobre las **variaciones y adaptaciones del microbioma en el pueblo hadza** y su posible efecto protector frente a las enfermedades, incluido el cáncer, véase Smits *et al.,* «Seasonal cycling in the gut microbiome of the Hadza hunter-gatherers of Tanzania», *Science,* vol. 357, 2017, págs. 802-806.

7. Para entender las claves últimas de la pandemia de obesidad causada por la malnutrición, nada mejor que leer la nueva edición del excepcional libro *El hambre,* de **Martín Caparrós**.

8. En los siguientes artículos se examinan algunos de los muchos estudios que han observado una **asociación significativa entre la obesidad y el riesgo de desarrollar cáncer**: Quail y Dannenberg, «The obese adipose tissue microenvironment in cancer development and progression», *Nat. Rev. Endocrinol.*, vol. 15, 2019, págs. 139-154; Annett *et al.,* «Obesity and cancer metastasis: molecular and translational perspectives», *Cancers (Basel),* vol. 12, 2020, pág. 3798; Fernández *et al.*, «Alterations of lipid metabolism in cancer: Implications in prognosis and treatment», *Front. Oncol.,* vol. 10, 2020, pág. 577420; Nikolic *et al.,* «The role of stress kinases in metabolic disease», *Nat. Rev. Endocrinol.*, vol. 16, 2020, págs. 697-716; y Lan *et al.,* «FTO: A common genetic basis for obesity and cancer», *Front. Genet.*, vol. 11, 2020, pág. 559138.

9. El **teclado QWERTY** es el más común en máquinas de escribir, ordenadores y teléfonos móviles; su nombre proviene de las seis primeras letras que se encuentran en la primera fila de teclas. Algunas variantes de este tipo de distribución son los teclados QWERTZ, usado habitualmente en Alemania, y AZERTY, típico de Francia y Bélgica. El **teclado Dvorak**, también llamado teclado simplificado, es una distribución de teclas diseñada en 1936 por August Dvorak y William Dealey. Este teclado no ha logrado reemplazar al QWERTY, aunque entre sus usuarios se cuentan personajes tan conocidos como Steve Wozniak, el cofundador de Apple.

10. Aquí ofrecemos una selección de artículos recientes que avalan los beneficios del **ejercicio físico** en distintos aspectos del **desarrollo, progresión y respuesta al tratamiento en el cáncer**: Takemura *et al.*, «The effects of physical activity on overall survival among advanced cancer patients: A systematic review and meta-analysis», *BMC*

Cancer, vol. 21, 2021, pág. 242; Fiuza-Luces *et al.,* «Exercise benefits meet cancer immunosurveillance: Implications for immunotherapy», *Trends Cancer*, vol. 7, 2021, págs. 91-93; Pollán *et al.,* «Exercise and cancer: a position statement from the Spanish Society of Medical Oncology», *Clin. Transl. Oncol.,* vol. 22, 2020, págs. 1710-1729; y Rincón-Castanedo *et al.*, «Physical exercise effects on metastasis: A systematic review and meta-analysis in animal cancer models», *Cancer Metastasis Rev.,* vol. 39, 2020, págs. 91-114.

11. Los siguientes artículos recogen el debate sobre la **importancia relativa que tienen los factores extrínsecos e intrínsecos en el desarrollo del cáncer**: Tomasetti y Vogelstein, «Cancer etiology. Variation in cancer risk among tissues can be explained by the number of stem cell divisions», *Science*, vol. 347, 2015, págs. 78-81; y Lichtenstein, A. V., «Cancer: Bad luck or punishment?», *Biochemistry (Mosc)*, vol. 82, 2017, págs. 75-80.

12. Un artículo que revisa las funciones de **los micro-ARN y otros ARN no codificantes en el cáncer** es Slack y Chinnaiyan, «The role of non-coding RNAs in oncology», *Cell*, vol. 179, 2019, págs. 1033-1055.

13. Para más información sobre las **recomendaciones nutricionales como medida de apoyo durante el tratamiento del cáncer**, véase Kanarek *et al.*, «Dietary modifications for enhanced cancer therapy», *Nature,* vol. 579, 2020, págs. 507-517.

14. Ante mí, el infinito

1. El **número de Champernowne** debe su infinita singularidad al hecho de contener todos los números naturales posibles: 0,12345678 9101112131415161718...

2. La frase «**de las tristezas haremos humo**» está tomada de la maravillosa canción del cantautor galáctico **Jaume Sisa** titulada *Qualsevol nit pot sortir el sol.*

3. La frase «**no conocemos ni siquiera el nombre de esos científicos que mañana nos salvarán la vida**» procede de una reflexión compartida por el añorado periodista **Carles Capdevila** durante la emotiva conversación que mantuvimos en el curso de un simposio sobre las claves del bienestar y la felicidad celebrado en Vitoria en 2016.

4. La referencia a «**la joven de la perla**» pretende dirigir la atención a las emociones que suscita el cuadro del mismo título pintado en torno a 1655 por el gran artista holandés **Johannes Vermeer**.

5. Para más información sobre la convergencia de la inteligencia artificial y el dataísmo en el ámbito de la investigación, el diagnóstico y el tratamiento del cáncer, véanse Cirillo et al., «Artificial intelligence in cancer research: Learning at different levels of data granularity», Mol. Oncol., 2021, doi: 10.1002/1878-0261.12920; Kleppe et al., «Designing deep learning studies in cancer diagnostics», Nat. Rev. Cancer, vol. 21, 2021, págs. 199-211; y Biswas y Chakrabarti, «Artificial intelligence (AI)-based systems biology approaches in multi-omics data analysis of cancer», Front. Oncol., vol. 10, 2020, pág. 588221. Un ejemplo del empleo combinado de técnicas de imagen y datos masivos de marcadores moleculares en sangre para anticipar el diagnóstico del cáncer en una cohorte de más de diez mil mujeres es Lennon et al., «Feasibility of blood testing combined with PET-CT to screen for cancer and guide intervention», *Science*, vol. 369, 2020, pág. eabb9601.

6. Para más información sobre los **nuevos medicamentos aprobados en 2020** para el tratamiento del cáncer, véase Amiri-Kordestani y Pazdur, «Oncology approvals in 2020: A year of firsts in the midst of a pandemic», *Nat. Rev. Clin. Oncol.*, vol. 18, 2021, págs. 129-130.

7. La idea de que es «**imposible con nubes estrechar hasta el fondo un cuerpo**» corresponde a un verso de Luis Cernuda que pertenece al poema «Desdicha», incluido en el libro *Un río, un amor,* de 1929.

8. El texto «**Y una vez que la tormenta termine, no recordarás cómo lo lograste, cómo sobreviviste**. Ni siquiera estarás seguro de si la tormenta ha terminado realmente. Aunque una cosa sí es segura: cuando salgas de esa tormenta, no serás la misma persona que entró en ella. De eso se trata la tormenta» pertenece al extraordinario libro *Kafka en la orilla*, de **Haruki Murakami**.

Epílogo

1. La expresión «**con indecisa pluma**» es un homenaje al gran poeta asturiano Víctor Botas (1945-1994). Este verso suyo forma parte de un poema del mismo título incluido en su libro *Las cosas que me acechan*.

BIBLIOGRAFÍA

Entre los muchos libros que han contemplado el cáncer desde múltiples perspectivas, me gustaría destacar algunos de los que me han ayudado a incorporar datos e ideas al presente ensayo.

Álvarez, Pablo, *Coraje frente al cáncer*, Oviedo, Cajastur, 2007.

Basulto, Julio, y Juanjo Cáceres, *Dieta y cáncer: qué puede y qué no puede hacer tu alimentación*, Barcelona, Planeta, 2019.

Davis, Daniel M., *The beautiful cure: The revolution in immunology and what it means for your health*, Chicago, University of Chicago Press, 2018.

DeVita, Vincent T., Theodore S. Lawrence, y Steven A. Rosenberg (eds.), *Cancer: Principles & Practice of Oncology*, 11.ª ed., Filadelfia, Lippincott Williams & Wilkins, 2018.

Doudna, Jennifer, y Samuel Sternberg, *A crack in creation: Gene editing and the unthinkable power to control evolution*, Boston, Mariner Books, 2017.

Graeber, Charles, *The Breakthrough: Immunotherapy and the race to cure cancer*, Nueva York, Grand Central Publishing, 2018.

Labordeta, Ángela, *Equilibrista*, Zaragoza, Los Libros del Gato Negro, 2020.

Lieberman, Daniel E., *Exercised: Why something we never evolved to do is healthy and rewarding*, Nueva York, Penguin Random House, 2020.

Mukherjee, Siddhartha, *El emperador de todos los males*, Barcelona, Debate, 2014.

Muñoz, Alberto, *Cáncer, genes y nuevas terapias*, Madrid, Hélice, 1997.

Skloot, Rebecca, *The immortal life of Henrietta Lacks*, Nueva York, Broadway Books, 2011 (traducción castellana, *La vida inmortal de Henrietta Lacks*, Barcelona, Planeta, 2011).

Sontag, Susan, *La enfermedad y sus metáforas*, Barcelona, DeBolsillo, 2008.

Weinberg, Robert A., *The biology of cancer*, Nueva York, Garland Science, 2013.

Yong, Ed, *Yo contengo multitudes: los microbios que nos habitan y una visión más amplia de la vida*, Barcelona, Debate, 2020.

Yuste, Belén, y Sonnia L. Rivas-Caballero, *María Sklodowska-Curie: ella misma*, Madrid, Palabra, 2018.

GLOSARIO

Adicción no-oncogénica: dependencia que muestran las células tumorales a la función de genes normales carentes de actividad oncogénica, pero con papeles esenciales para la supervivencia de los tumores malignos.

ADN: ácido desoxirribonucleico, el material genético de la mayoría de los seres vivos.

AECC: Asociación Española Contra el Cáncer.

Agentes alquilantes: compuestos empleados en quimioterapia que poseen la capacidad de añadir grupos químicos alquilo a macromoléculas biológicamente importantes como el ADN, impidiendo su replicación.

Agnosticismo: aproximación científica actual en la que no se formulan hipótesis previas, sino que se recogen datos experimentales generados masivamente sobre un problema concreto. El análisis e integración de esos datos es el que conduce finalmente a la elaboración de las hipótesis consustanciales al método científico.

Aminoácido: cada uno de los veinte constituyentes fundamentales de las proteínas.

Amplificación: mecanismo mutacional por el que las células tumorales adquieren varias copias adicionales de un gen.

Aneuploidía: alteración genética frecuente en el cáncer que implica la pérdida o la ganancia de cromosomas completos en las células tumorales.

Anoikis: forma de muerte celular programada inducida por la pérdida de los anclajes de las células a su correspondiente matriz extracelular.

Antifolato: tipo de medicamento usado en oncología que impide que las células usen el ácido fólico que necesitan para sintetizar su ADN.

Apoptosis: una de las formas principales de la muerte celular programada.

ARN: ácido ribonucleico; actúa como regulador o intermediario en la transmisión de la información genética y es el material genético de algunos virus.

Autofagia: sistema de reciclaje celular que elimina productos defectuosos y genera componentes moleculares esenciales para la supervivencia.

CAR-T: linfocitos T con receptor de antígenos quimérico utilizados para el tratamiento inmunoterápico del cáncer.

Célula germinal: célula cuya misión es formar los óvulos o espermatozoides que son las células reproductivas necesarias para asegurar la continuidad de la especie.

Célula somática: célula que contribuye a formar los órganos y tejidos del cuerpo.

Célula *stem*: célula troncal, madre o progenitora que tiene la capacidad de renovarse por sí sola para producir nuevas células de su mismo tipo y diferenciarse en las demás células especializadas.

Crisis telomérica: proceso inducido por el acortamiento de los telómeros de los cromosomas que finalmente conduce a la senescencia o a la muerte celular.

CRISPR/Cas9: repeticiones palindrómicas cortas agrupadas y regularmente interespaciadas (*Clustered Regularly Interspaced Short Palindromic Repeats*), que junto con la nucleasa Cas9 conforman un eficiente sistema de edición génica.

Cromosoma: estructura del interior de las células que contiene material genético.

Cromotripsis: daño cromosómico global que provoca la desorganización e inactivación simultánea de varios genes supresores y la activación de algunos oncogenes.

Dataísmo: disciplina que se ocupa de la recopilación, análisis e interpretación de los datos masivos (*big data*).

Degradoma: conjunto de genes de proteasas presentes en el genoma de un organismo.

Disbiosis: pérdida del equilibrio microbiano de la microbiota normal debido a cambios en su composición, distribución o función.

Edición génica: técnica de manipulación genética que permite efectuar cambios en el genoma de un modo rápido y eficaz.

Entropía: magnitud física que refleja el desorden de un sistema aislado.

Epigenoma: estudio de los cambios que regulan la expresión génica celular sin alterar la secuencia de ADN, como la metilación del ADN o la modificación de las histonas.

Factor de transcripción: proteína con función reguladora de la expresión génica.

Gen: unidad de información genética que codifica proteínas o ARN funcionales.

Genoma: conjunto de material genético de un organismo.

Haiku: poemas breves japoneses sin rima y compuestos de diecisiete sílabas, distribuidas en tres versos de cinco, siete y cinco sílabas, respectivamente.

Hormesis: proceso natural mediante el cual la exposición a dosis bajas de un compuesto dañino favorece la adaptación del sistema frente a ese mismo daño administrado a dosis más altas.

***Ikigai*:** propósito vital, razón de existir.

Inteligencia artificial: ciencia dedicada a construir máquinas inteligentes que puedan realizar actividades propias de la inteligencia humana, como el autoaprendizaje.

***Kataegis*:** lluvia de mutaciones concentrada en una pequeña región del genoma de una célula tumoral.

Letalidad sintética: muerte celular resultante de la interacción simultánea de factores que no serían letales en forma aislada.

Ligando: sustancia capaz de formar un complejo con una biomolécula. En sentido estricto, es una molécula que envía una señal en el momento en que se une al centro activo de una proteína, normalmente un receptor de membrana.

Límite de Hayflick: número máximo de divisiones que puede experimentar una célula normal.

Metagenoma: conjunto de todo el material genético presente en una muestra ambiental; en nuestro caso, el conjunto del genoma humano y el de los microbios que nos habitan.

Microbioma: conjunto formado por los genes de los microorganismos presentes en un nicho ecológico determinado.

Microbiota: comunidad de microorganismos vivos residentes en un nicho ecológico determinado, como el intestino humano.

Mitocondria: orgánulo celular que tiene su propio ADN y cuya función principal es la producción de energía.

Nucleótido: componente fundamental de los ácidos nucleicos que está constituido por una base nitrogenada, un azúcar y una molécula de ácido fosfórico.

Oncogén: gen anormal o activado procedente de la mutación de un gen normal llamado protooncogén. Los oncogenes causan la transformación de células normales en tumorales.

Organoide: masa de tejido tridimensional creada en el laboratorio mediante el cultivo de células progenitoras normales o tumorales que recapitula las funciones de los órganos de los que proceden estas células. Estos órganos en miniatura se utilizan para estudiar los mecanismos de formación de los tejidos normales o patológicos, y para ensayar la eficiencia de nuevos tratamientos.

Polimorfismo: variación natural no patológica de una secuencia de ADN.

Prepaciente: término que trata de definir la situación de un individuo que tiene un cierto riesgo de desarrollar una enfermedad, pero cuyos síntomas no se han hecho todavía evidentes.

Probióticos: bacterias vivas que aportan beneficios al organismo.

Respondedor excepcional: paciente que experimenta una respuesta completa o duradera a un tratamiento frente al que la mayoría de los pacientes tratados de la misma manera no manifiesta ninguna mejoría.

Retrotransposición: proceso mediante el cual se generan una o varias copias de ADN a partir del ARN mensajero transcrito a partir de un determinado gen y después se insertan en el genoma de manera aleatoria.

Silenciamiento epigenético: mecanismo de inactivación génica basado frecuentemente en la metilación de las citosinas (las letras C del genoma) situadas en las regiones reguladoras de los genes.

Telomerasa: proteína que participa en el mantenimiento de la longitud de los telómeros.

Telómeros: estructuras de seis unidades nucleotídicas (por ejemplo, TTAGGG) repetidas centenares o miles de veces y situadas en los extremos de los cromosomas eucariotas.

Transición epitelio-mesénquima: programa biológico puesto en marcha por las células tumorales durante el proceso de metástasis. Esta transición implica la pérdida de las propiedades adhesivas de las células epiteliales y la adquisición de características típicas de las células mesenquimales que conllevan un incremento de la movilidad e invasividad celulares.

Translocación: mecanismo mutacional que consiste en el desplazamiento de un segmento de un cromosoma a un nuevo lugar en el genoma.

AGRADECIMIENTOS

Gracias a los pacientes y a sus familias que compartieron conmigo su intimidad, su dolor y su esperanza tras recibir la visita del Gran Mal; gracias a todos los profesionales de la oncología y de la investigación biomédica que intentaron concretar esa esperanza en vida; gracias a todos los que durante más de tres décadas me regalaron tiempo y compromiso en ese taller de ideas y sueños que fue siempre nuestro laboratorio; gracias a los que me acompañaron durante la escritura de este libro y revisaron distintos capítulos del primer manuscrito (María Mittelbrunn, María Cornide, Alberto Muñoz, Luis Alegre, Alberto Morán, Guadalupe Sabio, Laura Cabiedes-Miragaya, Tomás el de Tino, David Roiz, José M. P. Freije, Pilar Blay, María Avendaño, Olga G. Moreno, Radhamés Hernández, Letizia Ortiz, Laura López-Velasco y Gloria Velasco); gracias a Enrique, Montse, Eugenio, Carmen, Juan, Natalia, Isabel, Marisa, Rebeca, María, Cristina, Luis y Julia por su correspondencia terapéutica, artística, geométrica, nórdica, ética, emocional, visual, viral, filial, espiritual, angelical, musical y vital, y a Elisabet Navarro y a todo su equipo de Planeta Paidós por su excelente labor editorial. La versión final del manuscrito de *Egoístas, inmortales y viajeras* se elaboró y revisó durante una estancia en el maravilloso Bellagio Center de The Rockefeller Foundation

(Lago Como, Italia). Gracias a Pilar Palaciá y a todo el personal del Centro por su exquisita amabilidad y atención. Por último, deseo señalar que los beneficios económicos que puedan corresponderme por la venta de este libro se donarán íntegramente a la Asociación Española Contra el Cáncer para apoyar su ejemplar programa Cáncer y pobreza.

Impreso en España